A PROPOS DE L'AUTEUR

C'est en 1989, après une brève carrière journalistique, que Deborah Simmons publie avec succès son premier roman historique. Depuis, elle a écrit avec bonheur plus de vingt récits. Le cadeau de la reine est son dix-septième roman publié dans la collection « Les Historiques ».

Le cadeau de la reine

DEBORAH SIMMONS

Le cadeau de la reine

Traduction française de
GERALDINE DE THORE

Les Historiques

Collection : LES HISTORIQUES

Titre original :
GLORY AND THE RAKE

Ce roman a déjà été publié en 2012

HARPERCOLLINS FRANCE
83-85, boulevard Vincent-Auriol, 75646 PARIS CEDEX 13
Service Lectrices — Tél. : 01 45 82 47 47

www.harlequin.fr

ISBN 978-2-2803-4786-0 — ISSN 1159-5981

Chapitre 1

Lorsqu'elle pénétra dans le hall de la station thermale, Glory Sutton cligna des yeux un moment, surprise par l'obscurité qui régnait à l'intérieur. Les rideaux avaient été tirés pour masquer les ouvertures pratiquées dans les murs, empêchant ainsi la lumière de cette fin d'après-midi de pénétrer dans la pièce.

Glory regretta aussitôt de ne pas avoir pris de lanterne. Quand elle s'était rendu compte qu'elle avait oublié son réticule dans la station, elle était revenue sur ses pas sans réfléchir, et sans avoir conscience qu'il était si tard.

Les ouvriers étaient déjà partis, mais l'odeur persistante de peinture fraîche témoignait des travaux qu'ils avaient effectués dans la journée, en vue de la prochaine réouverture de la station thermale.

Les Eaux de la Reine appartenaient à la famille de Glory depuis des siècles, et cette dernière se flattait d'avoir déployé de gros efforts pour préserver cet héritage.

Un bruit sourd résonna soudain dans l'obscurité. Inquiète, elle jeta un regard autour d'elle. C'était sûrement les craquements des vieilles boiseries, se rassura-t-elle avant de se remettre en quête de son sac à main.

Glory n'était pas du genre à sursauter au moindre bruit, mais elle avait parfaitement conscience des sentiments mitigés, voire de l'hostilité, qu'avait provoqués son arrivée dans le village. Mais, plus que cela, c'était surtout la sensation d'être surveillée qui la mettait mal à l'aise. Bien sûr, elle n'en avait pas parlé à son frère Thad, de peur que ce dernier y voie une preuve supplémentaire de l'hostilité des villageois. Et puis, tante Phillida s'inquiéterait ou, pire, s'évanouirait sur-le-champ en apprenant le pressentiment de Glory. Ni sa tante ni son frère ne partageaient ses espoirs pour la station thermale, et ils sauteraient sur le moindre prétexte pour abandonner le projet de rénovation.

Aussi Glory avait-elle gardé ses inquiétudes pour elle, et prudemment glissé un petit pistolet dans son réticule, une précaution qui aurait horrifié son frère et sa tante, s'ils en avaient été avertis. Mais son père lui avait appris à toujours anticiper le danger, même dans un village comme Philtwell, dont la population semblait si inoffensive.

Glory prit soudain conscience qu'elle était totalement sans défense, puisque son pistolet était dans son sac à main.

Effrayée par cette idée, elle fouilla du regard la pièce déserte. Les meubles recouverts de draps donnaient à l'endroit une atmosphère fantomatique et dessinaient des ombres sur les murs, ajoutant à l'angoisse diffuse qui lui serrait le cœur.

Tout à coup, un courant d'air agita un pan de drap et Glory dut se retenir pour ne pas crier de terreur. Finalement, une vague de soulagement l'envahit lorsqu'elle remarqua un objet sombre abandonné sur un des bancs alignés contre le mur. Son sac ! L'avait-elle posé là lorsqu'elle avait inspecté les autres pièces ? Elle ne s'en souvenait plus. Peut-être avait-il été simplement déplacé par un ouvrier.

D'un pas rapide, elle atteignit le banc et ses doigts se refermèrent avec soulagement sur le doux tissu du réticule, dans lequel se trouvait toujours son arme. Un bruit sourd se fit de nouveau entendre. Elle se retourna, franchement inquiète à présent. Il lui semblait cette fois avoir perçu le bruit d'une porte.

Avait-elle été suivie ? C'était ridicule ! Qui pouvait bien vouloir entrer dans un bâtiment obscur, fermé depuis des décennies ? Un villageois poussé par la curiosité, ou un ouvrier qui aurait oublié quelque chose ? Quoi qu'il en soit, son instinct lui dictait de rester tapie dans l'ombre. Au cas où…

Elle jeta un coup d'œil à la porte d'entrée. Elle était fermée. Aurait-elle laissé la porte de derrière ouverte par mégarde ? Elle avait tant de choses à l'esprit, tant de détails à régler avant la réouverture de la station, qu'elle avait très bien pu se montrer étourdie. Ou peut-être ce bruit avait-il simplement été provoqué par un coup de vent ? Après tout, il pouvait être violent dans ces régions !

Dans le doute, elle sortit son pistolet de son réticule et, passant derrière les tables recouvertes de draps, elle se dirigea vers la sortie en prenant bien soin de se coller le plus possible aux murs.

Les pièces à l'arrière de la buvette étaient encore plus sombres, et Glory maudit une nouvelle fois sa légèreté. Elle finit par apercevoir la porte par laquelle elle était entrée, qui était effectivement ouverte. Elle s'empressa de sortir, impatiente de quitter l'atmosphère oppressante des lieux. Une fois à l'extérieur, elle laissa échapper un soupir de soulagement... qui se transforma en hoquet de terreur lorsqu'une ombre surgit en face d'elle.

Glory recula brusquement et pointa son arme d'une main tremblante.

— Ne bougez pas ou je tire ! cria-t-elle d'une voix hésitante.

— Pardon ?

L'accent traînant la désarçonna totalement, mais elle ne baissa pas sa garde pour autant.

— Restez où vous êtes. Ne bougez pas, dit-elle en reculant pour s'éloigner de la silhouette.

Bien qu'il fasse plus clair au-dehors, l'ombre des sycomores obscurcissait l'entrée de la buvette et Glory ne voyait presque rien, excepté une forme sombre, imposante, à l'aspect menaçant.

— Savez-vous qui je suis ? demanda la silhouette.

Il s'agissait clairement d'un homme, trop grand cependant pour être le Dr Tibold. Ce dernier était un homme odieux qui la harcelait pour rendre gratuit l'accès aux eaux ; une manière détournée de se remplir les poches aux dépens de sa famille.

— Et qui êtes-vous ? demanda Glory.

Une pensée lui traversa soudain l'esprit : et si le médecin avait engagé quelque sbire pour la faire céder ? Son cœur s'affola dans sa poitrine et sa poigne autour du pistolet se fit soudain moins assurée. La voix était trop enjôleuse et éduquée pour appartenir à un voyou, mais l'instinct de Glory lui disait que cet homme était dangereux.

— Suis-je censée vous connaître ? ajouta-t-elle avec une bravade qu'elle était loin d'éprouver.

— J'imagine que c'est la raison pour laquelle vous voulez me dépouiller.

Glory écarquilla les yeux de surprise.

— Mais je ne vous dépouille pas ! protesta-t-elle.

Profitant de sa stupéfaction, l'inconnu passa à l'attaque. D'un geste, il fit sauter son arme et l'attira contre lui.

Son pistolet tombé à terre, Glory se retrouva le dos plaqué contre le torse de son adversaire, incapable de voir son visage, prisonnière de bras puissants qui lui écrasaient la poitrine et lui interdisaient tout mouvement. Choquée de cette intimité soudaine, elle sentit son sang-froid l'abandonner. Rarement décontenancée en temps normal, elle était en cet instant submergée par des émotions qui lui étaient étrangères : la force évidente de son agresseur, son corps musclé collé au sien, une odeur incroyablement masculine mêlée au parfum d'une eau de Cologne raffinée… et cette chaleur qui l'enveloppait…

Son cœur se mit à battre à tout rompre. Elle sentit sur ses cheveux un souffle chaud…

— Que se passe-t-il ?

L'exclamation de Thad résonna dans la pénombre, mettant fin à cette troublante — et dangereuse — intimité. Glory aperçut alors, dans la lumière du soleil couchant, la silhouette de son frère qui courait vers elle.

— Lâchez ma sœur !

— Alors comme ça vous travaillez en duo ? dit l'inconnu.

Cette voix de basse, si proche de son oreille, lui envoya des frissons tout le long de la colonne vertébrale. Les effets de la peur, sans doute. Pourtant, l'homme s'était contenté de la désarmer et ne lui voulait apparemment aucun mal. Se pouvait-il qu'elle soit simplement troublée par sa voix rauque et sensuelle ? Non ! C'était impensable !

Mieux valait se dire que son émoi était provoqué par

la violence de la situation. Et par le fait que l'inconnu était totalement indifférent à l'arrivée de Thad. Ce dernier fonçait droit sur elle, alors même que le brigand se servait d'elle comme d'un bouclier. Mais à sa grande surprise, au dernier moment, son agresseur s'interposa entre elle et son frère.

— Ne me faites pas regretter mon geste, dit-il avant de la relâcher.

Quel genre de voyou libérait ainsi sa victime ? Sûrement le genre à avoir une bien trop haute idée de lui-même, se dit Glory en le voyant faire face à Thad.

Elle devait toutefois en convenir : l'assurance affichée de l'homme n'était pas déplacée. Même dans la semi-obscurité, elle voyait combien les efforts de son frère semblaient maladroits et désordonnés, tandis que les gestes de son adversaire étaient parfaitement contrôlés et laissaient deviner une pratique régulière de la boxe. Bien que ce sport ne soit pas un hobby inhabituel chez un gentleman — Thad envisageait d'ailleurs de s'y adonner —, son agresseur avait l'habileté d'un professionnel. C'était peut-être un de ces boxeurs qui gagnaient leur vie dans des combats de rue. Glory eut soudain très peur pour la vie de son frère.

D'ailleurs, Thad se retrouva très vite à terre.

— Mon Dieu, Thad, cria-t-elle en se précipitant vers lui.

Elle faillit trébucher sur le pistolet abandonné sur le sol. Un sentiment de soulagement l'envahit immédiatement et elle se pencha pour le ramasser.

— Ne bougez plus ! hurla-t-elle.

Cette fois-ci, ce fut d'une main ferme qu'elle pointa son arme en direction du brigand.

Mais aucun des deux hommes ne lui prêta attention.

Thad s'assit en se tenant la mâchoire et jeta à son adversaire un regard presque admiratif.

— Où avez-vous appris à vous battre ainsi ?

— Avec le boxeur Jackson.

— Vraiment ? répliqua Thad, d'une voix pleine d'excitation. J'adorerais aussi me former auprès d'un tel maître, mais ma sœur s'y oppose. Au lieu de cela, elle me traîne dans ce coin perdu où un amateur de jeu comme moi ne trouve aucune occupation.

Sous les yeux ébahis de Glory, l'adversaire de Thad tendit la main pour l'aider à se relever.

— Alors comme ça vous vous êtes mis au vol ?

— Pardon ? Oh non, je ne suis pas un voleur… Mais, vous, qui êtes-vous ? demanda soudain Thad, recouvrant ses esprits. Et que faisiez-vous avec ma sœur ?

— J'étais en train de me demander pourquoi la porte de la buvette était grande ouverte lorsque votre sœur a menacé de me tirer dessus, répondit l'homme.

Leurs regards convergèrent vers Glory, qui put enfin distinguer les traits de son assaillant à la lueur du soleil déclinant. Il était grand, brun et de belle figure. Tirée à quatre épingles, son allure générale respirait l'argent, le pouvoir et l'arrogance… Ou était-ce juste une très grande assurance ?

— Mais qui êtes-vous ? demanda-t-elle en retenant son souffle.

— Puisque les circonstances nous privent d'une présentation en bonne et due forme, vous pouvez m'appeler Westfield, répondit son interlocuteur en s'inclinant légèrement.

— Vous êtes le duc de Westfield ?

La voix de Thad trahissait à la fois son admiration et son inquiétude. Quant à Glory, elle aurait chancelé si le duc ne l'avait retenue... en profitant pour la désarmer du pistolet qu'elle pointait encore vers lui.

Oberon Makepeace, quatrième duc de Westfield, tira sur les manches de sa chemise, resserra le nœud de sa cravate et prit le chemin escarpé qui menait à Sutton House, visiblement peu affecté par la tentative d'agression sur son auguste personne. Afin d'éviter toute autre surprise désagréable, il avait fourré dans la poche de son manteau le petit pistolet qu'il avait récupéré. Ni le jeune homme ni sa sœur n'avaient protesté et Oberon avait pu s'en aller sans craindre de prendre une balle dans le dos.

Surprenant, vraiment, cette rencontre au milieu de nulle part... Tout cela le laissait perplexe. Certes, l'assaut de la jeune femme avait été maladroit et facilement contrecarré, mais Oberon ne pouvait ignorer la possibilité que les choses soient plus compliquées qu'il n'y paraisse. C'était d'ailleurs la curiosité, entre autres raisons, qui l'avait empêché de faire jeter ces jeunes agresseurs en prison.

D'expérience, Oberon savait que les gens n'étaient pas toujours ce qu'ils semblaient être et, bien que la jeune femme ressemble à toutes ces demoiselles sans cervelle de la bourgeoisie locale, il n'avait jamais vu ces dernières menacer un étranger d'une arme. Peut-être se faisait-elle passer pour une jeune fille de bonne famille afin de mener à bien une escroquerie quelconque, avec l'aide de son prétendu frère ? Si c'était le cas, leur rencontre avait sans doute été fortuite. D'autant plus qu'Oberon n'était arrivé au village que deux heures plus tôt.

Cependant, il croyait peu au hasard. Il essaya donc de

se rappeler qui, dans son entourage, avait connaissance de sa visite à Philtwell. Il avait été particulièrement discret quant à ses plans, et avait tout juste évoqué un vague engagement familial, sans donner plus de précisions. Sa mère avait-elle pu divulguer l'information ? Elle était la raison de sa présence au village : elle avait insisté pour qu'il l'accompagne chez un parent alité. Il avait bien tenté d'échapper à cette corvée, en proposant par exemple les services du médecin de famille à la place des siens. Mais la douairière était restée intraitable. De même avait-elle refusé de reconnaître ce qu'elle appelait les « engagements mondains » de son fils comme une excuse suffisante pour ne pas venir.

Cédant aux désirs de sa mère, Oberon avait donc supporté un voyage interminable sur des chemins à peine praticables, pour se retrouver à Philtwell, un trou perdu, loin de toute civilisation. L'attraction principale du village résidait en une rue principale, bordée de bâtiments décrépis parmi lesquels les Eaux de la Reine, une station thermale autrefois prisée par la reine Elisabeth 1re. Ces eaux n'avaient jamais été vraiment à la mode, et n'avaient jamais connu le succès de Bath ou de Tunbridge, mais elles avaient tout de même bénéficié d'une bonne renommée grâce à la souveraine. Aujourd'hui, ses jours de gloire depuis longtemps révolus, la station thermale était fermée.

Et pourtant il était tombé sur un rôdeur… et pas n'importe quel rôdeur ! Lorsqu'il avait aperçu la silhouette de la jeune femme, Oberon avait eu une réaction qui l'avait lui-même surpris. Etait-ce parce qu'il s'était cru menacé par cette ombre ? En tout cas, l'ennui qu'il éprouvait depuis son départ de Londres s'était soudain dissipé pour laisser place à une brusque montée d'adrénaline. Cet incident était pour lui un prétexte à un nouveau défi… Une nouvelle énigme… une occupation d'autant plus appréciable dans ce village perdu.

Et, si l'énigme en question avait un corps élancé qui épousait parfaitement les formes du sien, que demander de plus ? Non, c'était ridicule ! Si un simple contact avec cette femme le troublait à ce point, il était grand temps qu'il se trouve une nouvelle maîtresse ! Et au lieu de penser aux attraits de cette inconnue il ferait mieux de se souvenir qu'elle l'avait menacé avec son arme. C'était là la marque d'un caractère téméraire et dangereux… Une femme qui méritait sûrement que l'on s'intéresse à elle de plus près, tout comme à ce village, d'ailleurs.

L'isolement géographique de Philtwell présentait certains avantages pour ceux qui souhaitaient se rencontrer loin des regards curieux et, par le passé, les stations thermales avaient eu les faveurs de nombreux conjurés qui s'y réunissaient pour ourdir leurs complots. Mais aujourd'hui ? Oberon secoua la tête, sceptique. Il se raccrochait probablement à des chimères pour tromper son ennui. Pourtant, en quittant les alentours immédiats de Philtwell pour se rendre à Sutton House, il ne put s'empêcher de scruter l'obscurité à la recherche du moindre mouvement suspect.

Mais à part la demeure de Randolph Pettit, une solide bâtisse en briques, il ne put rien discerner. Pettite selon les standards ducaux, la maison faisait néanmoins parfaitement l'affaire pour un séjour de courte durée. Certes, le bâtiment datait de plusieurs siècles, mais sa façade était bien entretenue. L'intérieur, en revanche, aurait bien mérité quelques réparations et améliorations. Etait-il possible que le cousin de sa mère soit désargenté ? se demanda-t-il soudain.

Il entra par une porte dérobée pour éviter qu'on ne le voie. Il voulait d'abord être sûr de ne laisser paraître aucun signe de sa récente mésaventure. Une fois dans sa chambre, il se planta devant le miroir et constata que tout était en ordre, mis à part son manteau poussiéreux dont son valet s'occuperait fort bien. Il sortit de sa poche le petit pistolet et le posa dans le tiroir de son bureau.

Il contempla l'arme un long moment avant de refermer le tiroir. Aurait-il dû questionner davantage la jeune femme ? Non, son intérêt aurait certainement paru suspect et il ne pouvait se permettre de dévoiler ainsi son jeu, même dans une bourgade aussi reculée que Philtwell.

Il n'avait cependant aucune intention d'oublier l'incident et il se mit à réfléchir à sa prochaine ligne d'action.

Sutton House vivait à l'heure de la campagne, ce qui signifiait que l'on dînait tôt et que la soirée n'était plus ensuite qu'un long ennui. Mais ce soir les sens d'Oberon étaient en alerte ; le dîner serait une occasion d'écouter, d'apprendre et de dénicher les informations qu'il cherchait.

Cependant, lorsqu'il descendit, il trouva la salle à manger déserte. Tout aussi ancienne que la maison, la pièce demeurait telle que l'avait conçue le premier architecte. Ici, la faible lumière ne suffisait pas à éclairer l'immensité de la salle dont les coins demeuraient dans l'obscurité. En faisant lentement le tour de la pièce, Oberon remarqua que les meubles massifs et sombres étaient en parfaite harmonie avec l'atmosphère un peu lugubre de l'endroit. Il examinait un mur dont la peinture commençait à s'écailler sous le poids des années lorsqu'il entendit des pas.

— Votre cousin n'est-il pas en état de se joindre à nous ? demanda-t-il, déçu, lorsqu'il aperçut sa mère seule.

Ce n'était donc pas ce soir qu'il en apprendrait davantage sur les autochtones.

— Pas encore, répondit sa mère, mais son état s'améliore.

Un fait qu'Oberon ne pouvait ni infirmer ni confirmer puisque sa mère l'avait chassé sans ménagement de la chambre du malade un peu plus tôt dans la journée. La question qu'il s'était posée maintes fois avant d'accepter d'accompagner sa mère resurgit aussitôt dans son esprit. Pourquoi avait-elle tenu à ce qu'il l'accompagne alors qu'un médecin, ou un avoué, aurait été bien mieux placé pour soigner le pauvre homme ou pour mettre en ordre ses affaires en cas de nécessité ?

Mais après tout quelle importance ? Que cela lui plaise ou non, il était là à présent.

Il prit place à table, face à sa mère, et pria pour que la nourriture soit mangeable.

— Votre promenade a-t-elle été plaisante ? lui demanda-t-elle.

Habitué à cacher ses sentiments, Oberon gratifia sa mère d'un hochement de tête neutre. En effet, il ne tenait pas à lui raconter sa mésaventure, du moins pas encore.

— Avez-vous pu apercevoir la buvette ? demanda la duchesse. Vous savez, c'est l'endroit où nous nous sommes rencontrés, votre père et moi.

Oberon acquiesça. Sa mère, d'habitude si pleine de vie et d'esprit, semblait avoir succombé à la nostalgie depuis son arrivée à Philtwell. Ses commentaires, d'habitude si raisonnables, avaient laissé place à une évocation confuse de ses souvenirs. Et, franchement, Oberon s'en serait bien passé.

— J'ai cru comprendre que le bâtiment était fermé, dit-il.

— En effet. Peu après notre passage ici, la station thermale a été dévastée par un incendie et elle a été fermée. C'est à ce moment-là que les propriétaires ont vendu Sutton House. Mais il semblerait qu'ils aient gardé les autres bâtiments.

— J'ai pourtant cru déceler une activité là-bas, fit remarquer Oberon, d'un ton volontairement désinvolte.

— C'était peut-être la famille Sutton. Randolph prétend qu'ils sont revenus et souhaitent rouvrir les Eaux de la Reine.

Etonnamment, cette perspective avait l'air de ravir sa mère. Oberon, pour sa part, se demandait quel genre d'imbécile pouvait se lancer dans une telle entreprise.

Certes, les sources comme celles de Bath avaient encore des adeptes parmi les personnes âgées et les petits bourgeois, mais le Prince Régent avait fait du bord de mer, et plus principalement de Brighton, *la* destination à la mode. Et puis, d'après ce qu'il avait pu constater, remettre la station thermale en état aurait requis beaucoup d'argent, avec de maigres espoirs de profits.

— As-tu fait des rencontres lorsque tu étais là-bas ?

Quelque chose dans le ton de sa mère éveilla sa méfiance.

— Je doute que, même dans un endroit comme Philtwell, on ose m'approcher sans m'avoir été préalablement présenté.

La duchesse poussa un soupir d'exaspération. Lui était-il adressé ou était-il dirigé contre les rigidités de l'étiquette ? Oberon l'ignorait. Il préféra orienter la conversation sur le village, espérant ainsi glaner le maximum d'informations. Malheureusement, sa mère n'étant pas revenue à Philtwell depuis des décennies, elle ne savait presque rien des actuels habitants, y compris des deux éventuels gibiers de potence qu'il avait croisés à la station thermale. Il ne connaissait même pas leurs noms ! Et il aurait été bien inutile de le leur demander, car ils lui auraient certainement menti.

Ces deux-là étaient-ils mêlés à cette histoire de réouverture ? S'il s'intéressait à eux, et plus particulièrement à celle qui avait pointé son pistolet sur lui, c'était uniquement parce qu'aucune femme ne l'avait jamais menacé. Du moins était-ce la raison qu'il invoquait pour se rassurer car, quoi qu'il ait pu éprouver en maîtrisant cette tigresse, il n'était pas prêt à l'admettre.

Sous le choc, Glory resta pétrifiée un moment. Elle serait probablement restée immobile très longtemps si Thad ne l'avait pas entraînée plus loin. Elle était tellement bouleversée qu'elle se laissa guider sur plusieurs mètres avant de se souvenir de la porte laissée ouverte.

— Attends, Thad ! s'exclama-t-elle en s'arrêtant net. La buvette est restée ouverte.

— Très bien, je t'accompagne. J'ai l'impression que tu ne peux pas faire deux mètres toute seule sans t'attirer des ennuis.

Venant de son frère, ce commentaire était un peu fort, mais Glory n'avait pas envie de discuter. Elle lui était reconnaissante de lui avoir proposé de l'accompagner. Jusque-là elle n'avait jamais eu peur dans la station thermale mais, à présent, l'obscurité de plus en plus profonde qui régnait sous le couvert des arbres lui paraissait menaçante. Elle était convaincue que le bel étranger ne représentait pas la pire des menaces. Mais elle avait la sensation diffuse que quelqu'un d'autre attendait. Guettait.

S'efforçant d'étouffer cette impression, elle se dirigea de nouveau vers la porte en compagnie de son frère. Ils sursautèrent tous deux en entendant un nouveau craquement. Quelqu'un essayait d'ouvrir la porte ! Glory sentit ses cheveux se dresser sur sa tête et, machinalement, elle fouilla son sac à la recherche de son arme. Une vague de colère la gagna aussitôt. Le duc de Westfield lui avait pris son pistolet ! Maudit soit-il !

Mais après tout il avait de bonnes raisons de douter de sa sincérité. Ne l'avait-il pas surprise alors qu'elle sortait de la buvette en pleine nuit, comme une voleuse ? Une pensée terrifiante surgit brusquement dans son esprit. Et si le duc avait été dans la buvette ? Comment pouvait-elle être sûre qu'il n'avait pas lui-même été surpris en plein acte de malveillance ? Après tout, un titre n'était pas une garantie d'honnêteté… Elle frissonna. De manière assez étrange, l'idée que le ténébreux et séduisant duc lui veuille du mal était plus perturbante que de se savoir menacée par un poursuivant sans nom et sans visage. Le duc était-il fou ou… dangereux ?

Chassant ses soupçons, Glory se dirigeait vers la porte lorsqu'un éclair de lumière la figea sur place. Elle se retourna brusquement, butant sur Thad, mais eut le temps de voir passer dans la rue un garçon avec une lanterne. Profitant de cette aubaine, elle envoya Thad emprunter la lampe afin qu'ils puissent se déplacer plus facilement.

Son frère obéit en grommelant et, quelques instants plus tard, il était de retour avec la lampe.

— Il faudrait vérifier que le bâtiment est vide,

avant de le fermer, fit remarquer Glory en sortant son trousseau de clés.

A cet instant, quelque chose attira son attention. Intriguée, elle fit signe à Thad de rester immobile et s'accroupit pour mieux voir. Une empreinte de pas se trouvait juste à la sortie du bâtiment, sur les premières dalles de pierre qui menaient à l'allée de graviers. En l'examinant de plus près, Glory remarqua que l'empreinte était en demi-lune, comme le bout ferré d'une paire de bottes. Elle ôta un de ses gants et toucha la trace. De la peinture fraîche.

— Nom de Dieu, Glory, cette rénovation te monte à la tête ! Tu es en train de faire toute une histoire pour une malheureuse tache que personne ne peut voir à moins de se mettre à quatre pattes ? Ecoute, ferme ce bâtiment et rentrons à la maison. Tu as déjà agressé un duc, cela me paraît suffisant pour une seule soirée.

Ignorant la remarque de Thad, Glory lui arracha la lampe des mains et marcha avec précaution vers l'entrée de la buvette. A l'intérieur, elle trouva une autre empreinte et, un peu plus loin, une flaque de peinture qui s'était formée sur le sol.

— Voilà, ils ont dû marcher sur la peinture, souffla-t-elle. Mais quand est-ce arrivé ? Et combien étaient-ils ?

— Alors maintenant tu joues les détectives ? s'exclama Thad, agacé. Quel est le problème ? As-tu l'intention de renvoyer les ouvriers pour avoir fait goutter un peu de peinture ?

Préférant ne pas répondre, Glory récupéra sa propre lampe, dans une pièce du fond. Revenant sur ses pas, elle rendit la sienne au jeune garçon qui attendait patiemment sur le perron. Une fois seule avec son frère, elle pénétra de nouveau dans le bâtiment et se mit à réfléchir.

Certes, ces empreintes avaient pu être laissées par un ouvrier, mais elle en doutait. Elle inspecta toutes les pièces, Thad sur les talons. Avec son frère à ses côtés, et sa lampe, le bâtiment ne lui semblait plus aussi lugubre et inquiétant. Après inspection, rien ne semblait manquer.

— Glory, que se passe-t-il réellement ? demanda Thad lorsqu'ils retournèrent dans la pièce principale.

Glory inspira profondément et se lança :

— Pourquoi crois-tu que j'ai pointé une arme sur Westfield ?

— Je ne sais pas. Parce ce que les Eaux de la Reine te font perdre la tête ? Et puis d'ailleurs, que faisais-tu avec une arme ?

— Ne dis rien à tante Phillida, prévint Glory.

— Ce n'est pas mon genre. Et je n'ai aucune envie de la voir s'évanouir en apprenant que tu as menacé un duc, maugréa-t-il. Mais pourquoi as-tu fait cela ?

— Lorsque je suis venue récupérer mon réticule, quelqu'un se cachait dans l'ombre.

Le ton de sa voix poussa Thad à jeter un regard inquiet par-dessus son épaule.

— Pardon ?

— Ce n'est pas la première fois que je me sens épiée, reprit Glory. Et ce n'est pas tout : les hommes censés démolir les bâtiments brûlés lors de l'incendie ne font pas leur travail. On pourrait croire que quelqu'un veut nous empêcher de rouvrir la station thermale.

Elle se sentait profondément soulagée d'avoir pu formuler ainsi ses craintes et ses soupçons, mais Thad paraissait mal à l'aise et incrédule. Finalement, il secoua la tête.

— Il est fort possible, en effet, que certains ouvriers ne fassent pas correctement le travail pour lequel ils sont payés, dit-il. Vu l'attitude générale des villageois, je ne suis pas étonné.

Il s'interrompit tandis que Glory attendait le laïus habituel sur la stupidité de cette rénovation.

Cependant, lorsqu'il reprit la parole, ce ne fut pas pour vilipender « les idées folles de Glory », comme il qualifiait le désir de sa sœur de faire revivre l'entreprise familiale.

— Les villageois trament peut-être quelque chose, mais Westfield ? dit-il, incrédule. Je ne l'imagine pas du tout se faufilant dans le noir pour t'attaquer.

Thad pouvait bien se moquer de ses soupçons, Glory était presque certaine qu'il y avait eu quelqu'un, avec elle, dans la buvette. Quelqu'un qui avait préféré se cacher. Et cette idée était tout simplement terrifiante.

Westfield n'était peut-être pas celui qui s'était caché dans la buvette, mais il pouvait néanmoins en être le complice. Glory frémit en se revoyant plaquée contre lui, désarmée, impuissante. Une vague de chaleur déferla en elle au souvenir de son corps viril, de son odeur, de cette intimité... Stop ! Repoussant ces idées dérangeantes, elle reprit :

— Je ne sais pas si Westfield est mêlé à cette histoire, mais j'aimerais bien examiner ses bottes.

Chapitre 2

La duchesse douairière de Westfield s'arrêta devant la chambre de son cousin et frappa doucement à la porte. Bien qu'elle ait cru entendre du mouvement à l'intérieur, personne ne répondit. Dans d'autres circonstances, elle serait sans doute partie sans faire de bruit afin de ne pas réveiller le dormeur, mais cette fois-ci Laetitia frappa plus fort.

— Entrez !

La voix de Randolph était faible et haletante. Elle se glissa dans la chambre et referma la porte derrière elle. Les rideaux étaient tirés, plongeant la pièce dans la pénombre.

Elle s'approcha du lit à baldaquin où son cousin était étendu sur le ventre. Il poussa un long gémissement de souffrance et tourna la tête vers elle avant d'ouvrir difficilement les yeux.

— Ah, c'est vous ! soupira-t-il avant de s'asseoir promptement. J'espère que vous m'avez apporté à manger. Le bouillon qu'on me sert ne nourrirait pas un moineau.

— Je vais dire à la cuisinière que nous devons vous redonner des forces.

— Oui, dites-lui donc cela. Et aussi que je suis prêt à sortir de cette chambre.

— Pas encore, l'avertit Laetitia. Oberon n'est pas idiot. Il est furieux d'être ici. Si vous guérissez trop vite, il partira. Ce qui ne nous mènera à rien.

— Je pensais naïvement que ma santé avait de l'importance, s'indigna Randolph.

— Bien sûr ! Mais j'ai traîné Oberon ici pour une seule raison : la fille. Et je n'ai pas l'intention de partir avant de les avoir jetés dans les bras l'un de l'autre.

Certes, Laetitia était heureuse de voir Randolph déjà rétabli, mais elle ne voulait pas laisser passer pareille occasion. Lorsqu'il lui avait écrit que les Eaux de la Reine allaient rouvrir et que la propriétaire était une jeune femme digne d'intérêt, elle avait saisi cette chance comme si son avenir en dépendait, faisant reposer tous ses rêves et ses espoirs sur une jeune femme qu'elle n'avait jamais rencontrée.

— Si vous saviez comme je regrette de vous avoir parlé d'elle, s'exclama Randolph.

Et il fourragea sous son oreiller, à la recherche d'un jeu de cartes.

— Je sais que ce n'est pas vrai, dit Laetitia en approchant une petite table du lit pour qu'ils puissent jouer. Il est temps pour Oberon de prendre femme, poursuivit la douairière. Et vous êtes d'accord avec moi sur ce point.

Randolph acquiesça.

— Certes, mais j'aurais préféré organiser une fête somptueuse et y inviter à la fois votre fils et cette intéressante jeune femme.

— Il ne serait pas venu. J'ai déjà eu suffisamment de mal à l'attirer ici en prétendant que vous étiez à l'article de la mort. Vous connaissez son entêtement. Il est exactement comme son père.

Randolph lui jeta un regard dubitatif et Laetitia soupira.

— Très bien, il a peut-être hérité une partie de cette obstination de moi, admit-elle. Mais dès qu'on évoque devant lui une jeune femme susceptible d'être un parti acceptable Oberon la fuit littéralement.

— Eh bien, l'a-t-il rencontrée hier soir ? demanda Randolph en battant les cartes.

Laetitia ramassa sa donne, l'air ennuyé.

— Je ne crois pas. Il n'a rien dit. Mais en même temps il n'est jamais très bavard.

— Détendu, peu bavard, riche, un peu trop beau, avec un côté inaccessible... Mais, dites-moi, votre fils est un véritable piège à femmes ! Il ne devrait avoir aucun mal à trouver une duchesse !

— Oh ! mais il a eu des maîtresses et, croyez-moi, je les connais. Cependant, les jeunes filles qui pensent mariage sont pour lui infréquentables. Il se montre hautain envers elles, voire dédaigneux, soupira Laetitia.

— Exactement comme son père, s'exclamèrent les deux amis en chœur.

Laetitia sourit affectueusement à Randolph.

— Voilà pourquoi je vous ai écrit pour vous demander si, par hasard, l'endroit où j'ai rencontré mon mari abritait une prétendante... un peu plus originale, dit-elle.

— Mais je ne peux pas garantir qu'ils se plaisent, l'avertit Randolph.

Laetitia refusait de se laisser décourager.

— Je peux vous assurer qu'une débutante classique ne fait pas le poids face à lui. J'ai vu des malheureuses se faire humilier, avant de comprendre ce qui leur arrivait. Il lui faut une jeune fille assez séduisante pour susciter son intérêt et dotée de suffisamment de caractère pour lui tenir tête.

— Comme celle qu'a épousée son père, conclut Randolph.

— Peut-être, dit Laetitia en souriant.

Mais ses pensées la ramenèrent à des considérations plus sombres. Elle détestait se mêler ainsi de la vie de son fils. Elle n'avait jamais été ce genre de mère. Elle s'était montrée patiente avec son aîné et lui avait laissé beaucoup de temps. Pourtant, il n'était pas plus prêt à se marier maintenant qu'il ne l'était lorsqu'elle l'avait sevré. Elle secoua la tête avec tristesse.

— Les Makepeace ne sont pas faciles à marier...

— Et c'est pourquoi nous avons tant besoin de cette station thermale, l'interrompit Randolph en lui enlevant les mots de la bouche.

Le lendemain, Oberon décida de sortir marcher un peu dans l'air vivifiant de la campagne. Sur le perron, il leva les yeux au ciel avec un air maussade. Aucun nuage ne pointait à l'horizon. Seules les montagnes se découpaient dans la clarté du jour. Bien qu'il soit d'habitude peu enclin à admirer le paysage, celui-ci lui rappelait Westfield, le berceau de la famille, qu'il n'avait pas visité depuis bien longtemps. Il eut l'envie soudaine — et surprenante ! — de revoir ses vallons, de se retrouver chez lui, au milieu de décors et de gens familiers.

Pourtant, il avait renoncé à ce genre de plaisirs des années plus tôt. Pourquoi en avait-il envie à présent ? Peut-être était-il atteint du même élan de nostalgie que sa mère, qui ne cessait d'évoquer sa première rencontre avec son père, aux Eaux de la Reine. Il fallait bien admettre que le mariage de ses parents avait été heureux, bien qu'ils aient tous fini par en payer le prix. Au moment du décès de son père, Oberon avait cru que sa mère ne se remettrait jamais ; lui-même avait beaucoup souffert. Il s'était retrouvé vulnérable, à la merci de gens qui ne lui voulaient pas toujours du bien. Il avait alors fait le serment de ne jamais ouvrir son cœur à aucune femme, pour ne pas avoir à subir la même perte que sa mère. Il ne voulait plus jamais se sentir aussi faible qu'il l'avait été alors…

Depuis, il n'avait jamais été tenté de rompre ce serment. Il fallait dire que la plupart des femmes qui le poursuivaient de leurs attentions étaient froides et calculatrices. Elles convoitaient un titre de duchesse et une transaction commerciale avantageuse. Les plus jeunes, et les moins déterminées, étaient généralement insipides, de jolies coquilles vides. Une description qui collait à l'ensemble des femmes de la bonne société, ou du moins à celles qui évoluaient dans les mêmes cercles que lui. Ils participaient aux mêmes suites ininterrompues de bals et de soirées, se croisaient dans les mêmes salons où se pressaient les mêmes visages, les mêmes hypocrites, les mêmes menteurs, année après année.

Au diable, ces idées noires ! Que lui arrivait-il ? Il avait dormi comme une masse et englouti un énorme petit déjeuner, comportement très inhabituel chez lui et que sa mère attribuait « au grand air ». Et voilà maintenant qu'il se livrait à l'introspection, une attitude qui lui était totalement étrangère et à laquelle d'ordinaire il n'avait ni le temps ni l'envie de s'adonner.

Oberon fit craquer les articulations de ses doigts — une vieille manie — et se dirigea vers Philtwell. Puisque sa mère lui avait interdit une nouvelle fois la chambre du malade, il avait le temps d'examiner le village de plus près. Adoptant l'attitude d'un banal promeneur, il descendit la rue principale, les sens en alerte. Les passants qu'il croisait semblaient tous être des villageois. Apparemment, il n'y avait ni étrangers ni touristes ici. Ce qui n'était pas étonnant car Philtwell semblait ne s'être jamais remis de l'incendie évoqué par sa mère. Il restait d'ailleurs quelques bâtiments aux murs noircis qui défiguraient les lieux et représentaient sans doute un danger. Les ronces et les mauvaises herbes entouraient ces vieilles bâtisses, menaçant de submerger les échoppes voisines.

En fait, la seule construction qui paraissait bien entretenue était la buvette de la station thermale. Debout sur le trottoir d'en face, Oberon prit pour la première fois le temps d'examiner le bâtiment. A la lumière du jour, on devinait que les murs avaient été repeints et les colonnades restaurées. Un homme était d'ailleurs en train de s'occuper du jardin.

Quelqu'un avait visiblement l'intention de rouvrir les Eaux de la Reine, ou du moins faisait le maximum pour en donner l'impression. Oberon s'apprêtait à traverser la rue pour interroger l'ouvrier lorsqu'une porte s'ouvrit derrière lui. Un homme surgit alors dans la rue et se précipita sur lui.

— Mon bon monsieur, vous devez être un nouveau venu dans notre communauté, dit-il, en s'inclinant profondément. En tant que distingué médecin du village, le dénommé Dr Tibold, je suis ravi de vous offrir mes services afin de vous aider à vous rétablir complètement, et ce, quelle que soit votre maladie.

— Ai-je l'air malade ? demanda Oberon avec dédain.

Cet homme avait-il pour habitude de guetter ses clients potentiels par la fenêtre ? Cette éventualité, associée aux vêtements un peu miteux du médecin, n'inspirait pas confiance quant à ses prétendues compétences.

— Certainement pas ! Vous êtes l'image même de la bonne santé, monsieur. Mais une apparente robustesse peut cacher quelque maladie intérieure. C'est la raison pour laquelle suivre un traitement est toujours bénéfique, même pour un spécimen aussi remarquable que vous.

Tibold marqua une pause pendant laquelle il examina Oberon, estimant sans doute la richesse de ses vêtements et la taille de sa bourse afin de le faire payer de manière adéquate.

— Vous a-t-on saigné dernièrement ?

Oberon ne prit pas la peine de répondre.

— Bien entendu, ce n'est pas toujours nécessaire, fit remarquer le médecin avec un sourire gêné.

Il changea d'approche.

— Les Eaux ! C'est ce qui a fait notre renommée et c'est ce qu'il vous faut.

Oberon eut l'air surpris.

— Je croyais la source fermée.

Le médecin fit la grimace comme si son interlocuteur abordait un sujet douloureux.

— Malheureusement, en ce moment, c'est le cas. Mais bientôt nous vous dispenserons notre fameux remède. La source devrait être ouverte à toute heure, et à tous, et ne pas dépendre du bon vouloir d'une seule famille.

Le Dr Tibold s'interrompit, inspira profondément et poursuivit d'une voix forte :

— Posséder une source devrait être illégal. Comment un individu peut-il posséder de l'eau ? C'est comme faire payer un impôt sur l'air.

— Si c'est ce que vous pensez, vous devriez creuser

un nouveau puits et ouvrir votre propre établissement, rétorqua Oberon.

Sa suggestion fut accueillie par une mine peinée.

— La source est la propriété de Mlle Sutton, dit-il en crachant presque ce nom. Et sa griffe avide est ressentie douloureusement par tous ceux qui veulent le bien de cette communauté.

— Mlle Sutton ?

— Oui, une femme, si vous pouvez imaginer pareille chose ! Quoiqu'on puisse se poser la question, vu son comportement. Elle veut imiter les hommes, mais elle ne se conduit pas en gentilhomme. Plutôt en chef d'une tribu de singes, si vous voulez mon avis.

Oberon regretta très vite d'avoir posé la question car Tibold continua à accuser cette femme de tous les maux, du ralentissement de l'activité en passant par les furoncles infectés. Le médecin avait la bouche écumante, tant son hostilité à l'égard de Mlle Sutton était grande. Oberon comprit qu'il ne pourrait rien tirer de cet homme. Il se demandait comment se débarrasser de ce fâcheux, lorsque Tibold interrompit brutalement sa tirade pour pointer un doigt accusateur.

— C'est elle, là-bas !

Bien que choqué par les mauvaises manières du médecin, Oberon regarda dans la direction indiquée. D'après les élucubrations de Tibold, Oberon s'attendait à voir une mégère, une vieille chouette capable de donner des coups de canne au docteur. Mais il vit à la place une petite femme rondouillarde d'une cinquantaine d'années qui tenait un parasol à la main. Elle leur adressa un regard vaguement inquiet.

Près de la femme, Oberon remarqua une silhouette élancée qui traversait la rue, de dos, et comprit aussitôt son erreur. Visiblement, Mlle Sutton n'était pas celle qu'il avait d'abord cru.

Bien que sa démarche décidée ne soit pas celle d'une débutante maniérée, l'infâme Mlle Sutton n'avait rien d'un homme, en tout cas de dos. Elle portait une sobre robe de mousseline, enveloppant une mince silhouette dont le vent flattait les gracieux contours en jouant dans le tissu.

Une silhouette qui lui parut d'ailleurs étrangement familière. Mais il n'eut pas le temps de réfléchir plus longtemps. Déjà, le médecin se précipitait vers la jeune femme en criant son nom. Inquiet pour la sécurité de cette Mlle Sutton, Oberon emboîta le pas au Dr Tibold, prêt à intervenir en cas de besoin. Mais, lorsqu'elle se retourna, il reconnut immédiatement cette expression déterminée et recula avec prudence. Une idée avisée, car il évita de justesse le lourd réticule qu'elle lança en direction de ses poursuivants et que le Dr Tibold, surpris par l'attaque, prit de plein fouet dans l'estomac. Le sac devait être lesté car le docteur fut projeté au sol, le souffle coupé par la violence de l'impact.

Ou bien elle était défavorable à l'usage d'armes plus meurtrières en public, ou elle n'avait pas eu le temps de trouver un autre pistolet en remplacement de celui que lui avait pris Oberon.

— Mademoiselle Sutton, je présume ? demanda-t-il en s'inclinant légèrement.

— Votre Grâce.

L'aversion qu'elle ne chercha même pas à cacher sidéra Oberon, lui dont on recherchait d'habitude la compagnie pour profiter de ses entrées et de ses relations. Mais c'est sa propre réaction, qu'il s'efforça de dissimuler par tous les moyens, qui l'étonna le plus.

En effet, il avait l'impression d'avoir reçu un coup

de poing dans la poitrine, comme si c'était lui, et non Tibold, que le réticule avait frappé. L'intensité de ses émotions était d'autant plus incompréhensible que, cette fois-ci, la demoiselle n'était pas sortie de l'ombre en le menaçant d'une arme. Peut-être était-ce son instinct qui le mettait en alerte contre la menace qu'elle représentait ? En effet, son aversion inexpliquée pour lui pouvait très bien cacher de sinistres desseins…

En d'autres circonstances, cette femme n'aurait probablement pas suscité son intérêt. Certes, elle était assez jolie ; son visage avait un ovale parfait. Mais sa chevelure noire était banale et son teint n'était pas assez pâle pour satisfaire aux canons de la mode. Pourtant, l'ensemble était plaisant. Et puis ses yeux gris brillaient d'intelligence et de détermination, dont elle avait déjà fait une éclatante démonstration.

— Je vais vous poursuivre pour agression, hurla Tibold qui avait recouvré son souffle.

— J'ai agi en état de légitime défense ! Car vous et votre sbire m'avez déjà attaquée une fois, et vous apprêtiez à recommencer, rétorqua Mlle Sutton, le menton levé en signe de défiance.

Cette attitude courageuse frappa une corde sensible chez Oberon. Elle était audacieuse mais pas impudente et, contrairement à ce que prétendait Tibold, aucun homme sain d'esprit ne pouvait douter de sa féminité. Oberon se considérait comme un homme perspicace, capable de bien juger ceux qu'il avait en face de lui. Dans sa position, c'était indispensable. Et pourtant cette Mlle Sutton restait pour lui une énigme. Qui diable était-elle ?

— C'est ridicule, gronda Tibold. C'est vous qui m'avez attaqué, comme peut en attester mon témoin.

Oberon n'avait aucune intention de corroborer les

dires de ce médecin fou et s'apprêtait à le faire savoir lorsqu'il fut interrompu par la petite femme au parasol.

— Glory, ma chérie, que fais-tu ? demanda-t-elle, visiblement mal à l'aise.

Mlle Sutton l'ignora.

— Un témoin ? dit-elle, sarcastique. Un allié, vous voulez dire. Nous savons tous deux que le duc va même jusqu'à se charger de vos sales besognes !

Elle pointa un doigt rageur vers Oberon.

— Un d-duc ? répéta la petite femme en bafouillant d'émotion.

— Un duc ? bafouilla à son tour Tibold.

— Oui, le duc de Westfield, ajouta Mlle Sutton sur un ton exaspéré.

Oberon imagina son regard dédaigneux plus qu'il ne le vit, car toute son attention était accaparée par la femme plus âgée. En effet, à la mention de son titre, elle était devenue affreusement pâle et semblait à présent sur le point de défaillir. Puisque personne ne lui prêtait attention, Oberon se sentit obligé de la rattraper lorsqu'elle perdit finalement connaissance.

Glory se tourna alors vers le duc pour le découvrir avec sa tante dans les bras. Horrifiée, elle lui aurait demandé de la lâcher si elle n'avait craint qu'il ne laisse Phillida tomber par terre. Elle fouilla frénétiquement dans son sac, sous les cailloux, en quête de sels pour la ranimer.

Où diable était Thad lorsqu'elle avait besoin de lui ? Elle chercha des yeux la silhouette de son frère mais il s'était arrêté devant l'un des bâtiments incendiés pour exhorter les ouvriers au travail. Bien qu'elle doute de l'efficacité d'une telle action, elle était ravie de constater qu'il s'impliquait enfin dans la rénovation de la station. Même si pour l'heure elle aurait préféré qu'il soit à ses côtés. Avec toutes ces affaires à gérer, elle en oubliait parfois la prudence et avait parcouru seule la courte distance qui la séparait de la station thermale. Mais comment aurait-elle pu imaginer qu'elle serait ainsi interpellée en plein jour, et au beau milieu de la rue ?

— Phillida ? appela-t-elle, tentant de se faire entendre malgré l'incessante litanie du Dr Tibold.

Elle tendit de nouveau le cou vers Thad. Elle était à la merci des deux hommes et craignait de tourner le dos au docteur, dont l'attitude généralement menaçante l'avait plus d'une fois effrayée.

Acculée, elle agita d'une main tremblante les sels sous le nez de sa tante. Surtout, ne pas regarder l'homme qui soutenait Phillida. La nuit précédente, un seul regard dans sa direction avait suffi à lui couper le souffle. A la lumière du jour, sa taille élancée, ses larges épaules et ce corps qui s'était pressé contre le sien étaient encore plus intimidants.

Et ce visage ! Il n'était pas beau comme pouvait l'être un visage féminin, car il n'avait pas sa douceur, mais il aurait pu être sculpté par un grand artiste. D'ailleurs, Westfield arborait un visage de marbre, où aucun sentiment ne transparaissait. Etait-ce la peur qui faisait battre ainsi le cœur de Glory chaque fois qu'elle pensait au duc ?

Grâce à Dieu, Phillida finit par ouvrir les yeux et Glory l'aida à se relever, évitant soigneusement tout contact avec Westfield. Les gémissements que poussait sa tante étaient très exagérés et indiquaient clairement son désir de rester dans les bras musclés qui la soutenaient. Qui aurait pu l'en blâmer ? Si elle avait ignoré la véritable nature du duc, Glory aurait elle-même adoré ouvrir les yeux devant un si séduisant visage, lovée dans ces bras puissants.

Réprimant un frisson, elle contraignit Phillida à se mettre debout.

— Allons, ma tante, nous devons partir !

— Oh !

Phillida jeta un regard éperdu au duc et faillit s'évanouir de nouveau.

Pas question ! Glory n'allait pas supporter ce cirque une minute de plus. Elle attrapa Phillida par le bras et l'arracha littéralement à Westfield. Ce dernier prononça quelques mots qui furent noyés sous le flot de paroles de Tibold, permettant ainsi aux deux femmes de s'éclipser sans demander leur reste.

Glory l'aurait juré : sans la présence des nombreux passants, ces deux hommes auraient entrepris de les faire prisonnières.

Elle entraîna sa tante vers la buvette et résista à l'envie de se retourner pour apercevoir le duc une dernière fois. Ignorant les protestations de Phillida, mortifiée d'être traînée de façon aussi indigne à travers la rue, Glory ne s'arrêta même pas lorsque les portes de la buvette se refermèrent derrière elles. Elle continua d'avancer jusqu'à ce qu'elles soient à l'abri, dans les appartements du fond.

Elle abandonna alors sa tante sur une méridienne, où elle pourrait se pâmer à loisir. Cependant, et comme elle l'avait anticipé, l'absence de public accéléra grandement le rétablissement de sa tante qui, affalée de tout son long, trouva soudain la force de s'éventer.

— Aie pitié, Glory ! supplia-t-elle d'une voix geignarde. Je ne peux plus supporter un comportement aussi extravagant. Mais quel démon t'a possédée ? C'est ce village, ce lieu maudit, j'en suis certaine. Oh ! je veux retourner à Londres. Je t'en prie, dis-moi que tu as recouvré tes esprits et que nous rentrons à la maison.

Glory, habituée à ces jérémiades quasi quotidiennes, resta de marbre.

— Tu n'as aucune raison de t'agiter, ma chère, dit-elle d'un ton apaisant. Laisse-moi t'apporter un verre d'eau.

— Aucune raison, vraiment ? J'ai vu ma propre nièce s'époumoner dans une violente dispute publique, au milieu de la rue ! Et avec un duc, en plus !

Phillida se laissa retomber sur les coussins, pantelante.

— Le seul à hurler était cet horrible médecin, répliqua Glory

D'ailleurs, comment diable ce misérable individu avait-il réussi à s'acoquiner avec un duc ? se demanda-t-elle. Il fallait croire que même une créature comme ce Tibold pouvait avoir des relations. Si seulement les « amis » du docteur pouvaient le convaincre de quitter Philtwell, au lieu de l'aider à détruire sa station thermale…

Oui, sa station thermale… Cette pensée lui redonna du courage. Bien entendu, Phillida désapprouvait ses efforts, contraires à tous les principes de leur classe.

Glory avait essayé de la raisonner en lui rappelant qu'à l'époque certains aristocrates dirigeaient de tels établissements. Mais Phillida ne s'était pas laissé convaincre. Pour elle, une femme n'avait pas à se lancer dans de tels projets.

Car c'était là le nœud du problème. Si Glory avait été un homme, elle aurait pu agir à sa guise, sans craindre la désapprobation de sa tante. Pourtant, c'était précisément parce qu'elle était une femme, avec des opportunités réduites, que Glory s'était intéressée à cette vieille station thermale. Elle aurait bientôt plus de vingt ans, presque une vieille fille aux yeux de certains, et elle avait passé la majeure partie de sa vie à s'occuper de son frère, après la mort de ses parents.

Satisfaite de ce qu'elle avait accompli, elle ne regrettait nullement son statut de célibataire. Cependant, il n'était pas question pour autant de remplir ses journées en mondanités et en bonnes œuvres. Elle n'entendait pas davantage s'asseoir dans un coin, à broder et coudre des bonnets pour les futurs enfants de Thad. Oui, elle adorerait gâter des bébés, pensa-t-elle avec un petit pincement au cœur, mais elle ne voulait pas finir en vieille fille un peu folle, que neveux et nièces avaient obligation de visiter.

Elle voulait faire quelque chose de sa vie, que diable ! Mais comment expliquer cela à Phillida, qui était elle-même une vieille fille… pas encore folle. Alors, au lieu de cela, Glory avait réclamé l'héritage familial.

Les Eaux de la Reine étaient dans la famille depuis des générations. Après l'incendie fatidique, le père de Glory, alors un jeune homme, avait quitté Philtwell pour chercher fortune et n'était jamais revenu. Glory n'avait découvert l'existence d'un tel héritage, riche en histoire, qu'après son décès.

Elle s'était intéressée à la station thermale et ce qu'elle avait appris n'avait fait qu'accroître son intérêt. Quand avait-elle eu l'idée de rouvrir la station ? Elle ne s'en souvenait pas, mais elle avait longtemps gardé cette possibilité à l'esprit, comme une perspective tentante. Et puis Thad était soudain devenu incontrôlable et Glory avait dû agir. Eloigner son frère de la ville et de ses tentations était devenu nécessaire.

Ni lui ni Phillida ne voulaient déménager et Glory avait dû insister. Elle avait espéré que le grand air et les plaisirs simples de la campagne les feraient changer d'avis. Mais Phillida se plaignait sans cesse du manque de vie mondaine, et Thad se montrait peu coopératif et maussade, affichant un total désintérêt pour la station thermale.

Curieusement, leur rencontre avec Westfield avait eu l'air de le réveiller. La présence d'un si auguste personnage aurait-elle amélioré l'opinion que son frère avait de Philtwell ? Elle préférait ne pas envisager l'autre possibilité : Thad avait une fâcheuse tendance à être attiré par les individus dangereux aux intentions douteuses.

Un claquement de porte lui fit presque lâcher le verre qu'elle tenait à la main. Pendant un instant, elle imagina le duc, traversant la buvette à grandes enjambées, bien décidé à lui nuire. Alarmée, elle se retourna pour faire face à l'intrus dont les pas se rapprochaient. Elle avait pourtant ordonné aux ouvriers de ne laisser entrer personne, pensa-t-elle, exaspérée. Mais qui oserait résister à un duc ?

Armée d'une malheureuse carafe d'eau, Glory fit face au danger, le cœur battant. Elle leva le bras pour le rabaisser aussitôt lorsque son frère fit irruption dans la pièce.

— Thad ! le gronda-t-elle avec un soupir de soulagement.

— Quoi encore ?

Phillida poussa un gémissement et Thad se retourna, surpris.

— Quoi ? répéta-t-il, ignorant la grimace d'avertissement de sa sœur. Il est arrivé quelque chose ?

— Oui, il est arrivé quelque chose, répliqua Phillida, en relevant la tête. Ta sœur s'est donnée en spectacle en pleine rue, et avec un duc, de surcroît !

Elle laissa retomber sa tête sur le dossier de la

méridienne, feignant d'être trop bouleversée pour poursuivre.

Mais Thad n'eut pas la réaction escomptée. Car au lieu d'être choqué il eut l'air... déçu.

— Glory, tu as vu Westfield ? Tu aurais pu m'attendre ! s'emporta-t-il en se laissant tomber sur une chaise.

— Il ne s'agissait pas d'une visite mondaine, je t'assure. Il était avec le Dr Tibold, qui s'est approché de moi par-derrière, en hurlant.

Elle n'ajouta pas qu'elle avait assommé ledit médecin, pour se défendre. Sa tante n'avait pas mentionné ce détail et Glory espérait qu'elle n'avait pas remarqué le coup porté.

— Quel malotru ! Il mériterait d'être rossé, s'exclama Thad.

Ce soutien réconforta Glory. Faire part de ses inquiétudes à son frère avait finalement été une bonne idée : il montrait enfin un peu d'intérêt. Ou du moins le crut-elle jusqu'à ce qu'il reprenne la parole.

— Westfield était donc avec Tibold ? Ce n'est pas croyable ! Comment peut-il accepter d'être simplement *vu* en compagnie d'un tel personnage ?

— Peut-être sont-ils parents ? suggéra Glory.

Elle, pour sa part, ne doutait pas de la véritable nature du duc. Il en avait fait la démonstration la nuit précédente, lorsqu'il avait posé les mains sur elle...

Thad secoua la tête, la mine incrédule.

— C'est très improbable. Et puis Tibold n'aurait pas manqué de se vanter de ses relations. Et pourquoi n'ai-je pas vu Westfield ? J'imagine que mon attention était accaparée ailleurs... En tout cas, maintenant que je le sais dans les parages, je garde l'œil ouvert.

— Et pourquoi ferais-tu cela ? demanda Glory, avec méfiance.

Elle ne souhaitait pas que son frère affronte le duc ni, d'ailleurs, qu'il recherche sa compagnie.

Mais Phillida, qui s'était redressée, ne l'entendait pas de cette oreille.

— Thad pourrait peut-être trouver une explication quelconque pour que Sa Grâce pardonne le comportement inqualifiable de sa sœur, déclara-t-elle en regardant son neveu avec un air suppliant. Je ne peux pas prendre le risque de paraître en société et d'être snobée par un célèbre aristocrate. Pensez donc, les ragots, les médisances ! Si tu pouvais te racheter auprès du duc, chère enfant, cela serait formidable,

Glory trouva la perspective d'aller amadouer Westfield assez déconcertante, pour ne pas dire troublante, mais elle se garda bien d'en faire part à sa tante.

— Allons, ma tante, vous n'évoluez pas dans les mêmes cercles, lui rappela-t-elle. Tu ne risques donc pas de le croiser dans un salon.

— N'es-tu pas la première à dire que les Eaux sont un moyen de côtoyer des gens de tous les milieux ? demanda Phillida. Sinon où pourrions-nous en effet rencontrer de telles célébrités ?

— Pourquoi devrions-nous rechercher la compagnie de ces gens ? Après tout, Westfield, en s'alliant à notre ennemi, s'est rendu indigne de notre attention.

En entendant ces mots, Phillida se laisser retomber sur la méridienne, poussant des gémissements, trop accablée pour répondre.

Ignorant ce comportement théâtral, Glory se tourna vers Thad.

— Qu'as-tu pensé du chantier ? demanda-t-elle, désireuse de changer de sujet.

— Oh ça…, dit Thad en fixant ses bottes, j'ai parlé

aux ouvriers et ils ont promis d'accélérer le rythme. Et ils ont intérêt à le faire !

Si ses paroles étaient rassurantes, son attitude ne l'était pas du tout et Glory étouffa un soupir. Il était fort probable que les hommes n'aient pas plus écouté Thad qu'ils ne l'avaient écoutée, elle. Mais les efforts de son frère étaient louables et elle lui en était reconnaissante.

— Merci, Thad, dit-elle en essayant de dissimuler le découragement qu'elle éprouvait.

Avant de pouvoir élever de nouveaux bâtiments, les anciens devaient être démolis, puis déblayés. Elle s'était posé maintes et maintes fois la même question : qu'est-ce qui pouvait pousser des hommes à ne pas faire le travail pour lequel ils étaient payés, au risque de perdre leur salaire ?

Mais cette fois-ci elle tenait sa réponse.

Westfield.

Chapitre 3

Toujours retenu par les radotages du médecin, Oberon regarda Mlle Sutton entrer dans la buvette de la station thermale — *sa* station thermale.

Il semblait qu'elle lui ait dit la vérité, la nuit précédente. Pourtant, certains détails continuaient à gêner Oberon. Par exemple, la jeune femme semblait issue d'une famille trop convenable pour se compromettre en faisant du commerce, et trop intelligente pour se lancer dans une aventure aussi dépourvue d'avenir que les Eaux de la Reine. Mais c'était sa panoplie d'armes et sa propension à les utiliser au moindre problème qui constituaient l'élément le plus déconcertant dans tout ça.

Quel comportement étrange, pour ne pas dire plus ! Elle avait dédaigné son aide puis avait couru se réfugier dans la buvette. Fuyait-elle sa compagnie ? Cette jeune femme était décidément bien étrange. Elle avait traîné sa tante à travers toute la rue, s'attirant les regards curieux de tous les villageois. Bref, elle s'était donnée en spectacle. Dans la bonne société londonienne, cela aurait suffi à en faire une paria. Oberon n'avait jamais rencontré de femme aussi décidée à le fuir. Mais pourquoi ? Avait-elle quelque chose à cacher ?

Ces réflexions furent interrompues par le charabia

que débitait l'homme à ses côtés. Qu'il se taise donc ! se prit à espérer Oberon, la fuite de Mlle Sutton lui paraissant soudain très explicable, voire enviable. En effet, depuis qu'il avait découvert l'identité d'Oberon, le médecin l'abreuvait de flatteries. Il espérait, sans doute, soutirer une somme rondelette à un si noble client. Tibold finit cependant par se taire lorsqu'il découvrit l'objet de l'attention du duc.

— Comme vous avez pu le constater vous-même, Votre Grâce, susurra Tibold avec un regain d'obséquiosité, cette femme est incontrôlable, une véritable menace pour la société. Je suis certain que tous, au sein de notre petite communauté, seraient des plus reconnaissants si vous pouviez user de votre influence afin d'arracher notre source à ses griffes.

Oberon prêta une oreille distraite aux propos du médecin. Mlle Sutton représentait-elle vraiment une menace ? Hum… La chose restait à déterminer. Voilà qui était fort intrigant et méritait désormais toute son attention. Oberon dut réprimer un petit frisson d'excitation à l'idée de s'intéresser de plus près à cette demoiselle Sutton.

Quoi qu'il en soit, elle n'était pas cette femme vile décrite par Tibold et il n'avait pas l'intention de laisser cet homme la harceler ainsi. Les poings serrés, Oberon se retourna vers le médecin, le visage fermé.

— Vous allez cesser immédiatement de calomnier cette jeune femme. Si j'apprends que vous l'avez approchée à moins de trois mètres, je vous traîne devant le prévôt.

Et, avec un salut bref de la tête, il s'éloigna d'un pas décidé, abandonnant derrière lui un Tibold bafouillant.

Oberon reprit aussitôt sa quête d'indices, à l'affût de tout détail sortant de l'ordinaire mais, pour la première fois depuis des années, il était distrait : toutes ses pensées le ramenaient immanquablement vers Mlle Sutton. Il faillit même faire demi-tour pour s'assurer que Tibold ne l'avait pas suivie dans la buvette.

Il devait impérativement reprendre ses esprits et cesser de penser à cette femme.

Il déambula un moment au milieu des échoppes et s'arrêta finalement dans une taverne tranquille pour prendre un verre. Ces endroits étaient généralement une bonne source d'informations, mais Oberon était également conscient de la difficulté pour un étranger de s'y faire accepter. Il adopta donc profil bas et tâcha de ne pas paraître trop curieux.

Il se contenta de glaner quelques renseignements, du type de ceux qui auraient intéressé n'importe quel visiteur sur le village et ses environs. Il dut se faire violence pour ne pas assaillir ses compagnons de questions sur la famille Sutton. Mais sa technique paya et il parvint à rassembler quelques informations, tout en préservant sa discrétion.

Tous les clients du Queen's Arms étaient d'accord sur une chose : l'arrivée des Sutton était le seul événement notable qu'ait connu récemment le village. En revanche, les opinions sur la famille étaient partagées.

— La petite demoiselle fait beaucoup d'efforts pour rouvrir la station. Et puis elle a promis qu'on aurait du travail dès que les Eaux de la Reine fonctionneraient de nouveau, s'exclama un homme.

— Vous allez voir, le village va être plein de malades et ça m'étonnerait qu'on voie la couleur de leur argent, à ces gens-là. Par contre, m'est avis qu'ils vont tous nous infecter avec leurs maladies ! grommela un autre.

La plupart des autres clients semblaient vouloir attendre avant de se faire une opinion, ou peut-être étaient-ils simplement plus réservés. Que certains aient des motifs peu avouables de rester silencieux était également fort possible, se dit Oberon, cette pensée ne faisant qu'attiser sa curiosité.

Pour sa part, il préféra s'en tenir à des propos très neutres, bien conscient que la discussion serait rapportée à tous les coins de rue dans les heures qui viendraient.

Cacher son identité et la présence de sa mère au village était parfaitement inutile. Tout d'abord, la curiosité bien étrange que manifestait sa mère pour le village aurait rendu la chose impossible. Et, ensuite, être un personnage public faisait partie de sa réputation. Une réputation qu'il avait façonnée avec un soin extrême.

Le duc de Westfield était un homme qui manifestait un goût prononcé pour le raffinement et ne s'entourait que de gens exceptionnels. Un homme plus intéressé par les plaisirs que par les affaires publiques, mais qui se gardait bien de tout excès. Enfin, aimant converser agréablement, Oberon veillait à être toujours aimable, sans être trop amical. Il était l'invité ou l'hôte parfait et ses fêtes rassemblaient une foule éclectique et élégante.

Les habitués de la taverne avaient un genre très différent de celui de ses habituels compagnons. Aussi fit-il en sorte de garder ses distances tout en se montrant agréable. Toute familiarité ou curiosité déplacée devait absolument être évitée.

Cette attitude porta ses fruits car, en quittant la taverne, le jeune duc de Westfield connaissait le nom de tous les notables de Philtwell, le triste état de l'économie locale et quelques ragots sur les villageois.

Oberon était resté à la taverne plus longtemps que prévu et, en s'éloignant du Queen's Arm, il remarqua que le jardinier avait quitté la station thermale. Et lui qui espérait en apprendre davantage sur les propriétaires ! Quelle belle occasion manquée. A moins que…

Il fut pris d'une envie soudaine et irrépressible de voir si Mlle Sutton était toujours dans la buvette. Incapable de résister à cette impulsion, il traversa la rue et emprunta un raccourci derrière le bâtiment, sous le couvert des arbres. Après quelques minutes à observer la porte fermée, il dut se rendre à l'évidence : il n'y avait plus personne à l'intérieur.

— Mais je perds la tête, ma parole ! maugréa-t-il dans sa barbe.

Pourquoi cherchait-il ainsi les ennuis ? Tout bien considéré, n'était-il pas plus sage de retourner à Londres, loin de cette mystérieuse jeune femme ? Oberon envisagea un instant cette solution. Renoncer à découvrir ce qui se tramait dans ce village, et surtout abandonner sa mère… Non, rien ne justifiait d'agir ainsi.

Peu importe qui était ou ce que manigançait cette Mlle Sutton, elle n'était pas de taille à l'ébranler. Il était le duc de Westfield, bon sang ! Il n'était pas homme à perdre la tête aussi facilement.

Dans un petit village, les ragots se répandaient à la vitesse de l'éclair et Philtwell ne faisait pas exception à la règle. Oberon n'était pas encore rentré à Sutton House lorsque sa mère apprit l'esclandre survenu devant la buvette de la station thermale. L'incident fut d'abord relaté en cuisine, où un jeune livreur captiva son auditoire avec un récit haut en couleur. La nouvelle remonta les étages de la maisonnée, pour finir murmurée à l'oreille du valet de Randolph.

Ce dernier, bien que décidé à relayer l'information

à son maître à la première occasion, en fut empêché par deux dames venues voir la duchesse douairière.

Ce fut donc une certaine Mme Malemeyne qui informa Laetitia : son fils avait été vu au village avec la jeune fille qu'elle espérait tant lui faire rencontrer.

La joie ressentie en apprenant la nouvelle fut amoindrie par la description de cette rencontre, qui variait selon les visiteuses. D'après Mme Malemeyne, soucieuse de s'attirer les bonnes grâces de la duchesse, le duc s'était héroïquement porté au secours de la jeune fille et de sa tante évanouie avant que les deux femmes ne s'éclipsent avec une hâte suspecte, au lieu de le remercier, les ingrates !

— Si vous voulez mon avis, ajouta Mme Malemeyne sur le ton de la confidence, cette demoiselle Sutton est au mieux une effrontée, et au pire une aventurière. Quant à sa tante, avec ses évanouissements à répétition, elle m'a l'air d'une santé bien fragile.

Mme Levet se montra plus réservée, mais aussi plus précise.

— J'ai l'impression qu'ils se disputaient. Je veux, bien entendu, parler des autres parties impliquées car je suis certaine que Sa Grâce n'a pas pris part à… hum… l'incident. On m'a parlé d'un échange de coups, poursuivit-elle. Mais j'ignore qui a frappé qui.

Alarmée par la tournure qu'avait visiblement prise cette rencontre, Laetitia décida de se rendre chez Mme Goodhew, espérant apprendre enfin la vérité. Cette femme âgée, autrefois arbitre de la bonne société de Philtwell, était une source fiable et aussi une vieille amie de Laetitia.

Mme Goodhew résidait toujours dans son petit manoir, demeure ancestrale des hobereaux de la région. Ayant enterré presque tous ses amis, elle accueillit sa visiteuse avec un plaisir évident et la fit s'installer près d'un feu de cheminée malgré la douceur de la journée.

— Je suis ravie de vous voir, Letty, dit la vieille dame d'une voix encore ferme.

— Et je vous retourne le compliment, Maisie, répondit la duchesse. Il y a eu tant de changements depuis mon dernier séjour que je suis heureuse de constater que Randolph et vous êtes toujours fidèles au poste.

— Ah, c'est donc ainsi que vous nous voyez ! grommela Mme Goodhew.

Et sans quitter Laetitia du regard elle plissa les yeux avant d'ajouter :

— En parlant de Randolph, comment se porte-t-il ?

— Oh ! bien mieux, répondit Laetitia en soutenant le regard inquisiteur de son hôtesse.

L'attitude de Maisie indiquait clairement qu'elle n'était pas dupe, mais elle n'insista pas.

— J'ai cru comprendre que vous êtes ici avec votre fils.

— En effet, répondit Laetitia. Je souhaite qu'il découvre la station thermale où son père et moi nous sommes rencontrés.

Maisie soupira et secoua la tête.

— Tout a bien changé, Letty. Rien n'est pareil depuis l'incendie.

— Oui, c'est ce que Randolph m'a dit.

— Ce fut une nuit terrible, répondit Maisie, l'air attristé. Frank et moi étions dans la salle commune lorsque le feu a pris. Cela s'est passé si vite que nous n'avons pas compris tout de suite… Je me souviens d'avoir entendu quelque chose, comme une sorte d'explosion, comme le bruit du canon. Nous l'aurions sans doute ignoré si Sutton ne nous avait pas fait sortir. Nos hommes ont fait ce qu'ils pouvaient, mais l'auberge était complètement envahie par les flammes et l'incendie se répandait. Sutton a essayé d'entrer mais… .

Laetitia étouffa une exclamation de consternation et Maisie reprit, l'air peiné.

— C'est un miracle qu'il n'y ait pas eu plus de victimes, soupira-telle. Ce drame a marqué la fin des Eaux de la Reine, Letty. La femme de Sutton n'avait pas le cœur de s'y remettre et probablement pas les moyens. Et puis, un événement pareil compromet à jamais la réputation d'un lieu.

— Pourtant, il se pourrait que la station renaisse de ses cendres, fit remarquer Laetitia. J'ai appris que les enfants Sutton sont de retour.

— C'est exact, mais il est sans doute trop tard. Le village n'a plus envie de s'investir dans la station. Et les imbéciles n'ont pas été très accueillants : ils accusent la famille de tout ce qui est arrivé depuis l'incendie.

— D'ailleurs, on m'a rapporté un curieux incident, dit Laetitia avec une légèreté feinte.

— Auquel votre fils aurait été mêlé, l'interrompit Maisie, signifiant ainsi qu'elle connaissait les raisons de sa visite.

Laetitia acquiesça, soulagée de constater que, malgré son grand âge, rien n'échappait à sa vieille amie.

— Je n'étais pas certaine que la vie du village vous intéresse toujours, ajouta-t-elle diplomatiquement.

— Mais si, et je peux compter sur quelques jeunes amies… et sur mes gens, bien sûr, pour me tenir informée

Laetitia se pencha et demanda sur le ton de la confidence :

— Je suis curieuse d'entendre votre version des faits. Une certaine Mme Malemeyne a dépeint Oberon sous un jour héroïque, ce qui me semble un peu exagéré.

— Mme Malemeyne ! Cette épouse de commis

qui se prend pour une aristocrate ? lança Maisie avec mépris.

Elle se tut, puis reprit :

— Je ne connais pas votre fils, mais d'après mes sources il aurait été vu avec un de ces personnages douteux qui ont envahi Philtwell ces dernières années. Celui-ci se prétend médecin, mais rien n'est moins sûr. A la station thermale, on l'a vu mettre son nez partout, comme s'il en était le futur acquéreur. Les Sutton étant toujours propriétaires du lieu, exception faite du manoir. Randolph leur a d'ailleurs écrit pour les avertir. Très vite, les enfants Sutton sont arrivés, accompagnés d'une tante. Ils n'ont pas tardé à entrer en conflit avec certaines personnes, dont le fameux médecin. D'après ce que je sais, ce dernier harcèle la malheureuse jeune femme qui a décidé de rouvrir les Eaux de la Reine.

— Ah..., se contenta de répondre Laetitia.

Même si elle mourait d'envie d'en savoir plus, il ne fallait surtout pas alerter Maisie par un intérêt excessif. A sa grande satisfaction, la vieille dame poursuivit :

— On m'a rapporté que le docteur hurlait à la figure de la jeune fille. Un scandale, vous ne croyez pas ? D'ailleurs, de mon temps, se conduire ainsi, surtout devant son seigneur, aurait valu la cravache à l'impudent. Je crains que le docteur, sans connaître l'identité de votre fils, lui ait juste imposé sa présence comme il l'aurait probablement fait avec tout gentilhomme bien mis. Et, le duc ignorant tout de la réputation du docteur, on peut aisément lui pardonner de ne pas être intervenu

Laetitia trouva l'excuse presque insultante.

— Sans le qualifier d'héroïque, j'imagine mal mon

fils rester indifférent alors qu'une jeune fille est agressée devant lui, rétorqua-t-elle sèchement.

— Peut-être a-t-il réagi en effet, bien que personne n'ait été assez près pour en jurer… Mais les témoins sont unanimes : il s'est porté au secours de la tante lorsque celle-ci s'est évanouie.

— Si j'ai bien compris, la jeune femme a ensuite entraîné sa tante, sans se soucier de remercier Oberon, c'est bien cela ? s'enquit la duchesse.

— Sans doute, mais est-ce vraiment le plus important ?

Son amie avait raison, bien sûr, pensa Laetitia. Certes, l'incident serait vite oublié, mais elle avait espéré que la rencontre tant espérée entre son fils et cette Mlle Sutton se passe sous de meilleurs auspices. Voir ainsi tous ces espoirs d'avenir réduits à néant était désespérant. Ils n'avaient pas eu le temps de se connaître que déjà ils se disputaient ! Mais il ne fallait pas se laisser abattre. Non, elle n'allait pas aussi facilement renoncer à l'un des partis les plus convenables qu'elle ait rencontré depuis des années.

— Letty ? dit Maisie en adressant à la duchesse un regard inquisiteur, intriguée par le silence prolongé de son amie.

— Chère Maisie, vous avez raison, comme d'habitude. Après tout, l'important est que le séjour de mon fils à Philtwell soit aussi heureux que le fut le mien.

— Dans ce cas, je vais tenter de clarifier la situation auprès de chacun afin d'éviter les futurs malentendus, suggéra la vieille dame, sans donner plus de précisions.

Laetitia acquiesça, rassurée, car elle savait son amie animée des meilleures intentions. Et puis, avec ce qu'elle venait d'apprendre, il était clair qu'une intervention était nécessaire. Peu enclins à jouer les entremetteurs, Randolph et elle-même avaient espéré laisser la nature suivre son cours, mais cela semblait maintenant fort peu réaliste.

Décidément, mère Nature n'était plus ce qu'elle était...

Glory, loin derrière sa tante et son frère, traînait les pieds, une attitude dont elle n'était pas coutumière. A vrai dire, elle était loin de partager leur excitation à l'idée de la soirée qui les attendait.

— Regarde, Sutton House ! s'exclama Thad

Redressant la tête, Glory fit l'effort de s'intéresser au bâtiment qui allait les accueillir pour la soirée... Sutton House, la demeure de ses ancêtres.

C'était là qu'ils auraient dû résider, même s'ils se satisfaisaient de la maison plus petite et très confortable qui était restée dans la famille.

Sutton House, cette demeure majestueuse nichée au milieu des sycomores, lui semblait finalement assez sinistre. C'était du moins ce qu'avait pensé Glory à chacune des invitations de l'actuel propriétaire.

M. Pettit affichait un soutien sans faille à la réouverture du puits, mais était-il sincère ? Si l'on considérait ses invités, tous les doutes étaient permis !

En tout cas, cette invitation émanant de la duchesse elle-même démontrait que la douairière, tout comme son fils, se sentait chez elle à Sutton House.

En temps normal, Glory, consciente de l'atout précieux que représentait pour son projet le soutien de tels aristocrates, aurait tout fait pour plaire au duc et à sa mère. Mais au vu de ses récents démêlés avec Westfield il n'était pas question qu'elle fasse le moindre effort envers lui ou sa mère... A fortiori si tous deux partageaient l'opinion du Dr Tibold sur la station thermale !

Pour un peu, elle aurait refusé de venir, mais elle n'avait pas vraiment eu le choix : en recevant l'invitation, Phillida s'était presque évanouie… de bonheur.

— Mon Dieu, mon Dieu ! Ma chérie, crois-tu que je doive opter pour de la soie grège… Non, je vais mettre ma robe en mousseline bleue… Quoique… Sera-t-elle assez élégante ?

Tout l'après-midi, Phillida lui avait rebattu les oreilles avec ses choix de tenues, tout en gloussant de joie à la perspective de rendre jalouses ses relations londoniennes avec sa nouvelle et très noble « amie ».

Thad, si indifférent ces derniers temps, s'était soudain montré, lui aussi, ravi de cette sortie. Glory avait donc préféré taire ses propres objections, tout en se promettant de rester sur ses gardes.

Sa tante et son frère étaient peut-être éblouis par les titres de noblesse, mais elle n'était pas dupe : derrière ses manières élégantes, le duc de Westfield cachait une personnalité dangereuse, trouble… quelque chose qui n'avait rien à voir avec son statut social ou sa fortune.

Et puis, cette maîtrise qu'il affichait en toutes circonstances était suspecte. Par exemple, l'aisance avec laquelle il l'avait maîtrisée, elle ! Avec quelle facilité il l'avait immobilisée… Glory sentit le rouge lui monter aux joues. Où diable un homme de son rang avait-il appris à désarmer si facilement une personne armée ?

Certes, elle devait en convenir, elle n'avait pas été un adversaire bien redoutable. Mais Westfield n'avait pas hésité une seconde à lui tordre le bras, à la coller contre lui tout en lui chuchotant à l'oreille… Quel gentilhomme digne de ce nom se comportait ainsi envers une dame ?

Elle inspira profondément. Elle s'était toujours considérée comme une jeune femme responsable, tenant sa famille à bout de bras depuis la mort de son père. Elle avait élevé son frère et pris les décisions que sa tante Phillida ne voulait ou ne pouvait pas prendre. De la gestion des finances jusqu'à la tenue de la maisonnée, Glory s'occupait de tout. C'était encore elle, et elle seule, contre l'avis de tous, qui avait pris la décision de rouvrir les Eaux de la Reine.

Très peu de choses avaient encore le pouvoir de l'ébranler… A part ce maudit Westfield !

Il la mettait mal à l'aise, la troublait sans qu'elle puisse se l'expliquer. Il constituait clairement une menace, tout du moins pour sa tranquillité d'esprit.

Elle devrait à tout prix se méfier de lui, se répéta-t-elle tandis qu'elle franchissait le seuil de Sutton House.

Le maître d'hôtel les conduisit dans un salon étonnamment vide où les attendait une femme à l'allure princière. La duchesse, devina Glory.

— Pardonnez cette légère entorse au protocole, mais notre cher hôte étant souffrant je me suis permis de prendre sa place, déclara cette dernière en s'avançant vers eux, le visage souriant.

Elle était très différente de ce qu'avait imaginé Glory. Elle qui pensait se trouver face à un Westfield au féminin — une femme brune, distante et hostile —, elle n'aurait pu se tromper davantage.

Bien que Glory fréquente rarement les hautes sphères de la société, elle savait que les femmes y étaient souvent capricieuses, désagréables, et pleines de mépris pour leurs inférieurs. Pourtant, c'est avec chaleur que la duchesse salua un par un les membres de la famille Sutton, en terminant par Glory.

Ses yeux brillaient de la même vive intelligence que ceux de son fils, mais les siens étaient bleus. La duchesse inclina légèrement la tête de côté et, tout en fixant Glory, s'exclama :

— Mademoiselle Sutton ! C'est donc vous !

— C'est-à-dire ?

Glory était perplexe.

— C'est vous qui êtes responsable de la réouverture de la station thermale, n'est-ce pas ?

— C'est exact.

Après l'intimidation, la persuasion féminine ? Si Tibold et Westfield espéraient la faire renoncer de cette manière, ils se trompaient !

Elle releva le menton, furieuse. Tous ces stratagèmes affermissaient davantage sa volonté de transformer l'héritage familial en succès commercial.

Persuadée que son ton bravache irriterait la duchesse, elle fut étonnée de voir cette dernière sourire.

— Merveilleux, c'est mer-veil-leux, murmura-t-elle tout en hochant la tête en signe d'approbation.

Glory était sidérée.

— Et comment se porte notre cher M. Pettit, Votre Grâce ? minauda Phillida.

— Il se porte bien mieux. Mais pas au point, malheureusement, de se joindre à nous ce soir.

La duchesse étant accaparée par sa tante, Glory en profita pour l'observer discrètement.

Bien qu'elle ne ressemble pas vraiment à son fils, car elle n'était ni grande ni élancée, il y avait quelque chose dans son attitude qui rappelait le duc. Et puis, tout comme son fils, la duchesse avait des traits harmonieux qui la rendaient belle, sans toutefois être aussi éblouissante que l'héritier du nom.

Soudain une lueur s'alluma dans les yeux de la duchesse, qui parut tout à coup plus jeune. En suivant son regard, Glory faillit sursauter en voyant la silhouette surgie de l'ombre. Quelqu'un était entré en silence, sans se faire annoncer, mais elle aurait pu le reconnaître entre mille : Westfield !

D'instinct, elle recula d'un pas.

Bien sûr, devant sa mère, il se comporterait en homme bien élevé, se rassura-t-elle ; mais un frisson lui parcourut néanmoins l'échine. Jusqu'à présent, chacune de ses rencontres avec cet homme s'était révélée imprévisible, intolérable, offensante…

— Vous voilà enfin ! Venez donc vous joindre à nous, s'exclama la duchesse.

Le cœur de Glory s'emballa plus que de raison lorsque Westfield s'avança en pleine lumière.

Il se déplaçait avec la grâce d'un félin guettant sa proie.

Glory resta immobile, mais détourna les yeux, espérant ainsi calmer les battements de son cœur. La fréquentation des hommes du village et des ouvriers lui avait appris une chose : une femme ne devait jamais montrer ses faiblesses. Car les autres n'hésitaient pas à en profiter.

Oui, Westfield pourrait profiter d'elle… Des images lui vinrent aussitôt à l'esprit. Le contact de son corps pressé contre son dos, la chaleur de son souffle sur son oreille…

— Mademoiselle Sutton.

Le son de sa voix grave la fit sursauter. Elle constata qu'il s'adressait à elle. Relevant la tête, elle se força à regarder son beau visage.

Ses yeux sombres restaient impénétrables, mais Glory était presque certaine que rien ne leur échappait. Il avait sûrement remarqué qu'elle se tenait le plus loin possible de lui. Voilà pourquoi il lui offrait ainsi son bras !

Elle faillit refuser mais se reprit au dernier moment. Surtout ne pas lui laisser voir son agacement ! Elle le gratifia donc d'un bref signe de tête et obtempéra.

Les quelques mètres qui les séparaient de la salle à manger lui parurent des kilomètres : jamais la présence d'un homme ne lui avait fait autant d'effet. Elle avait l'impression que la main du duc était brûlante sur sa peau nue.

Lorsqu'elle s'assit enfin, soulagée de ne plus avoir à le toucher, Glory sentit les doigts de Westfield lui effleurer le dos.

Ce contact n'était pas accidentel, elle en était certaine. Se croyait-il autorisé à prendre de telles libertés en raison de l'incident survenu la nuit précédente ? Si c'était le cas, alors les intentions du duc concernant la station thermale n'étaient pas le plus gros problème de Glory.

Elle frissonna. Mon Dieu, comment se défendre face à un seigneur aussi puissant, vers qui se tourner ? Inutile de compter sur Thad, le pauvre avait clairement démontré la nuit précédente son impuissance face au duc.

Seule ! Elle était seule pour défendre son honneur. Soudain saisie d'effroi, Glory dut se faire violence pour ne pas bondir de sa chaise et s'enfuir.

Les romans gothiques qu'elle avait lus dans sa jeunesse lui revenaient à la mémoire tandis qu'elle observait le salon lugubre, à peine éclairé par la faible lueur des bougies.

Non, le duc ne tenterait rien tant qu'il était l'hôte d'un gentilhomme comme M. Pettit. Surtout sous le regard de la duchesse et en présence de sa tante et de son frère ! Pourtant, Glory ne pouvait se défaire de cette troublante impression que le duc et elle étaient seuls au monde, entourés d'une sorte de brouillard.

Il lui sembla entendre, de très loin, sa tante Phillida

se lancer dans le récit circonstancié de son dernier évanouissement, sans manquer de féliciter abondamment Westfield pour son secours chevaleresque. Le souvenir de cet incident lui fit recouvrer ses esprits et Glory se raidit, prête à subir les commentaires sarcastiques du duc… Rien. A sa surprise, Westfield fut laconique et sembla se désintéresser de la conversation. Une indifférence peut-être feinte, car Glory le sentait, au contraire, très attentif.

— Nous venons à peine d'arriver et pourtant j'ai déjà beaucoup entendu parler de ce médecin, s'exclama la duchesse. Il semble être un bien détestable personnage. Mon fils, que diable faisiez-vous en pareille compagnie ?

Glory se tourna vers le duc, avide d'entendre sa réponse. En tout cas, quelles que soient les intentions du fils, la mère, apparemment, n'était pas au courant.

— Cet individu m'a approché en m'offrant ces douteux services, prétextant être capable de me soulager de tous les maux dont je pouvais être affligé. Il a ensuite interpellé Mlle Sutton. Il semblerait qu'il ait quelques projets pour ses… eaux.

Glory eut un hoquet de stupéfaction.

Elle scruta Westfield, mais le visage de celui-ci était impassible. Se pouvait-il qu'il ignore tout ? L'aurait-elle mal jugé ? Peut-être, mais elle ne parvenait pas à se défaire de sa méfiance à son égard. Il y avait chez cet homme quelque chose qui l'effrayait.

— Ah, les fameuses eaux ! s'exclama joyeusement la duchesse. Quel endroit merveilleux. Lorsque j'y ai séjourné, il y a vingt ans de cela, c'était un lieu plein de vie, où l'on s'amusait beaucoup tout en profitant des bienfaits de la nature… Oui, chacun de mes séjours fut un enchantement.

L'enthousiasme avec lequel la duchesse parlait des

Eaux de la Reine ne pouvait être feint et, progressivement, Glory se détendit.

Entendre ainsi évoquer le succès qu'avait rencontré la station thermale dans le passé la ravissait, car elle n'avait que très peu d'informations sur cette époque. Et puis son entrain semblait contagieux : Phillida et Thad, encouragés par l'ardeur de la duchesse, se montraient tout à coup beaucoup moins indifférents au projet de Glory.

Mais Westfield, lui, restait de marbre.

Glory avait l'impression que sa sombre silhouette emplissait la pièce d'un silence assourdissant. A son corps défendant, elle ne cessait de lui jeter des regards furtifs.

Lorsque soudain il prit la parole, le son grave et curieusement familier de sa voix fit naître un long frisson sur sa peau.

— Quelle raison vous a poussée à entreprendre ces travaux ?

Glory ne put s'empêcher d'entendre derrière cette question apparemment anodine une critique à peine voilée.

Mais, là encore, le beau visage du duc arborait une indifférence polie. C'était visiblement une question de pure forme, rien de plus.

Elle devait impérativement se calmer. Pourquoi se montrait-elle aussi irritable ? Elle qui s'était toujours montrée la plus raisonnable de la famille ! Vraiment, aller s'imaginer des histoires horrifiques et voir des dangers et des complots où il n'y avait que de simples désaccords, cela n'était pas du tout son genre. Quant à se comporter avec frivolité ou coquetterie, n'en parlons pas ! …

Mais alors pourquoi son cœur s'emballait-il ainsi ?

— Ma chérie, M. le duc te parle, lui chuchota sa tante.

Glory prit soudain conscience que tout le monde attendait sa réponse. Elle se força à sourire avant de déclarer :

— La station thermale fait partie de notre héritage. Nous ne pouvons pas la laisser à l'abandon alors que le puits est toujours en parfait état de marche.

— Mais ne croyez-vous pas que l'époque des eaux thermales est révolue ? demanda le duc.

— Non, je pense qu'elles sont intemporelles et que leur fréquentation restera toujours d'actualité. Depuis les temps anciens où nos ancêtres les ont vues jaillir du sol, les eaux thermales ont toujours été des lieux de rassemblement, affirma Glory. Durant des siècles, on a associé certains puits à des manifestations de saints. Ils faisaient l'objet de pèlerinages et les malades parcouraient de grandes distances afin de bénéficier de leurs bienfaits.

Depuis des années, Glory, que l'histoire des Eaux passionnait, avait entrepris de nombreuses recherches. Pouvoir ainsi partager son savoir avec un auditoire la faisait toujours s'animer.

— Plus tard, lorsque les reliques ne furent plus considérées avec la même dévotion, les gens continuèrent à rechercher les vertus thérapeutiques des eaux, reprit-elle. Les distractions telles que la musique, la danse ou les jeux de cartes vinrent rapidement agrémenter les séjours afin que chacun puisse profiter de plaisirs variés dans un environnement reposant et sain.

— Et il n'y a pas de lieu plus charmant que Philtwell ! renchérit la duchesse.

— Oui, et cette campagne si verdoyante, ces forêts

si délicieusement fraîches…, ajouta Phillida qui ne voulait pas paraître en reste.

Glory étouffa un rire en entendant la soudaine admiration de sa tante pour un village qu'elle qualifiait, il y a encore quelques jours, de « région arriérée ».

Si la duchesse arrivait à convaincre son frère et sa tante du bonheur qu'il y avait à vivre ici, Glory n'allait sûrement pas protester.

— Certes, mais si l'on considère l'état dans lequel se trouve le village, quel type de clientèle espérerez-vous attirer ? demanda Westfield à Glory.

Glory comprit parfaitement le sous-entendu : les seuls clients des Eaux de la Reine seraient les désespérés envoyés par des charlatans espérant profiter de leur désarroi.

Piquée au vif, elle releva le menton.

— Les Eaux de la Reine ont toujours été fréquentées par la clientèle la plus élégante, y compris par la famille royale.

— La reine Elisabeth, sans doute ? s'enquit le duc d'un ton narquois.

— C'est exact, répliqua Glory. D'ailleurs, on doit la découverte du puits à l'un de ses courtisans.

— Et j'ai l'impression que l'endroit n'a pas beaucoup changé depuis.

Westfield se moquait maintenant ouvertement.

— La station a certes conservé le charme d'un lieu confidentiel, mais elle a bénéficié tout au long des siècles de nombreuses améliorations, s'emporta Glory. On a construit un nouveau puits et une buvette a été érigée ; des salles de réunion et des hôtels ont été construits, sans parler de la création de jardins et de chemins pour s'y promener. Nous avons déjà restauré ces lieux de promenade. J'ai fait replanter des massifs, élaguer les arbres des allées et j'espère pouvoir créer des jardins supplémentaires.

— C'est une excellente idée, affirma la duchesse. La station thermale a besoin de bosquets et de chemins ombragés où puissent s'épanouir les amours naissants.

Glory fixa la douairière avec effarement.

— Ce genre de réputation a causé la perte de nombreuses stations thermales, et ce n'est pas ce que je recherche, répliqua-t-elle avec froideur. Comprenez bien qu'aucune jeune femme ne fréquentera mon établissement si elle ne s'y sent pas à l'abri des avances des aventuriers de passage… et des hommes en général, ajouta-t-elle en regardant Westfield.

— *Personne* ne souhaite se faire agresser, répliqua Oberon en lui rendant son regard.

— Mais Philtwell est un lieu éminemment respectable ! s'exclama la duchesse.

Inconsciente du passif qui existait désormais entre son fils et Glory, la mère du duc se lança dans un plaidoyer en faveur de Philtwell, tâchant de convaincre Phillida de la sûreté du village en comparaison avec Londres.

— Même si l'on considère Philtwell comme le hameau le plus bucolique et le plus pittoresque d'Angleterre, il est bien trop reculé pour séduire qui que ce soit à part les plus motivés, fit remarquer Westfield.

Glory sentit peser sur elle le regard du duc, comme s'il s'adressait à elle. Elle mit cependant un point d'honneur à ne pas le regarder.

Westfield n'était peut-être pas l'allié du Dr Tibold, mais son opposition à la réouverture de la station thermale semblait évidente.

— Les Eaux ont su, dans le passé, attirer une foule importante alors que les routes n'étaient pas aussi bonnes, ni les voyages aussi communs que de nos jours, rétorqua-t-elle. Et puis, une station thermale peut connaître tour à tour le succès et l'oubli. Ce ne serait pas la première fois que des eaux reviendraient à la mode.

— Ou qu'elles ouvrent pour fermer aussitôt, fit remarquer le duc.

— N'essayez pas de la faire changer d'avis, l'interrompit sa mère. Je voudrais tant voir cet endroit retrouver la place qui lui revient.

— Je suis simplement curieux de savoir ce qui a poussé Mlle Sutton à prendre une telle décision, mère. C'est une vaste entreprise, surtout pour une femme, et une aventure qui peut s'avérer plus coûteuse que profitable. Qui sont vos investisseurs, mademoiselle Sutton ?

— Mon fils, ne soyez pas grossier, s'écria la duchesse.

Thad voulut répondre, mais Glory lui fit signe de se taire. Les finances de la famille ne regardaient personne et elle n'allait sûrement pas aborder le sujet avec ses hôtes.

Prenant une gorgée de vin pour se donner du courage, elle regarda le duc dans les yeux avant de demander :

— Est-ce parce que je suis une femme que vous me croyez destinée à échouer ?

— Certainement pas. Je crois les femmes, ma mère incluse, capables de succès éblouissants, répondit-il, impassible.

— Bien dit ! s'exclama la duchesse. Je suis sûre que nous souhaitons tous, y compris M. Pettit, le succès de votre entreprise. Un succès dont profitera notre communauté dans son ensemble.

— Je vous remercie, dit Glory, bien qu'elle suspecte le duc de ne pas partager l'opinion de sa mère. J'espère que les gens viendront aux Eaux pour la beauté du lieu et la qualité de l'air, loin de la pestilence londonienne.

Si de surcroît boire cette eau et se baigner dedans se révèlent bénéfiques, c'est un atout supplémentaire.

— Il y a donc un bassin pour la baignade ? s'étonna Westfield.

— Non, mais il y a des baignoires privées à l'étage.

— Et quand aurons-nous le plaisir d'admirer ces installations ? s'enquit la duchesse.

— Quand vous le souhaitez, répondit Thad.

Cette invitation prit Glory par surprise et elle remarqua qu'elle semblait davantage adressée au duc qu'à sa mère.

Pour ne pas être en reste, Phillida les invita au cottage et proposa une visite de la buvette dès le lendemain, « pour goûter les eaux ».

— Avec grand plaisir, s'exclama la duchesse. J'ai hâte de voir ce que vous en avez fait. Quand souhaitez-vous ouvrir la station au public ?

— Eh bien, j'avais prévu d'attendre la démolition des anciens bâtiments, mais je crains que nous n'ayons des problèmes avec les travailleurs locaux, répondit Glory.

Si, jusqu'à ce soir, elle avait suspecté Westfield d'être à l'origine de ce problème, elle savait maintenant qu'il n'en était rien.

— Ils se montrent incapables de reprendre le travail en temps et en heure, poursuivit-elle.

— Je leur ai parlé et les choses devraient rentrer dans l'ordre, assura Thad.

Comme Glory aurait souhaité que ce soit vrai !

— Lorsqu'il ira mieux, M. Pettit pourrait également en toucher un mot aux ouvriers, suggéra la duchesse. Après tout, ce comportement jette le discrédit sur tout le village. J'ai cru comprendre que tout le monde ne partage pas mon enthousiasme, mais je suis certaine que tous seront convaincus dès la réouverture de la buvette.

Phillida se lança alors dans l'énumération des affronts dont elle avait été victime depuis leur arrivée au village.

Pendant que la duchesse tentait de la consoler de ses « malheurs », Glory se mit à réfléchir.

Etait-ce les encouragements de la duchesse qui provoquèrent sa décision ? Ou au contraire les objections du duc ? Car soudain elle sut ce qu'elle devait faire. Et lorsque Phillida se tut enfin Glory reprit la parole:

— Je vais rouvrir la semaine prochaine.

— C'est formidable, dit la duchesse, ravie.

Essayant de cacher son incertitude, Glory se tourna vers Westfield. A sa grande surprise, il n'avait pas l'air déçu. Plus étonnant, il arborait une expression de vague curiosité.

— Pourquoi tant de précipitation ? demanda-t-il.

— Je comptais attendre que les travaux soient plus avancés, mais Votre Grâce a raison, répondit Glory en s'adressant à la duchesse. Dès que les villageois verront la buvette rénovée et pourront constater l'atout majeur que cela représente pour Philtwell, ils seront « convaincus » d'autant plus vite.

Glory s'attendait à des objections de la part de Westfield, mais ce dernier ne fit aucun commentaire supplémentaire, ce qui la déposséda presque de son sentiment de triomphe. Un sentiment qui disparut définitivement lorsque le duc commença à interroger Thad sur les activités prévues pour les jeunes clients.

Plus tard, lorsque l'on se retira dans le salon, Glory s'efforça de bien regarder les bottes de son hôte, à la recherche de traces compromettantes. Cet examen ne lui apprit rien, si ce n'est que les pieds du duc étaient proportionnels au reste de sa personne et que son valet prenait grand soin des chaussures de son maître.

En relevant la tête, elle rencontra le regard moqueur de Westfield, auquel son examen n'avait pas échappé. Gênée, elle détourna les yeux. Fort heureusement, il ne fit aucun commentaire, pas plus qu'il ne reparla des Eaux de la Reine. Il joua à la perfection son rôle d'hôte. Oui, son rôle, car Glory avait la nette impression que tout cela n'était qu'une vaste comédie. Oui, le duc de Westfield n'était pas ce qu'il voulait paraître…

Chapitre 4

Il était si tard lorsque Laetitia put enfin aller rendre visite à Randolph dans sa chambre qu'elle se demanda s'il n'était pas préférable d'attendre le lendemain matin. Cependant, elle désirait tant entendre son opinion sur la soirée qu'elle entrouvrit sa porte, et constata avec plaisir qu'une chandelle était encore allumée sur sa table de nuit.

— Etes-vous réveillé ? chuchota-t-elle.

— Eh bien, maintenant je le suis, grommela Randolph en refermant un livre.

Las d'être ainsi confiné dans sa chambre, il était probablement de mauvaise humeur. Son intuition fut rapidement confirmée.

— J'ai l'impression d'être enfermé ici depuis des lustres ! pesta son vieil ami.

— Mais vous ne pouvez quitter la chambre, au risque de voir Oberon s'en aller. Vous guéri, plus rien ne le retiendrait ici... pour l'instant.

Randolph ne répondit rien, mais lança un regard furieux à Laetitia.

— Encore quelques jours de patience, promit cette dernière. Une fois leurs relations apaisées, notre plan fonctionnera, j'en suis sûre.

Et sans lui laisser le temps d'argumenter elle ajouta :

— Alors, qu'en pensez-vous ?

— Que j'ai eu de la chance : personne ne m'a surpris à errer en robe de chambre autour de la maison, marmonna Randolph. Le valet de votre fils a des yeux derrière la tête !

Laetitia balaya ces récriminations d'un revers de la main.

— Et alors ? s'enquit-elle.

Il se laissa aller contre les oreillers et soupira :

— Bien que tout ceci soit un peu de ma faute, je regrette d'avoir à vous le dire mais… les choses me semblent mal parties.

— Et pourquoi dites-vous cela ?

— D'après ce que j'ai pu voir… et c'était fort peu, fit remarquer Randolph, ils n'ont même pas l'air de s'apprécier.

— Ma foi, je serais bien déçue si c'était le cas. Je ne veux pas que mon fils devienne son ami, je veux qu'il tombe follement amoureux d'elle.

Randolph secoua la tête, l'air dubitatif.

— Je ne vois pas comment cela pourrait arriver alors que leurs rapports sont à peine courtois ! Leur animosité était palpable.

— Ah, mais il s'agit de sentiments forts, et parfois la colère et l'amour vont de pair, rétorqua la duchesse. Je suis si heureuse qu'il éprouve enfin quelque chose que je dois voir cela comme un bon signe.

Randolph lui adressa de nouveau un regard dubitatif. Comment décrire à son ami le changement survenu dans le comportement de son fils, sans dénigrer ce dernier ?

La duchesse baissa les yeux, cherchant ses mots.

— Oberon a été très… affecté par le décès de son

père. Je crains qu'il n'ait eu à assumer trop tôt le poids des responsabilités ducales. Bien sûr, il s'est montré parfaitement à la hauteur, mais il a changé. Je ne cesse de m'interroger : s'est-il passé quelque chose pendant que j'étais… prisonnière de ma peine ? Oberon est un jeune homme très secret et je m'inquiète pour lui.

Devant le silence de Randolph, Laetitia sentit la nécessité d'être plus explicite.

— Ses absences sont devenues de plus en plus fréquentes et il s'est éloigné de la famille. Il délaisse le château ducal et passe beaucoup trop de temps dans notre maison de Londres. Tant et si bien qu'elle est devenue sa résidence principale. Je ne comprends pas pourquoi il néglige ainsi un endroit qu'il aimait tant…

Tout comme il négligeait sa propre mère, pensa-t-elle.

— Si encore il dilapidait son héritage, je comprendrais ce qu'il fait de ses journées, reprit-elle. Mais il a confié la gestion de ses affaires à plusieurs agents : des fermes à Westfield, en passant par nos investissements à l'étranger, notre fortune a rarement été aussi florissante. Pendant ce temps, il assiste assidûment à tous les événements mondains de la saison, exhibant un visage fermé de bals en salons.

— Il y a des occupations plus répréhensibles, fit remarquer Randolph.

— Certes, reconnut Laetitia, qui s'était elle-même maintes fois rassurée avec cet argument. Mais il en existe aussi de plus intéressantes.

Comme son père aurait détesté voir Oberon se complaire parmi cette société aristocratique pour laquelle il avait eu tant de mépris ! Lui qui avait consacré sa vie à sa famille et au bien public, se dévouant pour de grandes causes, dans un souci constant de rendre le monde meilleur. Au souvenir de son mari, parti trop tôt, les yeux de Laetitia s'embuèrent, mais elle ravala ses larmes.

— Je suis surpris, je l'avoue, dit Randolph. Je n'imaginais pas Oberon s'adonner à ce genre de frivolités.

— Je sais. Il est bien trop intelligent et trop cultivé pour cela. Mais curieusement, mis à part ces mondanités, rien ne semble l'intéresser. Pire, rien ne paraît le toucher.

Depuis quelque temps, et bien qu'elle ne doute pas de l'amour de son fils à son égard, la froideur de ce dernier la faisait s'interroger : était-il devenu insensible, imperméable à toute émotion ?

Pourtant, ce soir, il s'était montré moins mondain, moins détaché que d'habitude. Certes, il ne s'était pas comporté avec la jeune Sutton comme elle l'aurait espéré, mais au moins il avait *réagi*. Oui, c'était de bon augure, elle en était sûre.

Ragaillardie par cet espoir, elle conclut, le sourire aux lèvres :

— Je ne crois pas qu'il soit trop difficile d'orienter son intérêt pour elle dans une direction plus positive. Pour cela, il nous suffit de laisser la magie des Eaux de la Reine opérer.

— Cette pluie ne vous suffit pas, il vous faut aussi l'eau de la station thermale ? s'exclama Oberon.

Depuis le petit déjeuner, la pluie tambourinait contre les fenêtres et Oberon n'avait nulle envie d'accompagner sa mère dans la visite guidée des installations thermales. Néanmoins, et malgré sa réflexion sarcastique, il obtempéra.

La soirée de la veille n'avait fait qu'accroître sa

curiosité à propos de la famille Sutton et de son hasardeuse entreprise.

— Mlle Sutton semble avoir des projets grandioses pour les Eaux de la Reine, ajouta-t-il d'un air détaché alors qu'une calèche les emmenait à destination. Je me demande où elle a trouvé les fonds nécessaires ?

— Oberon, je vous en prie, prévint la duchesse, cessez de poser ce genre de questions. C'était déjà suffisamment grossier au souper d'hier soir !

— Je ne vois pas pourquoi. Nous parlons affaires, n'est-ce pas ? J'imagine, au contraire, que les Sutton sont fort heureux d'expliquer les détails de leur projet à d'éventuels investisseurs.

En fait, Oberon était fort surpris que sa mère, dont l'intérêt pour le lieu était clairement visible, n'ait pas été sollicitée.

— Les Sutton ne vous ont rien demandé, si je ne me trompe ? s'enquit-il.

— Certainement pas, s'exclama sa mère. Mlle Sutton est trop bien élevée pour évoquer avec moi ce genre de choses.

Oberon eut une moue dubitative. Mlle Sutton était pratiquement une commerçante, alors pourquoi diable avait-elle évité le sujet ? Il doutait de plus en plus qu'il s'agisse d'une escroquerie, par contre, il était fort possible que ses investisseurs préfèrent rester anonymes. Selon son expérience, ce genre de « discrétion » cachait souvent quelque chose de louche dont Mlle Sutton pouvait connaître la nature… ou pas.

Oberon secoua la tête, comme pour chasser cette idée. Non, il ne voulait pas croire Mlle Sutton capable de duplicité. Et puis de telles pensées conduisaient souvent à faire des erreurs de jugement, voire à agir stupidement. Surtout, se garder de tirer des conclusions hâtives, se rappela-t-il en pénétrant dans la fameuse, et si décriée, station thermale de la famille Sutton.

Pendant que sa mère exprimait bruyamment son admiration, Oberon examinait les lieux avec soin. Par beau temps, le hall devait être lumineux et aéré, éclairé par de grandes fenêtres en forme d'arche sur trois des quatre murs ; mais avec cette pluie l'endroit paraissait lugubre. Peut-être était-ce dû simplement à l'absence totale de vie dans cette grande salle.

Aucun pas ne résonnait sur les parquets fraîchement cirés. La pièce était vide, à l'exception de quelques tables et chaises rassemblées dans un coin, destinées sans doute aux clients préférant profiter des eaux en s'asseyant au calme.

C'est d'ailleurs à une de ces tables que s'était installée la tante de Mlle Sutton, Mme Bamford, qui agita son mouchoir pour leur signaler sa présence.

Cette bécasse, chaperon à l'efficacité douteuse, formait avec sa nièce un bien curieux tandem, pensa Oberon. Quant au frère, présent également, son comportement était conforme à ce que l'on pouvait attendre d'un jeune garçon, rien de plus, rien de moins. Mais où était donc passée la sœur ?

Malgré ses bonnes résolutions, Oberon ne put s'empêcher de chercher la jeune femme des yeux avec une certaine fébrilité. Lorsque enfin il la vit, il fut étreint d'une émotion d'autant plus difficile à cacher qu'il en fut le premier surpris. La soirée de la veille n'avait apparemment pas suffi à le prémunir contre l'attirance qu'il éprouvait pour Mlle Sutton. Il ressentit exactement la même chose que lorsqu'il l'avait aperçue la première fois, debout dans l'ombre… Un coup de poing dans l'estomac.

— Mademoiselle, dit-il en inclinant légèrement la tête.

— Votre Grâce, répondit Glory.

Ne discernait-il pas un petit tremblement dans sa voix ?

C'était ridicule ! Elle avait dû presser le pas pour accueillir ses visiteurs et était simplement un peu essoufflée. Pas de quoi imaginer autre chose ! Elle s'assit près de sa tante et Oberon les rejoignit. Ils n'eurent pas besoin de s'abreuver eux-mêmes à la source car une jeune domestique au tablier amidonné s'approcha d'eux pour les servir.

— Pas pour moi, merci, la remercia Thad.

— Ni moi non plus, ajouta Oberon.

— Buvez, cela vous fera le plus grand bien, lui dit sa mère.

Oberon fronça les sourcils en examinant le breuvage.

— C'est ce que l'on dit en parlant de toutes les eaux de source anglaises. Des fontaines de Bath au plus petit ruisseau qui court à travers champs et auquel la vache refuse de s'abreuver. Elles sont censées vous guérir de tous les maux, des furoncles aux langueurs. Pour ma part, je n'accorde nulle foi à ces prétendues vertus.

— Les Eaux de la Reine n'ont jamais prétendu avoir des vertus curatives, rétorqua Mlle Sutton.

Pourquoi n'était-il pas surpris ? Elle ne ratait jamais une occasion de le contredire. Mais curieusement ces joutes verbales, loin de l'irriter, l'amusaient.

— Mais ces eaux ont d'autres vertus, à n'en pas douter, lança sa mère avec un sourire en coin.

Visiblement la duchesse avait des raisons très personnelles d'éprouver une telle nostalgie pour ce lieu…

Oberon avait bu presque la moitié de l'infâme

breuvage lorsqu'il se rendit compte que ni sa mère ni Mme Bamford n'avaient touché au leur.

— Pourquoi suis-je le seul contraint de boire sans soif ? protesta-t-il.

— J'ai déjà bu suffisamment ce matin, expliqua Mme Bamford. Et je dois reconnaître qu'il est fort agréable d'avoir sa boisson à domicile. Plus besoin d'acheter des bouteilles.

— Et vous, quelle est votre excuse ? demanda Oberon à la duchesse.

Après tout, elle était le plus enthousiaste partisan des eaux : c'était à elle de donner l'exemple.

La duchesse secoua la tête avec un sourire entendu.

— Oh ! mais je n'en ai pas besoin.

Oberon ouvrit la bouche pour réclamer des explications, lorsqu'il se souvint : les Eaux de la Reine étaient réputées pour leurs propriétés purgatives. Il tint donc sa langue.

Puisque son seul compagnon de « beuverie » était Mlle Sutton, il leva son verre vers elle et porta un toast :

— Aux Eaux de la Reine, dit-il, le premier étonné de s'entendre prononcer de telles paroles.

Le sourire surpris que Glory lui lança suffit à donner du goût à son triste breuvage.

Ses yeux verts étaient aussi beaux que les plus précieuses des émeraudes. Transparents, lumineux. Il eut soudain très chaud… Peut-être ces eaux, qu'on le forçait à ingurgiter, le rendaient-elles malade ?

Oberon attendit un long moment, mais lorsque aucune nausée ne se manifesta il se laissa convaincre de faire un tour des bâtiments.

Sa mère et Mme Bamford déclinèrent l'invitation, prétendant connaître déjà les lieux. Quant à Thad, l'idée de jouer les guides eut l'air de lui plaire, mais sa tante choisit ce moment pour exiger qu'il s'occupe d'elle. La visite proposée par Mlle Sutton n'avait donc plus qu'un seul bénéficiaire : Oberon.

A voir sa mine consternée, Oberon se prépara à l'entendre annuler la visite sous quelque fallacieux prétexte, mais lorsqu'il se leva elle l'imita et, droite comme un « i », invita Oberon à la suivre.

Elle présenta en quelques mots l'espace rénové : le nouveau parquet, les assises dans l'embrasure des fenêtres, le comptoir incurvé derrière lequel on servait l'eau de la source. Bref, rien qu'il n'ait déjà constaté lui-même.

Bien plus que les espaces publics, Oberon était curieux de voir les lieux de soin, plus intimes. Non pas qu'il s'attende à y trouver des preuves d'activités secrètes, mais il considérait comme un devoir de tout inspecter. Aussi, lorsqu'ils passèrent devant les escaliers menant à l'étage, il s'immobilisa et adressa à son guide un regard interrogatif.

Pour des raisons évidentes de bienséance, Mlle Sutton devait répugner à se trouver seule avec lui à l'étage, mais elle n'était pas du genre à se laisser intimider.

Elle eut tôt fait de le précéder dans les escaliers. Ils se retrouvèrent bientôt dans un large couloir, percé de plusieurs portes. Pendant un bref instant, ils se tinrent immobiles au milieu du corridor désert, dont seul le bruit de la pluie venait briser le silence.

La présence de la jeune femme à ses côtés le troubla soudain. Un sentiment qu'elle semblait partager car elle s'écarta de lui et s'éclaircit la gorge avant d'ajouter.

— Comme les eaux de la source sont naturellement assez chaudes, nous souhaitions proposer des bains dans un même lieu, plutôt que dans un bassin public, à l'écart.

Pour avoir fréquenté les piscines de Bath, où des clients des deux sexes, à l'hygiène parfois douteuse, pataugeaient ensemble et habillés dans un même bain, Oberon voyait parfaitement les avantages d'une telle organisation. Mlle Sutton avait visiblement beaucoup étudié la question et la taille volontairement modeste de son installation laissait supposer qu'elle n'envisageait pas la construction d'une piscine dans un proche futur.

Elle ouvrit la porte la plus proche, montrant l'intérieur de la pièce d'un geste désinvolte, pour la refermer presque aussitôt. Mais Oberon ne l'entendait pas ainsi.

— S'il vous plaît, cette pièce m'intéresse. Puis-je y entrer ? insista-t-il, curieux.

Ou avide de passer quelques instants supplémentaires, seul, avec son guide.

Il la frôla en entrant dans la pièce. A ce contact fugitif, il entendit le souffle de Mlle Sutton se faire soudain plus lourd, et il sentit son propre cœur s'affoler.

Il observa la pièce. Le carrelage protégerait le sol des éventuels débordements d'eau, une cheminée assurerait le chauffage durant les mois d'hiver et une grande fenêtre permettrait de profiter des douces brises estivales.

— Nous engagerons bien entendu des domestiques pour aller chercher l'eau, mais nous espérons très vite installer des tuyaux pour l'acheminer dans les baignoires et dans les douches, annonça Mlle Sutton qui l'avait suivi à l'intérieur. Ainsi l'intimité sera totale, ajouta-t-elle.

Oberon examina la baignoire, dont les rebords avaient été abaissés pour permettre un accès facile.

— Donc le baigneur pourra se déshabiller complètement, fit-il remarquer en la regardant dans les yeux.

Elle rougit.

— En effet. Cela permettra de profiter pleinement des bienfaits de la source.

Un seul coup d'œil à sa compagne, et Oberon pouvait aisément imaginer d'autres bénéfices... La vapeur enveloppante des eaux, l'air chargé d'humidité, la peau luisante, nue, ses longs cheveux lâchés et flottant...

Bien qu'il ait l'habitude d'arborer toujours un masque impassible, son visage dut laisser transparaître quelque chose car Mlle Sutton rougit violemment et détourna le regard.

Comme il aurait aimé poser ses lèvres sur la peau délicate de son cou... Oberon fut soudain étreint par un désir irrépressible, embarrassant. Fort heureusement, et avant qu'il ne se laisse aller à quelque geste désastreux, l'objet de son désir tourna les talons et quitta précipitamment la pièce, comme si le diable était à ses trousses. Ce qui était peut-être le cas.

Après tout, ces Eaux de la Reine, au lieu d'être apaisantes, n'auraient-elles pas l'effet exactement inverse ?

Oberon se leva pour permettre à Pearson de lui enfiler son manteau. Il s'était levé aux aurores pour assister à l'ouverture officielle des Eaux de la Reine. D'habitude, ce genre d'événement le laissait assez indifférent, mais dans ce cas précis il était curieux de voir qui avait choisi de se déplacer et il espérait rencontrer les mystérieux investisseurs. Bien qu'il passe de plus en plus de temps en leur compagnie, les raisons pour lesquelles les Sutton avaient souhaité rouvrir la station thermale lui semblaient encore assez obscures.

Leur histoire était étroitement liée à celle de Philtwell et pourtant cette famille demeurait une énigme. Après l'incendie, la station thermale avait fermé et toute trace des Sutton avait été effacée. A moins qu'on ne lui cache la vérité.

Oberon, d'habitude si habile à faire parler les plus mutiques, se sentait de plus en plus frustré de ne pas en avoir appris davantage.

— Et tu n'as glané aucune information auprès des domestiques ? demanda-t-il à son valet sans se retourner.

— Malheureusement non, monseigneur, lui répondit le fidèle Pearson.

Après une déconvenue avec un précédent domestique, Oberon s'était arrangé pour être à l'avenir toujours parfaitement servi. Discret, loyal, Pearson était aussi ses yeux et ses oreilles, et il lui confiait bien davantage que de simples questions de toilette.

— Le personnel des Sutton n'a été engagé que très récemment, et a très peu d'informations sur ses nouveaux employeurs, expliqua Pearson.

— Aucune réunion à des heures tardives ? Aucun visiteur secret ? s'enquit Oberon.

La réouverture d'une station thermale pouvait fournir à certains individus un prétexte bien pratique pour s'assembler sous le couvert d'une inauguration. Qui plus est, la situation excentrée de Philtwell garantissait la discrétion vis-à-vis des autorités. Des traîtres, des espions et autres forces ennemies, dont la nationalité changeait au gré des alliances dans la guerre qui opposait l'Angleterre à la France, pourraient tranquillement comploter à Philtwell, sans que personne s'en doute.

— Non, rien de suspect ne m'a été rapporté, monseigneur, répondit Pearson.

C'était clair : son valet ne suffisait pas, il fallait absolument trouver une autre source d'information. Bien qu'Oberon répugne à utiliser la poste, surtout dans des affaires aussi délicates, il lui faudrait probablement se résoudre à demander de l'aide.

— Je crains de ne devoir écrire à Londres.

— Je peux transmettre votre courrier en personne, Votre Grâce, suggéra Pearson.

— Certes, mais cela peut sembler suspect et, le temps que tu reviennes, nous serons peut-être déjà retournés à Londres.

La duchesse n'avait pas encore évoqué leur départ, mais elle n'allait pas rester indéfiniment à Philtwell, et Oberon n'avait aucune raison de rester à moins de tomber sur quelque chose digne d'intérêt.

— Peut-être devriez-vous parler à M. Pettit, suggéra son valet. Il ne me semble pas aussi malade qu'on le prétend.

Oberon, occupé à fixer son nœud de cravate, ne se retourna pas, mais sa voix trahit néanmoins un regain d'intérêt.

— Puis-je savoir ce qui te fait penser cela, Pearson ?

— Je l'ai vu.

— Comment as-tu fait ? La duchesse garde sa porte comme une tigresse, ajouta Oberon.

Ce n'était pas faute d'avoir essayé, mais chaque fois qu'il avait tenté de voir leur hôte sa mère s'y était opposée, prétextant invariablement que le vieil homme était encore trop faible pour recevoir.

Pendant un bref instant, Oberon envisagea que sa mère entretienne une liaison avec ce prétendu parent. En effet, cette soudaine visite à un cousin dont il n'avait nul souvenir l'avait intrigué dès le départ, mais plus encore depuis leur arrivée.

— Je l'ai aperçu pendant le souper, expliqua Pearson.

Oberon respira, soulagé : puisque sa mère n'avait

pas quitté sa table, il ne pouvait s'agir d'un rendez-vous galant.

Que sa mère mène sa vie amoureuse comme elle l'entendait, mais surtout, surtout, pas sous le même toit que lui !

En tout cas, le témoignage de Pearson prouvait une chose : ce M. Pettit existait bien. Car Oberon commençait en effet à se demander si cet homme n'était pas un produit de l'imagination maternelle. Soudain, la situation commençait à faire sens. Peut-être Pettit souffrait-il de fièvres ou, pire, de la vérole… Oui, cela expliquerait son maintien en isolement et ses errances nocturnes, conséquence d'un état délirant.

S'il ne se trompait pas, l'idée d'interroger leur hôte devenait soudain moins attrayante, surtout qu'il existait des personnes plus informées.

— Peut-être devrais-je davantage m'intéresser au jeune Sutton ou à la tante. Il faudrait que j'éloigne Mlle Sutton suffisamment longtemps pour pouvoir les questionner.

— C'est une bonne idée, monseigneur, répondit Pearson tout en donnant un dernier coup de brosse au manteau de son maître. Mais, si Votre Grâce m'y autorise, puis-je lui soumettre une idée ?

— Je t'écoute.

— Il existe aussi une autre possibilité : cette famille pourrait n'être exactement que ce qu'elle semble être.

Oberon se retourna brusquement et fixa son valet. Pearson ne donnait que très rarement son opinion et elle était rarement infondée.

— Tu penses que je cherche quelque chose qui n'existe pas ?

Pearson ne répondit rien, mais son silence respectueux était explicite.

Oberon fronça les sourcils. Il ne pouvait ignorer les paroles de son valet, qui s'était toujours montré très bon juge. Se serait-il servi des Sutton, et de leur supposée duplicité, pour tromper son ennui ? Oberon était suffisamment lucide pour envisager cette hypothèse.

Pourtant, cette famille continuait à l'intriguer. Et surtout son intérêt pour la jeune demoiselle Sutton n'avait fait qu'augmenter. Un certain temps s'était écoulé depuis qu'il s'était séparé de sa dernière maîtresse, mais cela ne suffisait pas à expliquer son trouble face à cette jeune femme. Un détail qu'il s'était bien gardé de partager avec quiconque, même avec son valet.

Il ne s'était jamais laissé duper par les charmes féminins et n'avait jamais perdu la tête devant un joli minois. Une indifférence d'ailleurs fort utile pour le métier qu'il s'était choisi. Lorsque, parfois, il se laissait aller, son goût le portait plutôt vers les blondes sophistiquées qui évoluaient dans les meilleurs cercles et pratiquaient la discrétion comme un art.

Mlle Sutton étant exactement le contraire, son attirance pour elle était d'autant plus inexplicable. Non, décidément, il y avait là quelques manigances, il en était certain et Pearson, faute d'avoir tous les éléments en main, ne pouvait émettre un jugement fiable.

Oberon le remercia d'un signe de la tête, ajusta ses manchettes et se dirigea vers la porte, plus déterminé que jamais.

Il allait glaner le plus d'informations possible sur cette Mlle Sutton et mettre un terme à ce ridicule engouement.

Glory pressa le pas devant Thad et tante Phillida, impatiente d'atteindre la buvette. Depuis sa mésaventure avec le duc, elle avait insisté pour garder les clés du bâtiment et devait donc arriver avant l'ouverture afin de faire entrer les employés.

Cette inauguration décidée à la dernière minute limitait la venue de clients étrangers dans la région, mais Glory était déterminée à faire bonne impression, quel que soit le nombre de visiteurs. Elle avait prévenu les journaux, y compris ceux de Londres, dans l'espoir que la nouvelle se répande et que les Eaux de la Reine redeviennent une destination de choix.

Elle ne voulait pas trop espérer, mais son cœur se gonflait néanmoins d'orgueil à l'idée que son rêve devienne réalité. Le ciel dégagé laissait augurer une belle journée. Ce matin, Philtwell était désert, mis à part deux autres lève-tôt.

Comment diable pouvait-on préférer les brumes de Londres à l'air frais et vivifiant de ce village si paisible ? pensa Glory en prenant une profonde inspiration.

Mais sa bonne humeur se transforma en inquiétude lorsqu'elle aperçut une silhouette fondant sur elle.

Pourvu que ce ne soit pas cet affreux Dr Tibold ! Glory regretta soudain que les rues soient aussi désertes.

— Mademoiselle Sutton !

Ne pouvant ignorer cet appel, elle s'immobilisa. L'homme qui s'avançait vers elle ne portait pas de redingote, ce n'était donc pas le médecin redouté. Glory reconnut bientôt le boucher, M. Goodger, mais devant la mine sombre du bonhomme son soulagement fut de courte durée.

— Mademoiselle Sutton, je suis content de vous trouver, dit-il. J'allais justement vous envoyer mon fils Bob. C'est la première chose que j'ai vue en revenant de chez mon cousin.

— Qu'avez-vous vu ? le pressa Glory.

Sans lui répondre, l'homme indiqua la buvette d'un signe de tête.

En regardant le bâtiment fraîchement repeint de blanc et les pelouses bien tondues, Glory sentit son cœur se gonfler de fierté… Mais où diable était passée la pancarte annonçant l'inauguration ? Le panneau qu'elle avait fait planter à la hâte avait disparu.

Et l'entrée…

Glory fut soudain saisie d'effroi à la vue des portes d'entrée grandes ouvertes.

Elle souleva ses jupes et se mit à courir. Ignorant les exclamations de Phillida et de Thad derrière elle, Glory ne s'arrêta pas avant d'avoir atteint le trou vide où aurait dû se trouver le panneau. Non, il ne gisait pas sur le sol. Elle regarda aux alentours immédiats et finit par découvrir la pancarte au milieu d'un massif de lilas. Elle était en mille morceaux. Interdite, elle contempla le panneau brisé, symbole de la renaissance des eaux. La voix de Thad la fit sursauter.

— Que s'est-il passé ? s'exclama-t-il. Comment a-t-il pu tomber aussi loin ? Tu crois que c'est le vent ?

— Il n'est pas tombé tout seul et ce n'est sûrement pas le vent qui l'a entraîné aussi loin. Il a été délibérément arraché, dit Glory d'une voix sourde.

— Mon Dieu ! ajouta Phillida tout essoufflée. C'est épouvantable, é-pou-van-ta-ble !

Sa tante avait presque couru pour la rattraper et Glory pria pour qu'elle ne s'évanouisse pas.

— Mais qui aurait intérêt à arracher le panneau ? demanda Thad.

La voix de Phillida se fit stridente et elle ajouta en pleurnichant :

— Peut-être est-ce le signe que nous ne devons pas rouvrir ?

— Quoi ? s'exclama Glory.

Phillida pâlit et serra le bras de Thad.

— Je veux dire que... Je ne voulais pas m'en mêler, mais j'ai entendu des rumeurs...

— Colportées par qui ? Je croyais que tu ne connaissais personne au village ? Tu ne cesses d'ailleurs de t'en plaindre, répliqua Glory.

— Ah ça, ça n'a rien à voir avec Londres ! maugréa Phillida, mais un regard dans la direction de sa nièce l'empêcha d'argumenter davantage.

Elle reprit sur un ton empreint de gravité :

— Certaines personnes âgées qui habitaient là avant... l'incendie ont laissé entendre que la station thermale porte... malheur.

Devant le silence pesant de Glory, elle se tourna vers Thad.

— Je croyais que tu allais lui en parler.

— Je ne l'ai pas fait car ce ne sont que des superstitions, grommela Thad.

Mais Phillida, toujours très crédule, ignora le ton méprisant de son neveu.

— Crois-tu que les Eaux puissent être maudites ? demanda-t-elle à Glory, les yeux écarquillés de peur.

Cette dernière ravala la remarque perfide qui lui brûlait les lèvres et répondit avec calme :

— La seule malédiction, ce sont ces villageois qui veulent détruire notre station thermale.

Des ouvriers paresseux et quelques possibles pilleurs, c'était une chose, mais, là, il s'agissait clairement d'un acte de vandalisme.

Elle devait se calmer. Après tout, comparée au travail déjà accompli, cette destruction plus symbolique que réellement dommageable n'était rien.

Elle laissa à Thad le soin de ramasser les vestiges de

la pancarte et elle se précipita vers la buvette, inquiète de ce qu'elle risquait de découvrir à l'intérieur.

Les portes avaient été laissées ouvertes, pas suffisamment pour attirer l'attention mais assez pour inquiéter les propriétaires. Elle entendit vaguement Thad l'inviter à la prudence, mais elle était trop sidérée pour l'écouter.

Quelques jours auparavant, la buvette restaurée dans la splendeur d'antan avait ébloui la duchesse de Westfield. Mais à présent les tables et les chaises qui agrémentaient la salle avaient été renversées, certaines brisées. Un lourd lustre de verre avait été mis à bas, et ses éclats jonchaient le parquet.

Derrière elle, des pas retentirent et elle s'immobilisa, pétrifiée. Le cri poussé par sa tante la fit se retourner, juste à temps pour voir Phillida s'évanouir dans les bras de Thad.

Si seulement elle avait une épaule solide sur laquelle s'appuyer, songea Glory. Aussitôt, l'image d'une haute et familière silhouette lui vint à l'esprit, mais elle la repoussa rapidement et se força à poursuivre son exploration des lieux.

Elle passa devant l'escalier principal et se précipita vers les salles du fond, normalement interdites au public. Elle devait s'assurer que…

— Fais attention ! s'écria Thad dont la voix tremblante trahissait l'inquiétude.

Pour le rassurer, Glory ralentit le pas. Il était fort probable que le ou les responsables aient quitté les lieux depuis longtemps, mais son frère avait raison, la prudence restait de mise.

Il y avait encore peu de temps, elle s'était tenue dans cette même pièce, en présence du duc de Westfield…

Ce souvenir la fit s'arrêter et elle écouta attentivement, tous les sens aux aguets.

Elle entendit un bruit qui semblait venir d'une des pièces du fond. Elle faillit appeler Thad, mais le pauvre était sûrement accaparé par leur tante. Elle avait encore oublié de prendre son pistolet ! Elle maudit son inconscience et envisagea un instant de sortir pour appeler à l'aide. Mais qui répondrait ? Les rues étaient désertes.

Comme d'habitude, les Sutton ne pouvaient compter que sur eux-mêmes. Elle se baissa pour ramasser un pied de chaise arraché et, le brandissant comme un gourdin, elle s'avança jusqu'à ce que le son se fasse plus clair. A moins que quelqu'un ne tape contre un mur, ce bruit était bien trop régulier pour être celui d'un pas. Elle poursuivit donc son inspection, son arme improvisée à la main.

Les portes étaient béantes et Glory s'approcha de la pièce d'où émanait le bruit étrange. Elle jeta un bref coup d'œil par l'embrasure de la porte pour se plaquer immédiatement contre le chambranle, le cœur battant. Si la pièce était maintenant vide, les traces qu'avaient laissées les visiteurs étaient bien visibles : les placards avaient été vidés, les verres et coupelles qu'ils contenaient avaient été jetés par terre, les éclats de verre jonchant le sol. La chaise à bascule sur laquelle Phillida aimait tant se balancer gisait sur le côté ; les pans d'un rideau, agités par le vent qui soufflait par la fenêtre, venaient taper contre le bois du fauteuil.

Glory se laissa tomber par terre et se mit à pleurer. Mais un bruit provenant d'une autre pièce la poussa à se relever pour aller voir. Soudain, elle crut apercevoir quelque chose qui bougeait dans la pénombre. Pétrifiée de terreur, elle s'agrippa à son pied de chaise et poussa un cri étouffé. Une forme passa très vite près d'elle.

Elle recula, déséquilibrée, et vit un chat sauter sur le rebord de la fenêtre et disparaître dans le jardin.

Si seulement la cause de tous ces dégâts avait été un chat, quel soulagement cela aurait été ! Malheureusement, et Glory en était certaine, aucun animal ne pouvait avoir causé de telles destructions. Encore sous le coup de sa terreur passée, elle s'appuya, tremblante, au chambranle de la porte, incapable de bouger.

A cet instant, elle s'aperçut que la porte du fond était elle aussi grande ouverte. Une ombre passa dans son champ de vision.

Comment ? Un vandale avait eu l'audace de rester pour admirer son travail ? La rage réveilla son courage endormi. Levant bien haut son gourdin, Glory repoussa d'un coup de pied les portes battantes et bondit au-dehors, prête à assommer quiconque se trouvait là.

Elle faillit s'étrangler de stupéfaction : devant elle se tenait… Westfield.

L'espace d'un instant, elle hésita entre l'assommer ou se jeter dans ses bras. Au lieu de cela, elle resta plantée là, la bouche ouverte.

Toujours aussi beau et élégant, il n'avait pas l'air gêné le moins du monde d'avoir été découvert. Il la regarda, un rictus moqueur au coin des lèvres.

— Accueillez-vous toujours ainsi vos invités, ou suis-je le seul à bénéficier d'un tel traitement ?

Devant le silence de Glory, il reprit un visage sérieux.

— Que se passe-t-il ?

Dans les yeux sombres du duc, Glory crut lire de l'inquiétude.

Bouleversée, et affaiblie par les découvertes qu'elle venait de faire, elle était sur le point de se blottir dans ses bras quand un cri résonna. Thad !

— Glory, que fais-tu avec ce bout de bois ? s'écria son frère.

Il lui arracha le pied de chaise des mains et la tira à l'intérieur, lorsqu'il aperçut Westfield.

— Monseigneur, pourquoi diable êtes-vous… Heu… Que faites-vous ici ? balbutia Thad.

Ah, tout de même ! Elle n'était donc pas la seule à s'étonner de la présence du duc sur les lieux du crime. Quelle excuse allait-il trouver pour expliquer cette étrange coïncidence ?

— J'ai été appelé par notre ami Bob, indiqua Westfield.

Et il montra le jeune rouquin qui se tenait derrière lui.

— C'est M. Goodger qui m'envoie, expliqua le garçon. Il m'a dit d'aller chercher le magistrat… par rapport à ce qui s'est passé à la buvette.

— Et comme M. Pettit, le magistrat, est souffrant je suis venu à sa place, ajouta Westfield.

Et il regarda Glory et Thad, attendant leurs objections.

Glory voulut protester, mais les mots, curieusement, n'arrivaient pas à sortir. Thad, pour sa part, accueillit la nouvelle avec chaleur.

— Monseigneur, je vous remercie d'être venu. Nous vous sommes très reconnaissants pour votre aide.

Reconnaissants, vraiment ? se demanda Glory. Ses sentiments envers le duc étaient si mitigés qu'elle ne savait plus quoi éprouver. Au départ, Westfield s'était montré plutôt hostile et elle avait eu du mal à accepter son aide… et même à lui faire confiance. Mais force était de constater que la présence du duc lui faisait du bien.

Lentement, elle sentit son désespoir laisser place à une certitude : ceci n'était pas la fin de l'aventure. Personne ne pourrait l'empêcher de réaliser son rêve.

Pas même Westfield !

Chapitre 5

Lorsque Oberon avait suivi le jeune garçon venu le chercher, il ne s'attendait certainement pas à trouver Mlle Sutton la mine pâle et le regard éteint. C'était une femme incroyable, toujours prête à sortir une repartie cinglante, voire même un pistolet ; et la voir ainsi défaite… Oberon essaya de cacher le flot d'émotions qui le submergeait. Avait-elle été agressée ? Si c'était le cas, il n'hésiterait pas à tuer le responsable.

— Que s'est-il passé ? demanda-t-il, d'un ton dont il regretta immédiatement la brusquerie.

— On a vandalisé la buvette, répondit Thad.

— A l'instant ?

Instinctivement, Oberon prit le bras de Glory.

— Vous allez bien ? lui demanda-t-il.

La jeune femme resta silencieuse et son frère prit la parole :

— A priori, il n'y a plus personne. J'ai moi-même vérifié dans les étages. Ils ont dû entrer pendant la nuit, lorsque le bâtiment était… vide.

Thad fixa la main gantée du duc, crispée sur l'avant-bras de sa sœur. Gêné, Oberon lâcha Mlle Sutton mais répéta sa question :

— Vous n'êtes pas blessée ?

Lorsqu'elle hocha la tête, Oberon éprouva un grand soulagement et ferma le poing, luttant contre l'envie de la toucher pour se rassurer. Il ne s'attarda pas à considérer l'importance qu'avait prise, à ces yeux, le bien-être de Mlle Sutton et se retourna pour donner congé à Bob. Il resta le dos tourné quelques secondes afin de reprendre contenance… Lorsqu'il fit face à Mlle Sutton, il arborait de nouveau un visage impassible.

— Voyons donc ce qui manque, dit-il en s'effaçant pour laisser entrer Glory.

Si Oberon se demandait encore la cause d'un tel changement chez la formidable Mlle Sutton, un coup d'œil à l'intérieur l'éclaira immédiatement.

— Nom de D…

Oberon fut ébranlé par l'ampleur des dégâts. Il était surtout intrigué par les raisons qui avaient pu motiver un quelconque cambrioleur : que pouvait-on voler dans une station thermale, en l'occurrence dépourvue de clients à délester de leurs bijoux ou de leurs portefeuilles ?

Mais ce qu'il vit n'avait rien à voir avec de menus larcins. Traversant les pièces dévastées, Oberon sentit monter en lui une colère comme il n'en avait pas éprouvé depuis des années. Il avait déjà eu affaire à des hommes douteux, des faibles, prêts à vendre père et mère pour de l'argent ; des gens sans honneur, indifférents à la peine qu'ils causaient aux autres. Pourtant, là, c'était différent. C'était personnel.

Quelqu'un s'était donné beaucoup de mal pour provoquer des dégâts aussi importants, mais dans quel but ?

Il préférait ne pas envisager le pire… Non, sa présence à Philtwell ne pouvait être la cause de tout cela, ce serait trop affreux ! Toutefois, il ne pouvait ignorer cette éventualité.

— A-t-on dérobé quelque chose ? s'enquit-il.

— Qu'aurait-on pu voler ? lui répondit Mlle Sutton en montrant les débris.

Même s'il avait du mal à rester impartial, Oberon devait tenter de mener son enquête aussi objectivement que possible. Malgré la détresse évidente de la jeune femme, il devait l'interroger.

— Je ne sais pas, c'est à vous de me le dire.

— Mais enfin, c'est la buvette d'une station thermale ! Que pouvaient-ils chercher ? De l'eau ? s'écria Glory.

A moins d'être une grande actrice, elle avait l'air de dire la vérité. Peut-être était-ce dû aux circonstances, mais le ton acerbe avec lequel elle lui répondit le réjouit presque : Mlle Sutton redevenait elle-même.

— Et s'ils cherchaient un objet précis ? suggéra Thad.

— Au milieu des verres à pied ? ironisa Glory.

Vexé, le jeune homme haussa les épaules.

En effet, songea Oberon, pourquoi casser les verres et les chaises ? A moins que l'auteur de ce désastre n'ait voulu exprimer sa rage ou adresser un message. Bien qu'elle ait toutes les apparences de l'innocente victime, Mlle Sutton pouvait être impliquée dans une affaire dangereuse, dont elle n'avait peut-être pas saisi la gravité.

— Avez-vous des ennemis ? demanda Oberon de but en blanc.

Glory lui jeta un regard ébahi ; puis soudain ses yeux s'écarquillèrent.

— Le Dr Tibold, répondit-elle.

— Ce sa… sacripant ! s'exclama Thad.

Oberon sourit : Thad avait sûrement eu envie d'utiliser un qualificatif plus… fleuri.

Oberon voulait bien en convenir, le médecin était assez fou pour s'abandonner à une rage aussi destructrice, mais pour quelle raison l'aurait-il fait ici ?

— Je croyais qu'il avait hâte de voir le puits rouvrir ? s'enquit-il.

— Oui, mais gratuitement, répondit Mlle Sutton.

Oberon ne voyait toujours pas comment la destruction de la buvette pourrait conduire à sa gratuité, mais le « bon docteur » ne brillait pas par son intelligence.

Aussi, en inspectant la pièce, Oberon s'appliqua-t-il à marcher avec précaution, attentif à la moindre preuve pouvant impliquer le praticien.

— Oh ! Votre Grâce !

Le cri plaintif de Mme Bamford attira Oberon vers l'embrasure d'une fenêtre où s'était assise cette dernière.

— Dieu Merci, vous êtes venu à notre rescousse ! Croyez-vous que l'endroit soit maudit ? demanda-t-elle sur un ton dramatique avant de se remettre à gémir, le visage enfoui dans un mouchoir de fine batiste.

— Si seulement nous pouvions retourner à Londres, ajouta-t-elle.

— Pourquoi parlez-vous de malédiction ? demanda Oberon.

— Je crois que cette attaque en règle de nos biens est un signe : les Eaux de la Reine doivent rester fermées.

Elle pleurnicha de plus belle.

— Oh ! je le savais, nous n'aurions jamais dû venir ici !

Oberon garda un silence poli, car il ne croyait ni aux signes ni aux malédictions, si ce n'est à ceux fabriqués par des hommes mal intentionnés.

— Peut-être espère-t-on vous décourager ? finit-il par dire.

Il observa attentivement le visage des deux jeunes Sutton. Thad avait l'air inquiet et sa sœur déterminée. Il n'y avait aucun signe de duplicité chez eux.

A voir Mlle Sutton aussi digne, refusant de rendre

les armes, Oberon se sentit envahi par un sentiment indéfinissable. Etait-ce de la fierté, du soulagement ? Luttant pour ne pas se laisser attendrir, il reprit son inspection des lieux.

La pièce avait été saccagée, mais elle pouvait être remise en état sans trop d'efforts. Heureusement, le bâtiment lui-même avait été épargné. Les fenêtres, les portes et les murs repeints étaient toujours d'un blanc immaculé. Quelques coups de balai et il n'y paraîtrait plus. Il ne resterait qu'à racheter les tables et les chaises brisées par les vandales.

— Je suggère que vous agissiez en conséquence, s'exclama Oberon.

— Quoi ? Vous voulez dire que l'on devrait fermer la station thermale ? répliqua Mlle Sutton avec colère.

— Non, je pense que vous devriez l'ouvrir, au contraire.

Et en indiquant la porte d'entrée Oberon ajouta :

— Une belle journée s'annonce, alors pourquoi ne pas s'installer dans les jardins ?

Devant le spectacle de la foule qui arpentait ses pelouses en bavardant et en buvant dans des verres empruntés, Glory laissa échapper un soupir de soulagement. Ce matin, elle avait pourtant failli reporter l'inauguration, mais contre toute attente la journée avait été une vraie réussite… Grâce au plus inattendu des héros.

L'homme qu'elle prenait pour un adversaire acharné s'était révélé le plus précieux des alliés, et elle ne pouvait s'empêcher de le chercher des yeux. C'était bien entendu pour le surveiller… C'était du moins ce qu'elle se disait pour se justifier. Plus d'une fois en effet, elle s'était surprise à regarder le duc de Westfield avec une insistance bien inconvenante.

— Je vois que vous n'êtes plus à couteaux tirés.

La voix de Thad fit sursauter Glory, la tirant de sa rêverie. Son frère se tenait debout à côté d'elle et regardait le duc.

— Tant mieux, poursuivit-il, vous allez devoir travailler ensemble maintenant qu'il fait fonction de magistrat.

A la perspective de travailler avec Westfield, Glory sentit son cœur s'emballer malgré elle.

— Nous n'avons jamais été ennemis, affirma-t-elle.

— Ma chère sœur, dès votre première rencontre, tu n'as cessé de lui chercher noise, riposta son frère.

Certes, mais si elle avait eu des réticences à l'égard de Westfield, c'était à juste titre.

— Reconnais-le, Thad : au début, son comportement était louche, argua-t-elle. On l'a surpris à fouiner ici, il s'est acoquiné avec le Dr Tibold, il a dit du mal de nos eaux…

Dès le départ, Westfield s'était montré hostile, comme s'il avait considéré Glory et sa famille comme des ennemis. Glory chercha ses mots. Comment faire comprendre à Thad qu'à défaut d'être louche le duc était sûrement… original.

— Et que dire de son habileté à user du poing et du pistolet. Et que dire de cette impassibilité presque inhumaine ? Il n'agit pas comme le ferait un gentilhomme, ajouta-t-elle.

— Et combien de gentilshommes connais-tu ? rétorqua son frère. Il est parfait, au contraire.

Glory préféra ne pas poursuivre la conversation. Depuis quelque temps, Thad s'était entiché de personnages bien moins recommandables, alors, cette soudaine admiration pour un homme comme le duc n'était pas une si mauvaise chose malgré… le mystère qui entourait Westfield.

— Ton animosité cacherait-elle autre chose ? Une attirance peut-être ? reprit Thad.

— Pardon ? dit-elle sans pouvoir s'empêcher de rougir jusqu'à la racine des cheveux. Ne sois pas ridicule !

— « *La dame fait trop de protestations, ce me semble* », ironisa son frère. Et ce n'est pas moi qui le dis, c'est Shakespeare ! Hamlet, acte III, scène 2, ajouta-t-il, très content de lui.

— Très drôle ! Mais je suis ravie que tu retiennes enfin les leçons de ton précepteur.

Pendant que Thad se lançait dans une défense véhémente de ses qualités de lettré, Glory eut le temps de reprendre ses esprits. Lorsqu'elle s'exprima de nouveau, ce fut sur un ton posé mais ferme.

— Il est possible que nous fassions de toi un homme cultivé, en revanche, l'éventualité qu'un homme de la stature du duc s'intéresse à moi est impensable.

Et sans laisser à Thad l'occasion de protester elle poursuivit.

— Car, tu le sais comme moi, pour préserver son rang, un duc doit épouser une aristocrate dont la fortune et les relations puissent l'aider à asseoir sa position.

Thad fit la moue. Peut-être espérait-il secrètement former un lien plus étroit avec son nouveau héros, mais Glory n'avait pas l'intention de le laisser se complaire dans ces absurdités.

— Mais tu as bien jugé Westfield, c'est un honnête homme, ajouta-t-elle. J'en fais serment, je ne me méfierai plus de lui et je l'aiderai dans son rôle de magistrat.

Ces derniers mots semblèrent rassurer Thad, qui,

interpellé par un jeune villageois, s'éloigna d'elle avant de disparaître dans la foule.

La conversation s'était heureusement terminée à son avantage, mais les mots de Thad continuaient à hanter Glory.

Son frère avait-il vu juste ? Elle pouvait faire confiance au duc, elle le savait maintenant. Mais, s'il ne lui faisait plus peur, pourquoi son cœur s'affolait-il toujours en sa présence ? Elle n'était plus une oie blanche pour être ainsi troublée par de larges épaules et des yeux sombres !

Maintenant que Thad était un homme et n'avait plus besoin de son attention constante, peut-être vivait-elle aujourd'hui, et avec quelques années de retard, les stupides engouements de jeune fille auxquels elle s'était interdit de céder dans sa jeunesse ?

N'importe quel beau jeune homme lui aurait fait la même impression. Le hasard avait voulu que Westfield soit le seul bel homme du village, voilà tout. Et puis, même en oubliant son apparence, sa prestance ou son rang, la façon dont il s'était comporté aujourd'hui aurait suffi à séduire n'importe quelle femme.

Certes, sans le duc, Glory aurait probablement pensé elle-même à fêter l'inauguration dans le jardin, mais Westfield avait réagi avec une efficacité et une rapidité impressionnantes. Il avait envoyé chercher des verres à Sutton House et avait indiqué aux domestiques comment apporter l'eau de la buvette aux jardins. La duchesse était arrivée avec des domestiques supplémentaires, et des habitants du village, avertis de sa situation délicate, avaient prêté leurs meubles et apporté leur concours.

Ces manifestations de gentillesse avaient beaucoup surpris Glory. Auparavant, elle avait l'impression de n'avoir entendu que récriminations de leur part.

Maintenant, elle se rendait compte que la majorité des habitants de la région était bienveillante et que les tracasseries rencontrées étaient le fait d'une minorité.

Lorsque le jeune Bob se présenta avec M. Goodger, Glory les remercia chaleureusement. Le boulanger installa un étal où il proposa gâteaux et friandises, pour le plus grand bonheur des clients présents.

Alors qu'elle se réjouissait de sa bonne fortune, un nuage assombrit le ciel, comme annonciateur de malheur. Peut-être était-ce une coïncidence, mais presque au même moment Glory éprouva cette sensation, devenue familière, d'être épiée. Son regard balaya la foule, mais personne ne semblait l'observer. Pourtant la sensation perdurait.

Parmi ces gens si bienveillants se cachaient des forces qui ne l'étaient pas. A cette idée, Glory frissonna.

Le ou les vandales ne devaient sans doute pas se réjouir du succès de l'inauguration. Peut-être était-ce le fruit de son imagination, mais Glory pouvait presque sentir leur hostilité flotter dans l'air comme une menace. Luttant contre la panique qui menaçait de la submerger, elle se mit lentement à regarder autour d'elle, cherchant à deviner d'où venait cette haine presque palpable.

C'est alors que son regard tomba sur Tibold. Il lui tournait le dos, mais elle aurait reconnu cette redingote entre mille. Glory l'entendit commander deux verres d'eau pour deux individus gros et essoufflés qui prétendaient être ses patients. Même s'ils étaient des clients comme les autres, elle n'avait qu'une envie : les faire jeter dehors.

Elle les observa attentivement. Etaient-ce eux, les fautifs ? Avaient-ils vandalisé son commerce ?

Westfield s'était visiblement posé la même question

car elle le vit marcher vers les trois hommes. Glory se rapprocha pour écouter leur conversation.

— Je croyais vous avoir ordonné de ne pas approcher Mlle Sutton, dit le duc au docteur.

Bien que son ton soit civil, la menace était à peine voilée, et Glory se sentit rassurée par l'attitude protectrice de Westfield.

— Je suis en droit de profiter des eaux, comme tout le monde, protesta Tibold, et mes patients également.

— Seulement en l'absence de Mlle Sutton. Mais puisque vous êtes là j'ai quelques mots à vous dire.

Le duc entraîna Tibold à l'écart. Glory ne pouvait pas les entendre, mais le praticien n'avait pas l'air content, et le teint d'habitude si rubicond du docteur prenait une couleur de cendre.

Westfield lui présentait son dos, mais Glory ne douta pas un instant qu'il sache se montrer menaçant. D'ailleurs, Tibold, qui l'avait si souvent poursuivie de ses hurlements, était soudain très calme, secouant la tête et balbutiant. Finalement, après s'être maintes fois incliné, il s'éloigna furtivement avec une mine de chien battu.

Westfield se tourna alors vers elle et Glory, cachant son trouble, se contenta de lui adresser un regard inquisiteur. Après l'échange dont elle venait d'être témoin, montrer de la curiosité était somme toute légitime.

— Mademoiselle Sutton, dit le duc en la gratifiant d'un bref salut.

Oui, Westfield était dangereux, mais pas pour les raisons qu'elle avait imaginées. Car, en cet instant précis, ce qu'elle avait pris pour un engouement passager la submergea : elle éprouvait une attirance violente pour l'homme qui se trouvait devant elle.

— Thad m'a fait part de votre changement d'opinion à mon égard.

— Pardon ? s'écria Glory, mortifiée.

— Apparemment, vous m'avez suspecté des pires infamies, alors que je me suis juste trouvé au mauvais endroit, au mauvais moment.

Glory faillit s'évanouir de honte. Comment Thad avait-il osé se confier à cet homme qu'il connaissait à peine ? Elle le tuerait !

Et, pour ajouter à son humiliation, Westfield ne faisait rien pour dissimuler le plaisir évident qu'il tirait de son embarras.

S'efforçant de rester civile en dépit de l'air moqueur du duc, Glory tenta de se rappeler que le duc avait sauvé l'inauguration de la station pour ne pas céder à sa colère.

— Pardonnez-moi, mais les talents remarquables dont vous faites preuve sont extrêmement rares chez les gentilshommes de votre rang.

— Je considère cela comme un compliment, s'entendit-elle répondre, même si je doute que cela ait été votre intention.

A présent, Glory était partagée entre l'exaspération et l'envie de rire.

— Je l'admets, ajouta-t-il, j'ai eu moi aussi quelques doutes à votre égard.

— Pardon ?

— Lorsque je suis menacé d'une arme, j'ai tendance à devenir méfiant, ironisa Westfield.

— Je vous ai déjà expliqué…

Mais le duc l'interrompit d'un geste.

— Je fais office de magistrat et vous avez besoin de mes services, nous sommes donc voués à travailler ensemble. Je suggère que nous cessions les hostilités… Un traité de non-agression, si vous préférez.

Quel curieux choix de vocabulaire, pensa Glory. Pouvait-on vraiment appeler leur méfiance mutuelle de « l'hostilité » ? Elle hocha néanmoins la tête pour signifier son accord.

Elle était à la fois soulagée de l'apaisement de leurs rapports, et troublée à l'idée de travailler avec cet homme.

— Je tenais à vous remercier pour tout ce que vous avez fait aujourd'hui, dit-elle, décidée à lui exprimer sa gratitude, et je…

Westfield, visiblement peu intéressé, détourna le regard. Piquée au vif par cette inqualifiable grossièreté, Glory s'apprêtait à lancer une réplique cinglante, lorsqu'elle remarqua l'objet de son attention. Tibold et ses deux acolytes ! Tandis que Glory lui parlait, le duc n'avait donc jamais cessé de surveiller du coin de l'œil les allées et venues du « bon docteur » et de ses amis.

Tout comme Westfield, Glory observa les deux hommes qui se goinfraient de pâtisseries en demandant haut et fort le programme des divertissements à venir. Sans le sinistre Tibold à leurs côtés, les deux compères auraient davantage ressemblé à des malades venus traiter leur embonpoint qu'à des hommes de main.

— Bien entendu, le Dr Tibold nie toute implication, chuchota Westfield. Il affirme être impatient de voir rouvrir la station thermale puisque ses revenus en dépendent, une assertion très logique. Je préfère néanmoins parler à ses patients avant qu'ils ne disparaissent.

Glory acquiesça, mais ne put s'empêcher de ressentir de la déception en le voyant partir. Oublier ses préjugés passés envers le duc était une bonne chose, mais oublier toute méfiance, c'était folie, s'admonesta-t-elle. Oui, éprouver de la sympathie pour cet homme était parfaitement acceptable, mais en éprouver trop…

Glory attendit que le dernier client ait quitté le jardin pour pénétrer dans la buvette. La transformation était saisissante. Pendant son absence, les débris avaient été déblayés et les meubles en bon état, remis à leur place. La duchesse, assise à une table en compagnie de Phillida, lui fit signe de se joindre à elles. Glory, reconnaissante, se laissa tomber dans un fauteuil.

— Madame la duchesse, je ne sais comment vous remercier pour tout ce que vous avez fait pour nous, dit Glory.

La duchesse s'était en effet montrée particulièrement affable et bienveillante, gratifiant chaque client d'un sourire et d'un mot aimable, sa seule présence attirant une clientèle toujours plus nombreuse. Une chose était sûre : elle était pour beaucoup dans le succès de la journée.

— Balivernes, répondit la mère du duc avec un sourire, c'est le moins que je puisse faire pour les Eaux de la Reine.

Epuisée, Glory ferma un instant les yeux tout en se massant le cou pour tenter d'apaiser les tensions de la journée. Lorsqu'elle les rouvrit, elle aperçut Thad qui approchait en compagnie de Westfield.

Immédiatement, elle se redressa, sa fatigue soudain oubliée. Gênée de rougir ainsi à la simple vue du duc, elle tenta de concentrer son attention sur son frère pour reprendre ses esprits.

Comme l'attitude de Thad avait changé ! Aux côtés du duc, il avait soudain l'air plus responsable, plus adulte. Glory était agréablement surprise.

— Westfield ne croit pas à l'implication de Tibold, mais qui d'autre pourrait commettre ce genre d'actes ? lança Thad, l'air belliqueux.

— Non pas « qui » mais « quel démon » ? déclara Phillida avec un ton mélodramatique.

Et lorsqu'elle fut certaine d'avoir l'attention de tous elle ajouta dans un murmure :

— Des forces occultes… La malédiction.

Glory poussa un soupir d'exaspération.

— Quelle malédiction ? s'enquit la duchesse, stupéfaite.

— Je tiens de source sûre que le puits est maudit, affirma Phillida.

— Et d'où tenez-vous cette information ?

Le ton de la Laetitia s'était considérablement refroidi.

— Des habitants sont venus me parler. Les Eaux de la Reine portent malheur, expliqua Phillida.

— Sottises ! Rien n'est plus faux. La station thermale a été au contraire une source de bienfaits pour la région.

— Je doute que ses propriétaires soient tous d'accord sur ce point, opposa Westfield.

Sa mère lui jeta un regard sévère.

— Il y a une différence entre les événements extérieurs qui ont contribué à détruire la station et les effets de l'eau sur les clients, qui ont, eux, inspiré contes et légendes.

— Mère, Mlle Sutton affirme que les Eaux de la Reine n'ont jamais été associées à des guérisons miraculeuses.

Et le duc se tourna vers Glory pour qu'elle confirme ses dires.

— C'est en effet la vérité… Tout du moins à ma connaissance, dit Glory, gênée de contredire la duchesse.

Bien qu'elles aient été découvertes à l'époque romaine, la fréquentation des eaux semble avoir décliné après le départ des Romains. Au Moyen Age, période où se sont développées les cures miraculeuses, notre source avait déjà été oubliée et n'a donc jamais bénéficié d'une telle réputation.

— Toutes les eaux thermales sont connues pour leurs vertus, rétorqua la duchesse avec impatience. Et les Eaux de la Reine ont des bienfaits très spécifiques.

— Et lesquels, s'il vous plaît ? s'enquit Westfield.

— Elles sont réputées pour faciliter les unions, répondit sa mère avec un sourire empreint de nostalgie.

Avant que Glory, stupéfaite, ait réagi, le duc demanda :

— Les unions ? Que voulez-vous dire, mère ?

— L'amour, mon chéri, l'amour. Comment croyez-vous que j'ai rencontré votre père ?

— Vous avez été, il me semble, présentés l'un à l'autre. Que cela se soit produit dans la buvette plutôt qu'ailleurs ne fait pas de cet endroit un lieu magique.

— Une magie qui tourne mal, dit Phillida d'une voix sourde. C'est peut-être là, l'origine de la malédiction.

Un grand silence accueillit ces paroles, mais Glory douta que les superstitions relayées par sa tante en soient la cause. Glory et Thad avaient l'habitude d'entendre leur tante raconter ce genre d'inepties, mais la duchesse n'était pas Phillida, et cela donnait un tout autre poids à ses propos.

Westfield leva un sourcil étonné.

— Si ce que vous avancez est exact, mère, tous les libertins de Londres se seraient précipités à Philtwell pour profiter des vertus de ses eaux.

— Les Eaux n'incitent pas à la luxure, mais au véritable amour, rétorqua la duchesse, la mine sévère.

— Alors pourquoi les femmes ne sont-elles pas au

courant de l'incroyable pouvoir de cette eau ? ironisa Westfield.

— Parce que ses vertus ne sont pas très connues. Ceux qui sont touchés par leur bienfait croient s'aimer du seul fait de leur attirance mutuelle. Et puis les Eaux ne fonctionnent que pour les couples assortis : ce n'est pas un philtre d'amour mais une impulsion supplémentaire, offerte à ceux dont le cœur est prêt.

Thad se tourna vers Glory, qui semblait en proie à la confusion.

— Avais-tu entendu parler de cela ? lui demanda-t-il.

Glory secoua la tête. Elle avait bien lu quelques étranges références aux « pouvoirs des Eaux de la Reine », mais elle les avait crus d'ordre purement curatif et médical. Jamais elle n'avait trouvé d'allusions aux affaires de cœur ; à moins que…

— Je l'avais complètement oublié, mais le site romain était appelé *Aquae Philtri* ! s'écria-t-elle.

— Les eaux du philtre d'amour, traduisit Thad à voix haute.

Il baissa les yeux, regarda son verre comme s'il était rempli de poison et, lentement, le repoussa.

Glory éclata de rire en observant la réaction de son frère, mais son hilarité disparut bien vite. N'avait-elle pas bu de cette eau quelques jours auparavant ? Elle essaya de se souvenir si, hormis Westfield, quelqu'un d'autre était présent… Non, le seul avec lequel elle ait porté un toast était le duc. Rougissante, elle ne put s'empêcher de jeter à Westfield un regard gêné. Il arborait cette expression amusée qui l'exaspérait tant et son sourire en coin était explicite : il n'avait pas oublié leur toast.

— Heureusement, je ne suis pas un homme superstitieux ! ironisa-t-il en la regardant droit dans les yeux.

*
* *

Oberon avait l'impression de travailler en aveugle ou avec les mains liées. Il n'avait aucun contact dans la région, personne qui puisse suivre Tibold ou les patients de ce dernier. Mais la protection de Mlle Sutton constituait sa plus grande inquiétude car, apparemment, elle était l'innocente victime de vandales, ou pire encore.

Un pli soucieux barrait le front d'Oberon. La violence avec laquelle on s'était attaqué à la buvette était particulièrement inquiétante. Certes, Thad était un frère dévoué, mais il était incapable de défendre sa sœur.

Deux possibilités s'offraient donc à Oberon : assurer lui-même la protection de Mlle Sutton ou se lancer dans une enquête qui revêtait désormais un caractère officiel.

Bien qu'il doute encore du bien-fondé d'une réouverture de la station thermale, un crime avait néanmoins été commis contre les biens de la famille Sutton. Qu'aurait fait Randolph Pettit à sa place ? Il n'en avait aucune idée mais, en tant que magistrat remplaçant, Oberon était bien décidé à trouver les coupables et à empêcher la perpétration d'autres crimes, spécialement à l'encontre de Mlle Sutton.

Refusant d'ailleurs de la laisser sans protection, il partit aux aurores, déterminé à utiliser ce temps d'avance pour découvrir un maximum d'éléments.

Une phrase prononcée par Mlle Sutton pendant le dîner à Sutton House le poussa à fouiller du côté des bâtiments brûlés, qui étaient en cours de démolition.

Il y trouva les deux hommes engagés à cet effet, nonchalamment étendus dans l'herbe. Les plaintes de Mlle Sutton concernant le retard pris par les travaux trouvaient là leur justification. Mais existait-il un lien entre ces retards et la destruction de la buvette ?

Lorsqu'il les interrogea, l'un des hommes se contenta de hausser les épaules et l'autre, dénommé Jeremy, lui jeta un regard mauvais.

— On travaille aussi vite que Jeb le demande, maugréa-t-il.

L'invisible Jeb, si toutefois il existait, était donc le responsable.

— Eh bien, dis-lui qu'il a été remplacé, ordonna Oberon, et il tendit aux hommes deux billets de banque. Tu es le nouveau chef, indiqua-t-il à Jeremy. Si Jeb a la moindre question concernant son emploi, dis-lui de venir m'en parler plutôt qu'à Mlle Sutton. Tu as compris ?

Si Jeremy eut quelques doutes face à une telle générosité, il se tut et empocha l'argent. Son compagnon se grattait la tête, sidéré devant pareille aubaine.

— Plus le travail sera vite fait et mieux vous serez payés… par moi, ajouta Oberon. Il est donc inutile de mentionner notre petit arrangement aux Sutton.

Les deux hommes acquiescèrent et Oberon resta immobile, les bras croisés, jusqu'à ce que les deux hommes reprennent le travail. Jugeant leur ardeur suffisante, il se dirigea vers la buvette. A première vue, rien ne semblait manquer. Il fit donc le tour du bâtiment, mais dut s'accroupir brusquement derrière un bosquet.

Bien que rien ne bouge, excepté les feuilles au-dessus de sa tête, Oberon avait distingué une présence tapie dans l'ombre.

— Tout est calme ? demanda-t-il.

— Oui, monseigneur, répondit la silhouette. Je n'ai pas vu âme qui vive depuis la fermeture, la nuit dernière.

— Très bien. Tu peux partir, maintenant ; mais tu dois reprendre ton poste ce soir, c'est compris ?

— Oui, monseigneur. J'y serai.

Ne pouvant compter sur aucun renfort, Oberon avait choisi ses hommes parmi les visiteurs venus assister à l'inauguration. Contraint de compter sur son instinct, il avait sélectionné Finn, le frère du boucher, pour garder les bâtiments.

Malheureusement, il n'avait trouvé personne de confiance pour protéger Mlle Sutton. Il se dirigea vers la résidence de la famille en essayant d'ignorer le frisson d'excitation qu'il ressentait. Mais, en la voyant sortir de la maison, il sentit malgré lui son cœur battre plus fort dans sa poitrine.

Elle regarda dans sa direction ; ce fut comme si le poids de l'année écoulée lui était ôté des épaules. Pourquoi éprouvait-il cette soudaine impression de légèreté ? Après tout, sa vie n'était pas un poids qu'on lui aurait imposé, il l'avait choisie… N'est-ce pas ?

— Monseigneur !

Au cri de Thad, Oberon quitta Glory des yeux et remarqua le jeune homme, juste derrière sa sœur. Thad courut vers lui, visiblement ravi de sa visite. Sa sœur paraissait beaucoup moins enthousiaste… ou entendait cacher sa joie.

— Où allez-vous ce matin ? s'écria le jeune homme, qui semblait aussi excité et empressé qu'un chiot.

— Je comptais demander à votre sœur de m'accompagner pour voir la doyenne du village, comme me l'a conseillé mère. J'espère obtenir de la vénérable Mme Goodhew de plus amples informations sur les habitants, voire quelques pistes sur d'éventuels suspects.

Il porta son regard sur Glory, comme pour attendre sa réponse. Elle hésita puis finit par hocher la tête en signe d'assentiment. Elle tendit un trousseau de clés à son frère et lui donna ses instructions sur l'arrivée des domestiques et les horaires de la buvette. Thad l'écouta avec un air agacé avant de s'éloigner rapidement.

— Vous devriez laisser votre frère se débrouiller tout seul, déclara Oberon en lui proposant son bras.

— Je sais, mais il était si opposé à la réouverture de la station thermale que j'ai du mal à m'habituer à sa nouvelle attitude. Non pas que ce soit regrettable, soyez-en assuré, mais c'est juste très inattendu.

— Il était contre la réouverture des Eaux ?

— Oh ! vous savez, la plupart des jeunes gens préfèrent les joies de la vie londonienne à la monotonie campagnarde, répondit-elle.

Malgré son ton désinvolte, Oberon sentit que l'histoire était plus compliquée qu'elle ne voulait bien le dire. Devait-il la presser de questions, ou au contraire se taire ? Il se tut, jugeant que le besoin de combler le silence poussait parfois les gens à parler.

Et en effet elle était visiblement mal à l'aise, les yeux perdus dans le vague.

— Monseigneur, je… vous l'assure, j'ignorais tout de la… légende évoquée hier par votre mère.

Devant la mine consternée de la jeune fille, Oberon se retint de rire. Pearson avait peut-être raison : son travail lui faisait voir le mal partout !

Toutefois, aussi charmante soit la propriétaire des lieux, son devoir était d'enquêter. Mais était-il capable de poursuivre une conversation avec Mlle Sutton sans se laisser gagner par ce trouble ? En tout cas, il était résolu à essayer.

— Vous m'étonnez…

Il attendit quelques secondes avant de poursuivre, savourant l'embarras de son interlocutrice.

— Je croyais que vous saviez absolument tout sur

la station thermale de votre famille ? dit-il d'un ton quelque peu sarcastique.

Elle leva un regard furieux sur lui.

— Rassurez-vous, je ne crois pas à ce genre de sornettes et je vous prie d'excuser mère, s'empressa-t-il d'ajouter pour éviter tout conflit. Ces jours-ci, elle se laisse envahir par une nostalgie qui la prive de son bon sens habituel.

Mlle Sutton acquiesça mais sa gêne restait néanmoins palpable.

— Je suis ravie d'avoir le soutien de votre mère, mais j'espère de tout cœur qu'elle n'entend pas… euh… remettre à la mode ce vieux mythe qui attribue aux eaux des vertus… matrimoniales, expliqua-t-elle, en choisissant visiblement ses mots avec prudence. Ce n'est pas la réputation que je souhaite pour les Eaux de la Reine, vous comprenez ? Nous souhaitons attirer une clientèle distinguée et je crains que ce ne soit pas le cas si les clients venaient pour… le romantisme. Une station thermale peut prospérer ou décliner selon la réputation qu'elle a acquise.

— Il est peu probable qu'elle ait déjà répandu cette rumeur, car elle n'en avait jamais parlé avant hier soir, répliqua Oberon.

Mais sa mère avait peut-être de bonnes raisons de ne pas ébruiter les propriétés magiques de ces fameuses Eaux, pensa-t-il en lui-même. Bien que Pearson l'ait mis en garde contre sa méfiance excessive, Oberon eut du mal à faire taire ses soupçons : sa mère avait-elle manigancé de le faire boire en compagnie de Mlle Sutton ?

Auparavant, sa mère n'aurait jamais laissé un verre d'eau décider de la descendance ducale ; mais depuis la mort de son père elle avait beaucoup changé.

Comme ils avaient tous changé… constata Oberon avec tristesse.

Elle aurait pu trouver un meilleur parti, tout de même ! Cette demoiselle Sutton ne ressemblait vraiment pas à une future duchesse. Que sa mère essaie de le jeter dans les bras des filles de ses amies, il pouvait le comprendre. Lady Oxbridge ou lady Eppington, par exemple. Des jeunes femmes qui possédaient les qualités et les relations suffisantes pour évoluer, sans effort, dans des cercles très fermés. Rien à voir avec Mlle Sutton. Une semaine plus tôt, Oberon s'était même demandé si Sutton était bien le vrai nom de Glory et, à ce jour, il ignorait tout de sa famille, mis à part le lien existant entre ses ancêtres et la station thermale.

Qu'importe ! Sa mère pouvait bien croire au pouvoir d'un verre d'eau croupie, il n'épouserait personne ! Pas même Mlle Sutton !

— J'espère que vous avez raison, répondit l'objet de ses pensées. J'ai beaucoup travaillé pour rouvrir les Eaux de la Reine et j'espère qu'aucune rumeur ne viendra gâcher tant d'efforts.

Sa mère avait vu juste sur un point, comprit soudain Oberon. Si Glory était capable de diriger une station thermale, elle était tout à fait apte à gérer une grande maison telle que la leur.

Les Eaux de la Reine étaient une entreprise extrêmement lourde pour une femme seule, un très jeune homme et une vieille sotte. Certes, il y avait ces mystérieux investisseurs. Mais, d'ailleurs, qui étaient-ils ?

Il secoua la tête. Il mettrait ces considérations de côté pour le moment. Pour une fois, il allait s'autoriser une conversation qui n'aurait d'autre but que le plaisir de l'échange et non la recherche d'informations. Après tout, le jour où il cesserait ses activités, il lui faudrait bien apprendre à discuter sans arrière-pensée. Etrange… c'était bien la première fois qu'il envisageait de prendre sa retraite, et cette pensée le fit s'arrêter net.

Mlle Sutton le regarda avec étonnement. Pour justifier son comportement, Oberon montra du doigt des fleurs rouges, le long de l'allée.

— Elles sont magnifiques, ne trouvez-vous pas ? dit Glory avec un sourire qui transforma son charme en beauté. J'adore les fleurs, mais je ne savais pas que le sujet vous intéressait.

Mlle Sutton le regarda avec méfiance, et Oberon, qui avait pourtant passé les sept dernières années dans les cercles les plus élitistes de la société, très loin de préoccupations aussi bassement jardinières, s'offusqua néanmoins de son scepticisme.

— Mais évidemment ! rétorqua-t-il. Il y a de nombreux jardins à Westfield.

Ils marchèrent ensuite en silence. Le bras de Glory niché au creux du sien, Oberon se sentait merveilleusement bien… et refusait de trouver une explication rationnelle à ce sentiment de bien-être.

Chapitre 6

Glory avait déjà rencontré Mme Goodhew mais l'avait peu vue, car la vieille femme quittait rarement sa maison. Lorsqu'ils arrivèrent à sa porte, un domestique leur ouvrit et les guida dans un salon douillet où brûlait un feu de cheminée. Glory regretta soudain de ne pas avoir emporté une bouteille de sa fameuse eau. Elle s'en excusa auprès de son hôtesse.

— Je vous ferai porter une bouteille de notre eau dans la journée, lui dit-elle.

— Merci, ma chère, c'est inutile. Hier, j'ai demandé à l'un de mes valets d'aller m'en chercher car je n'étais pas en état de sortir. La réouverture de la buvette me réjouit grandement, mais elle ne s'est pas passée sans incident, paraît-il ?

— En effet.

Glory expliqua la destruction de la salle principale à la vieille dame accablée.

— J'ai honte de vivre ici ! s'exclama Mme Goodhew en secouant la tête. Le monde est devenu fou.

Elle demeura silencieuse, le regard perdu dans le vague.

— D'après mère, vous sauriez peut-être qui pourrait

en vouloir aux Sutton à ce point, dit Westfield pour briser le silence.

— Et vous demandez cela à une femme qui quitte rarement sa maison ? demanda Mme Goodhew d'un ton moqueur. C'est vrai, je vis ici depuis longtemps, et il est également exact que je fais de mon mieux pour me tenir au courant de tout. Je connais bien les vieilles familles du village, mais je ne peux en dire autant en ce qui concerne certains indésirables, comme ce nouveau médecin, par exemple.

Ils parlèrent assez longtemps, mais Mme Goodhew refusa de désigner un coupable éventuel.

— Je peux vous indiquer les habitants peu recommandables, ceux qui blâment les Sutton pour le déclin du village. Mais détruire la buvette ne leur aurait rien apporté.

Elle regarda le duc et poursuivit :

— Avez-vous envisagé la possibilité que des hommes pris de boisson aient décidé, sur un coup de tête, de vandaliser la buvette ?

— J'y ai pensé, mais malgré l'ampleur des dégâts les auteurs de ces destructions ont été silencieux et méthodiques. Par exemple, ils n'ont cassé aucune fenêtre.

Glory inspira profondément en pensant au prix que lui aurait coûté le remplacement des vitres ou aux dégâts qu'aurait pu causer la pluie aux murs fraîchement peints et aux parquets. Elle devait se réjouir : cela aurait pu être pire.

— Que vous a raconté votre père sur les Eaux de la Reine ? demanda Mme Goodhew en fixant Glory.

— Rien, murmura cette dernière. Il est mort il y a de cela plusieurs années.

— Et, de son vivant, il n'a jamais évoqué avec vous l'héritage familial ?

Mme Goodhew avait l'air très étonnée.

Glory n'avait jamais réfléchi au silence de son père sur le sujet. Après tout, elle l'avait toujours connu très occupé, passant la plupart de son temps à faire prospérer ses affaires. Il avait partagé quelques histoires avec ses enfants, mais principalement sur sa vie à Londres ou bien sur leur mère. Glory comprit soudain, et avec un certain étonnement, qu'elle ignorait presque tout du passé de son père et de sa mère.

— Finalement tout cela n'est pas étonnant si l'on considère la manière dont il a quitté la région, soupira Mme Goodhew. C'est à cause de l'incendie, voyez-vous.

Glory écouta avidement leur hôtesse décrire la fameuse nuit de l'incendie et l'héroïsme avec lequel son grand-père avait sauvé de nombreuses vies au détriment de la sienne. Mme Goodhew raconta également la vente de Sutton House, la fermeture du cottage et le départ définitif de la famille.

— Au regard des circonstances, il est normal que votre père ne soit plus jamais revenu, conclut Mme Goodhew.

— Oui. Le passé devait être trop douloureux à évoquer pour lui, dit Glory, très émue par ce récit.

— Cette tragédie a eu des conséquences directes pour le village, puisque la source principale de revenus avait disparu, fit remarquer Westfield. Peut-être l'inauguration a-t-elle rouvert de vieilles blessures ?

— Mais enfin, ce n'est pas comme si les Sutton avaient mis le feu à leur propre gagne-pain ! s'exclama Mme Goodhew. Ils n'avaient rien à y gagner et ils ont perdu un mari et un père.

— Quelqu'un connaît la cause de l'incendie ? insista Westfield.

La vieille femme secoua la tête.

— Mais les bâtiments détruits appartenaient tous à la famille Sutton, n'est-ce pas ?

— En effet.

— La tante de Mlle Sutton évoque une malédiction.

— Une malédiction ? répéta Mme Goodhew, perplexe.

— Ma tante est assez fantasque, expliqua Glory d'un ton embarrassé. Elle aurait ouï dire que les Eaux de la Reine portent malchance.

— Peut-être raconte-t-on cela maintenant, mais à l'époque je n'ai rien entendu de tel. Et puis la source a un long passé de relative prospérité, ce dont vous pouvez être fière, ajouta leur hôtesse en s'adressant à Glory.

— Merci. Je crains que ma tante ne soit un peu trop superstitieuse, et je suis certaine qu'il existe de nombreuses histoires autour des Eaux, y compris sur leurs prétendues vertus amoureuses.

Glory regretta immédiatement ces dernières paroles. Elle avait oublié que Westfield était assis juste à côté d'elle. Rouge de confusion, elle s'attendait à un commentaire ironique de sa part quand Mme Goodhew prit la parole :

— Oh ! j'ai entendu parler de cela, en effet, déclara-t-elle avec un sourire entendu.

— Mais c'est… une croyance… ridicule, balbutia Glory.

Son hôtesse éclata de rire.

— Que vous y croyiez ou pas, la magie fait partie de l'histoire de la source. C'est un secret partagé par ceux d'entre nous qui se souviennent des jours anciens. Tout comme l'histoire du cadeau de la reine.

— Le cadeau de la reine ? De quoi s'agit-il ? demanda Westfield.

— Je ne sais pas, répondit Mme Goodhew. Et je crois que personne ne connaît vraiment le fin mot de l'histoire. La reine Elisabeth aurait tellement apprécié les eaux de la source qu'elle aurait fait une offrande au puits, ou peut-être à ses propriétaires. Il s'agit certainement de quelque babiole de prix que l'on a dû vendre depuis bien longtemps.

Mme Goodhew s'interrompit et se tourna vers Glory.

— A moins que vous n'ayez quelques lumières sur le sujet, mademoiselle Sutton.

— Je ne connais pas bien l'histoire de la source et c'est la première fois que j'entends cette anecdote. Je vous le jure : nous ne possédons rien que l'on puisse qualifier de trésor ou de colifichet royal.

— Avez-vous fouillé le cottage ? demanda Mme Goodhew. A la différence du manoir, il est resté dans votre famille, vous y trouverez peut-être de vieilles archives, lettres et autres, rangées dans la cave ou dans le grenier.

Mais comment n'y avait-elle pas pensé plus tôt ! Glory avait été si accaparée par les travaux et l'inauguration qu'elle avait négligé de fouiller le cottage, ne serait-ce que pour y glaner quelques informations sur l'histoire du lieu. Tout ce qu'elle savait, elle l'avait appris dans les papiers de son père, mais il y en avait très peu. C'était évident, une station thermale vieille de plusieurs siècles devait avoir généré bien plus d'archives… A moins qu'elles n'aient disparu.

Perdue dans ses pensées, Glory n'avait pas remarqué le silence qui s'était installé, jusqu'à ce que Westfield la tire de sa rêverie, émettant un léger « chut », le doigt sur les lèvres.

Pendant quelques secondes, elle ne vit qu'une seule chose : le doigt posé sur cette bouche sensuelle, si bien dessinée… Elle s'apprêtait à dire quelque chose lorsque le duc inclina la tête vers leur hôtesse. S'arrachant à la contemplation de ses lèvres, Glory suivit son regard. Mme Goodhew s'était endormie.

Ils se levèrent le plus silencieusement possible et prirent congé sous le regard vigilant du majordome.

Glory fut ravie de retrouver un peu d'air frais. Un vent humide annonçait la pluie. Certes, ce n'était pas très bon pour la station thermale mais Glory eut au moins le soulagement de devoir presser le pas, évitant ainsi un tête-à-tête trop long avec le duc.

Depuis le début de la matinée, Westfield s'était montré un compagnon charmant, plein d'esprit, et Glory comprenait mieux sa réputation d'hôte accompli. Jamais elle ne s'était trouvée en compagnie d'un homme pareil en étant, de surcroît, l'objet de son attention.

De toute évidence, travailler avec le duc était bien plus agréable que de travailler contre lui. Mais elle devait néanmoins se méfier… surtout d'elle-même. Ses émois de jeune fille prenaient un peu trop d'ampleur… Et si les palpitations de son cœur et ses rougeurs subites étaient le symptôme d'autre chose ? Glory préféra ne pas y penser, par crainte de trouver la réponse.

Elle fut donc heureuse lorsqu'ils parvinrent devant la barrière du cottage.

— Merci de m'avoir raccompagnée, Votre Grâce. Je vais suivre votre conseil et laisser Thad se débrouiller seul à la station thermale. Et puis, j'ai beaucoup de choses à faire ici.

Elle avait en effet des factures à payer et des dossiers à régler, qui requerraient toute son attention. Toutefois cela attendrait, car elle avait une autre idée en tête pour le moment. Westfield sembla avoir compris ses intentions et lui jeta un regard interrogateur.

Il n'oserait pas s'inviter, tout de même ! La perspective de passer plus de temps en compagnie de cet homme, confinée dans l'étroitesse d'un grenier, lui fit monter encore le rouge aux joues et affola son cœur.

— Vous entendez, j'imagine, rester chez vous toute la journée ? s'enquit-il.

Ouf ! Il n'avait pas l'intention de s'imposer.

— En effet, lui répondit-elle.

Il s'inclina, puis Glory tourna les talons et se précipita chez elle. Elle referma la porte et défit son chapeau, les doigts tremblants, s'attendant presque à ce que le duc l'ait suivie.

Une idée ridicule. Quoi qu'elle ait pu imaginer auparavant, Westfield était un honnête homme, un magistrat dévoué à sa cause. Qu'il force sa porte pour commettre sur elle les derniers outrages était impensable…

Elle revit soudain la nuit de leur rencontre, elle plaquée contre son corps si dur… Le sang afflua à son visage.

L'arrivée de Cassie, sa femme de chambre, coupa court à ses divagations.

Elle lui tendit fébrilement son chapeau.

— Comment va ma tante ? demanda Glory à la jeune fille.

— Elle est sortie, mademoiselle.

— Pardon ? Et où est-elle allée ?

Glory était stupéfaite, Phillida était censée être dans sa chambre, clouée au lit par une migraine.

— Elle n'a rien dit, mademoiselle.

Glory se fit soucieuse. Privée d'un public pour écouter ses jérémiades, Phillida s'était probablement rendue à la buvette, où elle devait sans doute importuner Thad.

Elle faillit presque remettre son chapeau, mais les paroles de Westfield lui revinrent à la mémoire : elle devait laisser son frère se débrouiller seul.

Et puis, elle était impatiente de fouiller le cottage

et serait beaucoup plus efficace si elle n'était pas interrompue.

Trouver des indices pouvaient éclairer les circonstances de l'incendie était très improbable. En revanche, elle comptait bien en apprendre davantage sur l'histoire et les mystères des Eaux de la Reine, y compris sur ce fameux cadeau de la reine Elisabeth.

Montant jusqu'au dernier étage, elle se trouva bientôt face à une volée de marches étroites, qui menait aux combles. Arrivée en bout d'escalier, elle poussa la porte et faillit être asphyxiée par un nuage de poussière. Visiblement, les gardiens qui s'étaient occupés de la maison pendant toutes ces années ne s'étaient pas donné la peine de monter si haut.

Un coup de tonnerre retentit dans la pièce obscure. Les rares fenêtres étaient noires de crasse et Glory n'y voyait rien. Bientôt, le bruit familier de la pluie qui tambourinait contre les vitres se mit à résonner dans la pièce.

— Cassie ! appela Glory.

Pas de réponse. La domestique devait être dans la cuisine, encore à bavarder avec la cuisinière.

Thad s'était plaint de leur manque de personnel, mais la maison était si petite que Glory avait craint de la surpeupler. Peut-être avait-elle eu tort, après tout.

Elle se retourna, décidée à aller chercher elle-même une lanterne et un tablier pour protéger sa robe, lorsque soudain une caisse entrouverte attira son attention.

Qui avait bien pu laisser cette boîte ouverte ? Et, surtout, quand ?

Elle balaya la pièce du regard, soulagée de constater que l'épais manteau de poussière recouvrait tout, apparemment sans avoir été dérangé. Mais comment être sûre que rien n'avait été enlevé de ce grenier ? Après ce qui s'était passé à la buvette, c'était une chance que ce cottage n'ait pas déjà été pillé.

Glory s'approcha de la caisse, se mit à genoux et essaya d'en deviner le contenu. Il faisait cependant trop sombre pour distinguer quoi que ce soit. Elle poussa le lourd couvercle et le bruit lui sembla assourdissant.

Toujours incapable de discerner quoi que ce soit, elle tendit la main, prête à la plonger dans la caisse, mais hésita. Et s'il y avait des rats ?

Pas d'enfantillages, se dit-elle. Elle tendit de nouveau la main vers les profondeurs de la caisse. Cette fois-ci ce fut un bruit sourd qui l'arrêta.

Avait-elle entendu les marches de l'escalier craquer ?

— Cassie ! appela-t-elle de nouveau.

Toujours aucune réponse.

Tout à coup, le grenier ne lui paraissait plus pittoresque mais plutôt inquiétant. Les draps qui recouvraient les quelques meubles se transformaient à présent en cachettes idéales pour un intrus.

Elle déglutit, au bord de la panique… Si seulement elle avait eu une lanterne… elle aurait pu vérifier qu'il n'y avait pas d'empreintes de pas dans la poussière…

— Je suis en sécurité, je suis chez moi, se dit-elle à voix basse, pour se rassurer.

Et puis elle n'était pas seule, elle avait avec elle deux domestiques.

Un autre craquement la poussa à se jeter derrière la caisse, tremblante de peur.

C'était une vieille maison, pleine de fissures, voilà la cause de ces craquements… La pluie et le vent ne devaient sûrement pas améliorer les choses.

— Ohé ! Il y a quelqu'un ?

Saisie par le son de la voix, Glory laissa échapper un cri étranglé et tomba à la renverse, heurtant au passage quelque chose qui chancela avant de s'écraser par terre. Alors qu'elle se relevait, elle entendit en provenance des escaliers un cri aigu, suivi d'un gémissement et d'un bruit sourd.

Saisissant la première chose qui lui tomba sous la main, elle se précipita en bas des marches et trouva Phillida, étendue par terre. Pour une fois, sa tante s'était vraiment évanouie. Une voix choquée s'éleva des étages inférieurs :

— Vous l'avez tuée ?

Glory se pencha et aperçut Cassie qui levait vers elle un visage terrifié.

— Je n'ai rien vu, mademoiselle, je le jure, j'ai rien vu ! s'exclama la bonne en reculant.

Glory mit un certain temps avant de se rendre compte qu'elle se tenait en haut des marches, une batte de cricket à la main, tandis que le corps de sa tante gisait à ses pieds.

— C'est la malédiction, je vous le dis, gémit Phillida.

Enfouie sous les couvertures, elle avait une tasse de thé à la main tandis qu'une assiette de ses biscuits favoris avait été déposée sur sa table de chevet.

La femme de chambre, une fois remise de ses émotions, avait apporté les sels et, avec son aide, Glory avait réussi à ramener Phillida dans sa chambre.

Fort heureusement, Cassie n'avait ni fui ni couru alerter le magistrat en exercice. Glory n'avait nulle envie d'expliquer l'incident à Westfield.

Quelle épuisante journée ! pensa-t-elle en se massant la nuque.

— Non, ma tante, il n'y a aucune malédiction, dit-elle à Phillida.

— Alors comment expliques-tu ma chute ?
— Tu m'as fait peur et je t'ai fait peur, c'est tout.
— Tu n'arrêtes pas de vanter les mérites de cet endroit comparés à ceux de Londres, mais à Londres... une telle chute ne me serait jamais arrivée, rétorqua sa tante en reniflant. Je n'ai jamais eu peur dans ma propre maison avant aujourd'hui.

Avec sa manie de s'évanouir pour un oui ou pour un non, il était surprenant que sa tante n'ait jamais été blessée, se dit Glory. Mais, se sachant responsable de la chute de Phillida, elle préféra garder ses commentaires pour elle.

— Tout cela est ma faute, s'excusa-t-elle. J'ai eu peur, voilà tout.

Phillida renifla de nouveau, bruyamment.

— Peut-être votre père avait-il de bonnes raisons de se tenir éloigné de ce lieu ?
— Balivernes ! Il était trop occupé par ses affaires à Londres pour s'occuper de la restauration des Eaux, affirma Glory.
— Tu crois cela ? répliqua Phillida. Il aurait pu envoyer quelqu'un, engager un avoué, mais il n'a rien fait. Il ne voulait rien avoir à faire avec cette station thermale. Comment expliques-tu cela ?
— C'est ce qu'il t'a dit ? s'étonna Glory.

Phillida détourna les yeux et répondit, gênée :

— A vrai dire, il n'en parlait jamais.

Sa tante confirmait là les soupçons de Glory.

— Et maman ? T'a-t-elle dit quelque chose ? insista-t-elle.

Son père avait certainement parlé de son passé à son épouse !

Mais Phillida secoua la tête.

— Il essayait sans doute de la protéger.

— C'est absurde ! s'exclama Glory. Si nous avions quelque chose à craindre aux Eaux de la Reine, tu peux être rassurée : papa nous aurait avertis.

— Peut-être avait-il l'intention de le faire mais n'en a-t-il pas eu le temps, argua Phillida. Le pauvre ne pouvait pas prévoir de disparaître si tôt, dans la force de l'âge.

Pourtant, après le décès de leur mère, papa savait combien le sort pouvait être capricieux ! pensa Glory. Si cela avait eu de l'importance à ses yeux, il aurait trouvé le temps nécessaire. La preuve : il lui avait bien appris à se défendre… !

Soudain, elle prit conscience de l'étrangeté du comportement de son père, mais s'empressa d'étouffer ses soupçons. Après tout, Londres était une ville dangereuse et son père était le genre d'homme qui ne laissait rien au hasard. Qu'il apprenne le maniement des armes à sa fille n'avait donc rien d'étonnant.

Et puis, si une menace avait pesé sur la station thermale, il aurait laissé un mot ou en aurait averti son avoué.

— Il avait peur d'en parler… à cause de la malédiction, chuchota Phillida.

Elle craignait sans doute, en parlant trop fort, d'être frappée par quelque mauvais sort.

— Papa ne parlait jamais des Eaux de la Reine car ce souvenir était trop douloureux. Et c'est sûrement la raison pour laquelle il n'est jamais revenu… sur ces lieux qui avaient vu périr son père, et pleurer sa mère.

Et avant que Phillida ouvre la bouche pour la contredire Glory ajouta :

— Il n'y a pas de malédiction. Westfield et moi-même avons discuté avec la doyenne du village, qui connaît parfaitement l'histoire de la source, et elle n'a jamais entendu parler de malédiction. Il s'agit peut-être d'une manœuvre de plus pour nous faire partir.

Elle avait dit cela pour rassurer sa tante, mais Glory prit soudain conscience que cette hypothèse était sûrement la bonne. La dégradation de la buvette, la lenteur des ouvriers, les rumeurs, tout semblait indiquer une chose : on voulait empêcher la réouverture des Eaux de la Reine.

La journée suivante s'annonçant grise et pluvieuse, Glory n'était pas aussi enthousiaste que d'habitude à l'idée de se rendre à la station thermale. En revanche, elle avait très envie de retourner explorer le grenier.

Toutefois, elle ne pouvait laisser Thad gérer la station seul. D'autant plus que sa tante était complètement remise et que Glory n'avait donc plus aucune excuse pour rester au cottage.

Ils s'apprêtaient tous à partir lorsque Westfield apparut au portail. Le cœur de Glory, comme les fois précédentes, s'affola.

Avait-il l'intention de leur rendre visite tous les matins ? La perspective était à la fois réjouissante et alarmante. Et combien de jours souhaitait-il travailler avec elle ?

Pendant que Thad et Phillida accueillaient le duc, elle resta en retrait, gênée par le regard sombre qu'il posait sur elle et auquel rien ne semblait échapper. Percevait-il l'effet qu'il produisait chez elle ?

Glory fit de son mieux pour feindre l'indifférence, mais elle ne put éteindre le feu qui lui brûlait les joues.

Elle n'avait aucun doute : Westfield devait avoir l'habitude d'être un objet d'adoration, mais elle s'était toujours crue supérieure à ce genre de stupide béguin.

Cependant voilà, malgré ses nombreux talents, elle se montrait aussi écervelée que le reste de la gent féminine.

— Monseigneur, quelle surprise ! s'exclama Phillida. Serait-ce pour m'accompagner chez madame votre mère que vous voilà de si bon matin ?

— Oh ! j'espérais accompagner Mlle Sutton à la station thermale, répondit Westfield d'un ton extrêmement courtois.

— Elle s'y rend avec Thad, donc, si vous le voulez bien, cela m'épargnera de la marche, insista Phillida en balayant d'un revers de main toute velléité de la contredire.

Puis elle se pencha vers lui et ajouta sur le ton de la confidence :

— Je ne me déplace plus toute seule. Voyez-vous, après cette agression choquante à notre encontre… eh bien… je ne me sens plus en sécurité.

Westfield, incapable d'échapper à cette injonction, hocha la tête sous le regard narquois de Glory.

Peut-être la perspective de servir de chevalier servant à tante Phillida lui ferait-elle cesser ses visites ?

Cette idée, au lieu de la soulager, lui causa au contraire un pincement au cœur.

Elle lança au beau duc un regard un peu trop appuyé, admirant malgré elle l'élégance de sa silhouette dans sa belle redingote noire…

Longtemps après son arrivée à la buvette, Glory pensait encore à la silhouette de Westfield. D'ordinaire, se concentrer sur son travail lui suffisait pour tout oublier, mais là elle avait vraiment du mal à se concentrer !

Le menuisier lui fournit un temps l'exutoire rêvé. Elle discuta longuement et en détail de la réparation des meubles abîmés ; mais, très rapidement, elle n'eut plus rien à faire. Elle s'affaira un instant à superviser les allées et venues des domestiques, mais ces derniers s'occupant très bien des clients ses efforts se révélèrent sans objet.

Thad, appuyé contre une grande fenêtre, contemplait le jardin, apparemment content de lui.

Se jugeant inutile, Glory commençait à se demander pourquoi elle était venue ici alors qu'elle pourrait être, en cet instant, occupée à fouiller le grenier.

— Thad, je vais rentrer, finit-elle par dire. Je te ferai envoyer ton déjeuner.

— Très bien, répondit ce dernier sans même se retourner. Veux-tu que je t'accompagne ?

Glory, qui s'attendait à ce que son frère la supplie de le laisser partir, fut très étonnée. Se serait-il pris d'un soudain intérêt pour la buvette ? Si c'était le cas, elle se garderait bien de le décourager.

— Non, je n'ai pas besoin d'être accompagnée, merci. Je ne crains pas de faire la route en plein jour, assura-t-elle.

A Londres, aucune honnête femme ne se déplaçait sans au moins une domestique. A la campagne, les règles de bienséance étaient moins rigides, et Glory appréciait chaque jour davantage cette relative liberté.

— Il est vrai que Tibold n'a plus de raison de te harceler, ajouta-t-il.

— Non, en effet.

Et, avant que son frère change d'avis et commence à se soucier de sa sécurité, elle attrapa son chapeau et sortit par la porte de derrière.

Dehors, elle fut accueillie par le bruissement des arbres. L'orage menaçait d'éclater de nouveau. Emmitouflée dans son manteau, Glory inclina la tête pour lutter contre le vent et, d'un pas décidé, se dirigea vers le cottage.

En arrivant à la barrière, elle lança un regard autour d'elle. Les alentours étaient déserts, ce qui était peu étonnant si l'on considérait le ciel nuageux.

Un courant d'air se glissa dans la maison lorsqu'elle pénétra à l'intérieur. Une fois la porte refermée, la solide bâtisse retrouva son calme, un refuge bienvenu contre la tempête qui menaçait.

Glory défit son bonnet et s'apprêtait à ôter son manteau lorsque quelque chose, par terre, attira son attention. Suspendant son geste, elle s'approcha du salon et fronça les sourcils : on avait laissé la fenêtre ouverte et des papiers emportés par le vent s'étaient répandus sur le sol.

Le secrétaire avait été ouvert, et des reçus, des factures et des dossiers avaient été éparpillés.

Elle regarda autour d'elle, interloquée, et appela la femme de chambre.

Aucune réponse. La jeune fille devait être dans la cuisine, encore à bavarder avec la cuisinière, Mme Dawber ! Glory traversa la salle à manger et emprunta l'étroit couloir qui menait à la cuisine.

La pièce était silencieuse, vide et sombre, à peine éclairée par la maigre lumière filtrant par la petite fenêtre.

Ni cuisinière ni femme de chambre en vue. Aucun pain ne cuisait dans le four, aucun ragoût ne mijotait sur le feu. Pas le moindre signe d'activité. Pendant un long moment, Glory demeura immobile, trop déroutée pour réagir. Un claquement la fit sursauter. La porte du jardin était grande ouverte, battant sous les assauts du vent.

Sa perplexité se transforma en inquiétude. Elle

frissonna tout en essayant de se rassurer. Hier, dans le grenier, elle s'était déjà inquiétée pour rien. Il y avait certainement une explication toute simple. Mme Dawber avait peut-être envoyé la femme de chambre lui trouver des épices, puis était elle-même partie faire quelques courses. Oui, c'était sûrement cela.

Malgré ses efforts, elle ne pouvait calmer les battements de son cœur. Dans un état proche de la panique, elle s'approcha de la porte du jardin.

Au dehors, le vent faisait tournoyer les feuilles et les pétales de fleurs, qui retombaient en pluie sur les parterres bien taillés. Le jardin ressemblait à un lieu désolé, totalement désert.

Et pourtant... Serrant contre elle son manteau gonflé par le vent, Glory eut de nouveau la sensation étrange d'être observée.

Mais par qui ? La maison était adossée à la route et faisait face à des hectares de terrain vide, laissé en friche depuis des années. Où pouvait se cacher celui qui l'épiait ainsi ?

Effrayée, elle envisagea la possibilité qu'un intrus ait pénétré à l'intérieur de la maison. Indécise, elle ne savait plus si elle était plus en sécurité à l'intérieur qu'à l'extérieur. Quoi qu'il en soit, elle devait appeler du secours et, à moins d'escalader le muret de pierres qui entourait le jardin, il fallait pour cela qu'elle traverse la maison pour rejoindre la route. Là, elle alerterait un voisin et lui demanderait d'aller chercher Thad à la buvette. Ainsi, elle n'aurait pas à laisser le cottage sans surveillance.

Soudain, une bourrasque souleva son chapeau dont les rubans se défirent. Elle leva la main pour le retenir... trop tard ! Il s'était déjà envolé.

Exaspérée, elle s'engouffra dans la cuisine, saisit

au passage le lourd rouleau à pâtisserie et se dirigea le plus rapidement et le plus silencieusement possible vers la porte d'entrée.

Dans le salon, un bruit la fit s'immobiliser. On aurait dit que quelqu'un frappait à la porte. Serrant un peu plus fort le rouleau à pâtisserie, Glory continua d'avancer vers l'entrée. Elle n'allait tout de même pas avoir peur dans sa propre maison !

Le silence était retombé sur la pièce, mais tandis qu'elle approchait de la porte Glory vit cette dernière s'entrouvrir lentement. En retenant sa respiration, elle leva bien haut son arme de fortune.

Chapitre 7

Lorsqu'en frappant à la porte il ne reçut aucune réponse, Oberon eut un instant de panique et décida de ne pas attendre pour pénétrer dans la maison.

Les doigts sur la poignée de la porte, il s'immobilisa. Certes, Philtwell était en apparence un village sans histoire, mais il fallait rester vigilant. Son inquiétude pour Mlle Sutton ne devait pas lui faire oublier toute prudence.

Avec l'habileté furtive qui le caractérisait, Oberon entrouvrit la porte en prenant soin de se mettre de côté, hors de portée. Il attendit en silence, puis, du bout de sa botte, poussa la porte pour tenter de voir ce qui se passait à l'intérieur. Bien lui en prit car une ombre menaçante s'avança brusquement.

Il se jeta dans l'embrasure de la porte. D'une main, il écarta l'objet qui s'abattait sur lui et, de l'autre, il attrapa son assaillant. Au moment où l'arme roulait par terre, il comprit que son agresseur n'en était pas un.

D'ailleurs, ils se reconnurent au même moment, car la femme cessa immédiatement de se débattre, le souffle court.

Au même moment, Oberon prit conscience de ce corps féminin plaqué contre le sien, comme lors de la nuit de leur première rencontre. Les battements de son cœur s'accélérèrent aussitôt.

Il relâcha un peu son étreinte, mais resta immobile, le dos de Mlle Sutton pressé contre son torse. Sa chevelure défaite semblait l'inviter à enfouir son visage dans ses mèches soyeuses.

Comment avait-il pu trouver ses cheveux quelconques ? Des reflets auburn éclairaient cette masse sombre et épaisse dont se dégageait un agréable parfum de lavande.

Un désir comme il n'en avait jamais ressenti auparavant l'envahit, menaçant de compromettre des années de discipline et de bienséance. Il lui suffisait de se pencher pour toucher ce cou gracile, et ses mains n'avaient qu'à remonter légèrement pour trouver la douce courbe de ces seins. A cette pensée, il laissa échapper un gémissement sourd.

Etait-ce ce bruit ou la réaction naturelle de son corps d'homme qui alerta Mlle Sutton ? Elle rompit brusquement leur immobilité, se dégageant des bras de Westfield pour lui faire face. Ses yeux verts étaient écarquillés, sa poitrine soulevée par son souffle précipité. Etait-ce le résultat de leur fugace empoignade, ou l'émoi à la perspective d'un corps à corps d'une autre nature ?

Oberon n'avait qu'un geste à faire pour l'attirer contre lui. A cet instant, il ne souhaitait que cela… Assouvir ce désir viscéral qui l'embrasait. Mais ensuite ? Des domestiques, voire des parents, s'insurgeraient contre un comportement aussi ignoble. Mlle Sutton n'était pas une fille de rien que l'on pouvait séduire un après-midi et délaisser ensuite.

Combien de temps restèrent-ils ainsi, immobiles, l'un en face de l'autre, les yeux dans les yeux, mesurant toute la tension qui existait entre eux ? Oberon n'aurait su le dire, mais au bout de quelques minutes son sens du devoir se rappela à lui et il se reprit. Il fit un pas en arrière, s'éloignant de l'objet de son désir, et ramassa l'arme qui avait roulé par terre.

— Un rouleau à pâtisserie ? s'exclama-t-il en s'efforçant d'adopter un ton léger.

Glory semblait si perdue, si rougissante, qu'il faillit lâcher l'ustensile et la prendre dans ses bras. Mais la jeune femme recouvra bien vite son sang-froid, et toute trace de sensualité disparut bientôt de son regard. Oberon eut à peine le temps de regretter cette occasion manquée qu'elle détournait déjà les yeux.

— Il y avait quelqu'un ici, dit-elle.

Oberon regarda autour de lui et remarqua les papiers éparpillés sur le sol, qui semblaient provenir d'une pièce adjacente. En avançant un peu, il se rendit compte que le sol était jonché de feuilles et de dossiers. La fenêtre était restée ouverte.

— Le vent est peut-être le seul coupable ? suggéra-t-il. Avez-vous interrogé les domestiques ?

Mlle Sutton secoua la tête.

— La maison est déserte.

— Comment cela ?

— Je suis revenue de la buvette et voilà ce que j'ai découvert, dit Mlle Sutton en enveloppant la pièce d'un geste de la main. La porte de derrière était ouverte, ajouta-t-elle. La cuisinière et la femme de chambre avaient disparu. Je m'apprêtais à quitter la maison lorsque vous avez ouvert la porte.

L'attitude de la jeune femme n'était pas à blâmer, mais Oberon fut néanmoins pris d'une colère noire en repensant à la dangerosité d'une telle situation.

Certes, Mlle Sutton était une femme pleine de

ressources, mais elle ne faisait pas le poids face à un homme déterminé. S'il avait vraiment eu l'intention de lui faire du mal, ce n'est pas un pauvre rouleau à pâtisserie qui l'aurait arrêté. Les faits venaient de lui donner raison.

— J'ai besoin de mon pistolet. Rendez-le-moi, demanda-t-elle comme si elle avait lu dans ses pensées.

Toutefois, Oberon n'était pas sûr qu'un pistolet soit suffisant.

Que se passait-il donc dans ce village ?

Un bruit leur parvint alors, de l'arrière du cottage. Le corps tendu, Oberon fit signe à Mlle Sutton de se mettre derrière lui et traversa la salle à manger en direction de l'étroite entrée.

Il n'avait pas de pistolet, mais il savait se servir de ses mains, et du couteau caché dans ses bottes. Devant eux, ils entendaient distinctement quelqu'un chuchoter. Oberon sortit son couteau, prêt à en faire usage si nécessaire.

Il se plaqua contre le mur, décidé à bondir sur l'intrus.

— Qui va là ? cria-t-il lorsque la porte s'ouvrit.

Il tomba nez à nez avec une femme rondelette, qui lui répondit en poussant un cri de terreur.

Mlle Sutton lui passa devant et, sans penser au danger, se précipita vers la femme pour la réconforter.

— C'est la cuisinière ! explica-t-elle.

Pendant que Mlle Sutton calmait la domestique effrayée, Oberon entreprit de fouiller le reste de la petite maison, mais ne trouva aucune autre preuve d'intrusion.

Lorsqu'il revint dans la cuisine, la domestique était assise près de l'âtre, une tasse à la main. Installée près d'elle, Glory leva les yeux vers lui.

— D'après Mme Dawber, un garçon est venu l'avertir que sa cousine avait besoin d'elle immédiatement.

— Un garçon ? Le connaissiez-vous ? demanda Oberon.

Mme Dawber fit non de la tête.

— J'ai cru que Lucy, ma cousine, m'avait envoyé chercher. Elle habite assez loin, expliqua la domestique. J'ai rassemblé quelques affaires et je me suis précipitée chez elle. A mon arrivée, elle a nié m'avoir fait appeler.

Mme Dawber secoua la tête pour manifester son étonnement, et poursuivit :

— Lorsque j'ai compris mon erreur, j'ai fait demi-tour. J'ai eu de la chance d'attraper la diligence, sinon je serais encore sur la route.

— Et où est Cassie ? demanda Mlle Sutton. C'est notre bonne à tout faire, expliqua-t-elle à Oberon.

— J'ai dit à Cassie que je devais m'absenter mais que je serais de retour le plus vite possible, expliqua la cuisinière. Elle ne vous a rien dit ?

Mlle Sutton fit non de la tête.

— Lorsque je suis rentrée, il n'y avait personne.

Mme Dawber jeta un coup d'œil inquiet autour d'elle, mais sa patronne la rassura d'un geste et l'invita à finir sa tasse.

Oberon observa discrètement Glory. Décidément, il n'avait jamais connu pareille femme ! Au lieu de pleurer et de s'évanouir, elle avait trouvé la force d'affronter un agresseur potentiel avec une arme de fortune à défaut d'un véritable pistolet. Elle s'était montrée suffisamment intelligente pour poser à la cuisinière les bonnes questions et, déterminée tout en étant pleine de compassion, elle avait su obtenir des réponses.

Après tout, cette femme était peut-être plus un atout qu'une entrave pour son enquête…

Soudain, on entendit un bruit de porte. Les deux femmes s'immobilisèrent et Oberon se leva, faisant un rempart de son corps.

Le gloussement aigu qui accompagna l'entrée du nouvel arrivant fit douter Oberon ; peut-être n'allait-il finalement pas avoir besoin de son couteau. Cela lui fut confirmé lorsqu'une jeune fille à la chevelure en désordre et au tablier défait pénétra dans la cuisine. Elle s'arrêta net en les apercevant. Cessant immédiatement de glousser, elle tenta de redonner de l'ordre à sa mise.

— Tu es rentrée, lança-t-elle à la cuisinière avant de se tourner, la mine coupable, vers sa patronne. Euh… Je suis juste sortie dans le jardin quelques minutes.

Et elle indiqua la porte, espérant que son absence venait tout juste d'être découverte.

— Quelle cervelle de moineau, celle-là, alors ! marmonna Mme Dawber.

— Tout va bien, Cassie, assura Glory, mais dites-nous où vous étiez.

Cela ne fut pas aisé, mais Mlle Sutton finit par arracher à la jeune fille une larmoyante confession.

Un certain Edward Plummer était venu frapper à la porte pour lui proposer une promenade.

— C'est que j'ai toujours eu un faible pour lui, mademoiselle, geignit Cassie. Et c'est la première fois qu'il s'intéresse à moi. Alors comment refuser, hein ?

— Comment en effet, ironisa Oberon d'un ton glacial.

Pourquoi diable partir « en promenade » quand le galant avait un cottage vide à sa disposition ? se demanda-t-il. Mmmh… Dès que possible, il irait toucher deux mots à ce jeune homme.

Mais tout d'abord il devait s'entretenir avec Mlle Sutton en privé. Il l'entraîna dans l'entrée.

— Demandez à votre domestique d'emballer quelques-uns de vos effets pour les faire porter à Sutton House, lui dit-il.

— Pardon ?

Elle avait l'air éberluée.

— Ici, vous n'êtes pas en sécurité, c'est évident. Mais vous le serez avec ma mère, s'empressa-t-il d'expliquer. Nous avons assez de domestiques pour vous épargner une mésaventure similaire, et tous vos besoins seront satisfaits.

— Je ne peux pas habiter avec vous, s'écria-t-elle, comme si cette perspective l'effrayait.

— Thad et votre tante sont également les bienvenus, ajouta Oberon. Et votre tante se sentira sûrement plus en sécurité chez nous.

— Tout ceci est absolument inutile, répliqua Mlle Sutton. Je vais engager des domestiques supplémentaires… et plus fiables, afin d'éviter de nouvelles intrusions.

Ses paroles rappelèrent à Oberon qu'outre ses admirables qualités Mlle Sutton était aussi têtue, indépendante, avec une nette propension à le contredire et à argumenter.

— Auriez-vous une raison particulière pour vouloir demeurer ici ? Quelque chose dont vous ne m'auriez pas fait part ? lança-t-il avec impatience. Si je dois vous protéger, je dois tout savoir.

Rougissante, elle détourna le regard ; les soupçons d'Oberon remontèrent à la surface.

— Je croyais que nous étions d'accord pour travailler main dans la main, lui rappela-t-il, d'un ton plus acerbe qu'il ne le souhaitait.

— Nous devions travailler ensemble, pas habiter ensemble ! s'indigna-t-elle.

Oberon baissa la voix.

— Quelqu'un s'est introduit dans la buvette, et maintenant dans votre propre maison. Quelqu'un qui s'est assuré que vous étiez seule chez vous avant de commettre son méfait. Et si vous étiez tombée sur celui qui a fouillé vos affaires ?

Elle détourna le regard.

— Je serai plus prudente, à l'avenir, murmura-t-elle. Cela ne se reproduira plus.

En effet, songea Oberon, puisqu'il mettrait tout en œuvre pour cela !

— En tant que magistrat, je vous place officiellement sous ma protection, déclara-t-il en la regardant droit dans les yeux.

Aussitôt, elle releva le menton, une lueur de colère dans les yeux. Visiblement, s'il voulait l'amener à coopérer, il avait choisi la mauvaise option.

— Je doute que vous en ayez l'autorité, protesta-t-elle.

Et avec un salut glacial de la tête elle quitta la pièce, sous le regard impuissant d'Oberon.

Elle avait raison, bien sûr. Son inquiétude lui faisait dépasser les bornes et, sauf à la jeter par-dessus son épaule, il ne pouvait la contraindre à lui obéir.

Mais lui aussi pouvait se montrer têtu. Il n'avait pas dit son dernier mot : au coucher du soleil, Mlle Sutton habiterait sous son toit !

Glory s'arrêta à l'entrée de la salle à manger. Lorsqu'elle vit Thad assis à la longue table, elle laissa échapper un soupir de soulagement. Trop bouleversée pour manger, elle évita le buffet où une variété de viandes, d'omelettes, de confitures et de viennoiseries étaient disposées, et se mit à marcher de long en large.

Les lourds rideaux qui masquaient les étroites fenêtres ajoutaient encore à l'atmosphère lugubre de la pièce.

— Ces rideaux doivent rester ouverts, fit-elle remarquer. Il fait bien trop sombre ici pour que la pièce soit agréable, grommela-t-elle

— Eh bien, moi, je la trouve très confortable, rétorqua Thad.

Il reposa le journal qu'il était en train de lire et regarda sa sœur.

— Enfin, Glory, tu sais bien que ce cottage est trop petit pour nous. Laisser les domestiques à Londres et engager du personnel à la journée, passe encore lorsqu'il s'agit d'un court séjour, mais c'est folie lorsque l'on entend s'installer plus durablement. Pourquoi nous entasser ici ?

— Parce que le cottage nous appartient depuis des siècles… et que nous ne sommes pas à notre place à Sutton House, maugréa Glory.

Hier, ses arguments étaient restés sans effet. Lorsque la duchesse avait proposé de les héberger, Phillida avait accepté avec allégresse et Thad avait été tout aussi enthousiaste. Glory avait bien essayé de les convaincre de rester au cottage, mais elle avait été rapidement ignorée, l'allégeance de la famille allant visiblement au duc.

Maudit Westfield ! Elle pouvait difficilement expliquer à son frère et à sa tante la vraie raison de son refus de quitter le cottage. Le duc était dangereux… certes pas dans le sens traditionnel du terme, mais pour des raisons plus personnelles, il l'était indéniablement.

Deux fois, il l'avait tenue serrée contre lui. Certes, les

circonstances l'excusaient en partie, néanmoins, dans les deux cas, il ne s'était pas comporté en gentilhomme…

Et, dans les deux cas, elle ne s'était pas comportée comme une lady.

La veille, par exemple, elle avait eu toutes les peines du monde à s'éloigner de ce corps musclé, plein de force et de tendresse à la fois…

Le souvenir de ce contact la fit frissonner et, rêveusement, elle laissa son doigt courir sur la fresque défraîchie qui ornait l'un des murs.

Soudain, une pensée lui vint.

— Tu ne crois pas à cette vieille légende à propos des Eaux de la Reine, n'est-ce pas ? demanda-t-elle à son frère.

Elle avait ignoré cette histoire comme l'aurait fait toute personne sensée. Qui, en effet, pouvait croire à cette histoire de filtre d'amour ?

Mais il lui fallait se rendre à l'évidence : plus le temps passait, plus elle avait envie de se rapprocher du duc. Et maintenant elle habitait chez lui…

La veille, elle avait trouvé son pistolet sur le bureau de sa chambre. A l'idée qu'il soit entré dans sa chambre en son absence, elle avait été envahie par un trouble qui l'avait tenue éveillée une bonne partie de la nuit.

— Et pourquoi y croirais-je ? demanda Thad en interrompant le fil de ses pensées.

Glory sursauta. Elle ne l'avait pas vu se lever. Debout à ses côtés, son frère regardait la fresque avec un air absent.

— Crois-tu que cela ait de l'importance ? ajouta-t-il.

Glory mit quelques secondes avant de comprendre que son frère faisait référence à l'histoire du cadeau de la reine.

Elle suivit le regard de son frère et vit qu'il s'attardait

sur le dessin d'une femme richement vêtue, debout, les mains tendues devant elle.

— Nom de Dieu, crois-tu qu'il s'agisse de la reine Elisabeth ? murmura Thad.

Glory n'appréciait pas les jurons, mais l'hypothèse de son frère lui parut bonne. Bien que l'arrière-plan soit trop sombre pour en distinguer les détails, le bâtiment dont on devinait les contours avait tout l'air d'être Sutton House.

La reine était-elle en train de donner le fameux cadeau aux habitants du manoir ?

— Je me demande ce qu'elle leur donne ? dit Thad, faisant écho aux pensées de Glory.

Il se rapprocha pour examiner la fresque de plus près et leva la main, comme pour épousseter une tache.

— Ne touchez à rien. Vous risquez d'effacer quelque chose.

Au son de cette voix si profonde, si suave, si irrésistible, Glory se retourna trop vite. D'où sans doute ce soudain vertige… C'est du moins ainsi qu'elle justifia son impression d'avoir les jambes coupées. Ce n'était certainement pas le souvenir des bras de cet homme autour de sa taille qui lui faisait tourner la tête !

Dans le doute, elle préféra détourner le regard.

— Excusez-moi, marmonna Thad en laissant sa main retomber. J'essayais juste de voir ce que tenait la femme. Savez-vous ce que c'est ?

Westfield s'avança pour examiner la fresque. Sa mère se tenait derrière lui.

— Ses mains semblent vides, répondit-il.

— Peut-être a-t-elle déjà donné le cadeau aux Sutton, suggéra la duchesse.

Glory examina plus attentivement l'arrière-plan mais, à part la silhouette de la maison, elle ne vit rien de plus.

— Quelqu'un a peut-être effacé l'objet comme je m'apprêtais apparemment à le faire, fit remarquer Thad, morose.

— De ses mains émane une lumière. Cela symbolise peut-être son approbation ou sa protection de la source ? suggéra Glory. Peut-être est-ce cela, son cadeau ?

— C'est une interprétation possible, dit la duchesse, mais je pense qu'il est grand temps que Randolph dépêche un expert. Il faut restaurer cette fresque avant qu'elle ne disparaisse pour toujours. Je dois l'admettre : je n'ai jamais vraiment regardé cette peinture. Toutefois, elle a sans aucun doute un rapport avec la source. Après tout, nous sommes ici à Sutton House, une propriété qui a appartenu à votre famille pendant des générations.

Elle s'interrompit pour sourire à Glory.

— Et votre retour est le bienvenu ! s'exclama-t-elle en changeant de sujet. Je suis si contente que vous soyez là, ajouta-t-elle avant de se diriger vers le buffet.

Face à l'amabilité de la duchesse, Glory se sentit presque grossière d'avoir exprimé sa répugnance à venir habiter à Sutton House. Pourtant, ses réticences étaient justifiées : Westfield la troublait, et elle pouvait difficilement partager ce genre d'information avec la mère de ce dernier.

— Ah ! *La Gazette* ! s'exclama la duchesse en saisissant le journal abandonné par Thad sur la table. Y a-t-il des informations intéressantes ?

— Rien, à part des nouvelles de la guerre, répondit Thad, un peu intimidé d'être en présence d'une duchesse.

— Mais je croyais que Napoléon avait été contraint d'abdiquer ? La fin de la guerre n'est-elle pas proche, et pour de bon, cette fois ? demanda Glory.

Durant la plus grande partie de sa vie, l'Angleterre avait été en guerre avec la France. Elle jeta un regard au duc, qui était sans doute la personne la mieux renseignée de la pièce, mais il ne fit aucun commentaire.

C'est la duchesse qui prit la parole.

— Que veut dire ceci ? dit-elle, plongée dans la lecture de la première page.

Thad se pencha pour mieux voir le journal. Piqué au vif, il s'apprêtait à arracher le journal des mains de la douairière lorsque Glory l'en empêcha. Elle lui lança un regard consterné, soulagée que la duchesse n'ait rien remarqué de cet accès de grossièreté.

— Des « eaux putrides » ?

Thad se redressa, gêné, et Glory comprit pourquoi lorsque la duchesse commença à lire l'article.

La réouverture des Eaux de la Reine était annoncée, mais ce qui suivait n'allait sans doute pas leur amener des clients. Il était question de tuberculeux attirés à la station thermale, de nombreux décès par le passé, d'un manque de logements décents et d'un incendie redoutable et meurtrier.

La duchesse repoussa le journal, l'air dégoûté.

— A les lire, on pourrait croire que le feu a tué tous les clients, alors que votre grand-père a sauvé la plupart d'entre eux, s'indigna-t-elle. Quant au reste de l'article, ce n'est qu'un tissu de mensonges. Je vais immédiatement écrire au rédacteur en chef pour l'informer que je suis aux Eaux de la Reine, en compagnie d'amis, à profiter des nouvelles installations.

— Merci, Votre Grâce, remercia Glory, trop secouée pour en dire plus.

Décidément, son projet ne laissait personne indifférent ! On ne cessait de lui mettre des bâtons dans les roues. Ce qui avait été au départ une entreprise motivée par l'amour filial était devenu un combat de tous les instants, l'obligeant à présent à se réfugier chez des étrangers.

Pour cacher son désarroi, et s'épargner la pitié de ses hôtes, Glory se dirigea vers le buffet et entreprit de se servir malgré son manque d'appétit.

— On se donne beaucoup de mal pour vous nuire, fit remarquer Westfield.

Glory entendit le murmure d'assentiment de son frère.

— Peut-être devriez-vous avoir une autre discussion avec cet horrible docteur, mon chéri ? suggéra la duchesse.

— Peut-être en effet. Mais à qui donc profiterait la fermeture des eaux ?

— Tibold n'aurait rien à y gagner, dit Thad. Si la station ferme, il perd l'accès aux eaux, et avec lui tous ses patients.

— A moins que lui, ou quelqu'un d'autre, n'ait suivi mon conseil avant même que je l'ai donné, intervint Westfield.

Glory le regarda avec surprise.

— De quoi parlez-vous ? s'étonna la duchesse.

Westfield se tourna vers sa mère et Glory essaya de se concentrer sur ce qu'il allait dire, en s'efforçant de ne pas se laisser distraire par la courbe sensuelle de ses lèvres.

— Lors de ma première rencontre avec le Dr Tibold, il se plaignait du monopole que détenaient les Sutton sur la source. Je lui ai alors suggéré de creuser son propre puits.

— Il ne peut même pas s'offrir un manteau neuf, grommela son frère.

— En effet, il a reconnu ne pas avoir les fonds nécessaires pour une telle entreprise, mais quelqu'un d'autre peut avoir décidé de le faire, rétorqua le duc.

— Ici ? ironisa Thad. Nous sommes loin de tout et la station est fermée depuis des années. Quel homme sain d'esprit voudrait ouvrir une nouvelle station thermale au village ?

— La concurrence est cause de nombreuses faillites, fit Glory. C'est ce qui s'est produit à Epsom avec l'ouverture de la Nouvelle Source. De plus, M. Pettit m'a écrit pour me prévenir que Tibold furetait autour de notre station thermale.

— Mais Philtwell est un petit village, et j'imagine mal qu'un tel projet puisse exister sans que personne en ait eu vent, protesta la duchesse.

— Il est possible que l'eau soit pompée à la même source, mais d'un champ voisin, voire à partir d'un autre village, en restant très discret, dit Westfield. Je vais dépêcher Pearson faire une petite enquête et nous verrons bien ce qu'il découvrira.

— Vous voulez confier cela à votre valet ? s'étonna la duchesse.

— Personne ne le connaît et il a l'allure d'un homme du peuple, ce qui nous sera fort utile pour établir des relations avec les locaux.

Sur ces mots, il se leva, signifiant ainsi la fin de la discussion.

— J'ai moi aussi une enquête à mener et une visite à rendre à ce bon docteur, prévint-il.

Puis, se tournant vers Thad :

— Puis-je compter sur vous pour rester en permanence aux côtés de votre sœur ?

Thad parut d'abord réticent, car la perspective d'une telle corvée ne l'enthousiasmait pas, mais devant la mine sévère du duc il acquiesça.

Glory allait ouvrir la bouche pour dire qu'elle n'avait nul besoin d'un garde du corps, et sûrement pas de son frère, lorsque la mine sévère du duc la fit taire. Elle essaya de soutenir son regard avec un air de défi, mais finit par détourner les yeux de peur que tous n'entendent son cœur battre à tout rompre dans sa poitrine.

Il essayait de la protéger, c'était évident, et elle aurait dû se sentir reconnaissante. Alors pourquoi avait-elle la désagréable impression d'avoir affaire à un tyran manipulateur ?

Sitôt entrée dans la chambre plongée dans l'obscurité, Laetitia eut envie de faire demi-tour. L'endroit était aussi lugubre et noir qu'un tombeau.

Elle traversa la chambre, tira les lourds rideaux et entrouvrit la fenêtre. La pièce avait besoin d'être rénovée ; mais peut-être serait-elle de nouveau, et dans un futur proche, pleine de lumière, de joie et… d'amour.

— Qu'est-ce ? Le soleil ? Mon Dieu, je suis aveugle ! s'exclama Randolph avec ironie. De l'air frais ? Mais, malheureuse, je vais avoir une attaque !

— Je crois qu'il est temps de vous rendre votre liberté.

— Alléluia ! Si je reste ici une minute de plus, je risque de retomber malade.

Randolph s'interrompit et lança à Laetitia un regard inquisiteur.

— Et à quoi dois-je ma liberté ? A des fiançailles, peut-être ?

Laetitia secoua la tête.

— Rien d'aussi spectaculaire, mais je crois avoir fait suffisamment de progrès pour vous autoriser à guérir. Et puis, si Oberon fait mine de vouloir partir, votre santé peut toujours se dégrader de nouveau.

— Sans façon, répondit Randolph avec aigreur. Ou alors, c'est moi qui pars.

— Pas après tous nos efforts, protesta Laetitia.

— *Nos* efforts ? C'est *moi* qui suis resté confiné ici, regrettant à chaque minute de vous avoir écrit.

Ignorant ses jérémiades, Laetitia prit une chaise et vint s'asseoir à côté du lit.

— Bien entendu, vous n'êtes pas assez rétabli pour reprendre votre charge de magistrat, car il est indispensable qu'Oberon continue à agir à ce titre. Mais je crois notre succès si proche qu'il continuerait à protéger la jeune fille, même si sa fonction ne le requérait plus. Il s'est en effet montré très… déterminé dans son enquête.

Randolph prit une mine soucieuse.

— Je ne suis pas certain de vouloir confronter votre fils lorsqu'il est… déterminé. Je ne voudrais pas qu'il me pose des questions auxquelles je ne souhaite pas répondre.

— Sottises ! Il n'y a que les événements survenus à la station thermale qui l'intéressent.

Randolph jeta un regard inquiet à son amie.

— Rassurez-moi, Letty, vous n'avez rien à voir avec cela ?

— Bien sûr que non ! Me croyez-vous capable de tels actes de vandalisme ? Sans oublier l'effraction ! En outre, je n'ai rien eu d'autre à faire que de mettre ces deux-là en présence et de laisser l'eau de la source se charger du reste. Vous allez bientôt pouvoir le constater vous-même, Randolph : lorsqu'ils sont ensemble, l'air devient électrique.

— Je l'espère bien. Je ne tiens pas à me retrouver alité. Je vous fais cependant remarquer que, la dernière fois que je les ai vus ensemble, « l'électricité » provenait plus de leur animosité réciproque que d'une quelconque attirance.

— L'électricité, mon cher Randolph, est une force de la nature, dit Laetitia en souriant.

Randolph eut l'air dubitatif. Son enthousiasme semblait s'être un peu émoussé, soit en raison des derniers événements, soit à cause de son alitement forcé. Mais une fois sur pied, lorsqu'il pourrait constater les progrès réalisés, elle savait que son vieil ami retrouverait son optimisme. Et la présence de Mlle Sutton sous son toit serait une motivation supplémentaire.

Elle accueillit donc avec indifférence le regard noir et les mises en garde de Randolph.

— Il faut se méfier de l'électricité, Letty. Quelqu'un pourrait se blesser.

Chapitre 8

Comme Oberon s'y attendait, Pearson accepta la mission avec son empressement habituel. Il choisit des vêtements qui lui permettraient de se fondre dans le décor local. De taille moyenne, châtain, vaguement dégarni, son valet était en tout point ordinaire. Autre qualité : il pouvait adopter presque tous les accents lorsque cela s'avérait utile.

— Je crois que tu ne risques rien mais, par mesure de précaution, prends un des pistolets, suggéra Oberon.

Pearson lui jeta un regard étonné.

— Aurai-je à craindre les tirs hostiles d'un creuseur de puits concurrent ? demanda-t-il. Devrai-je me livrer à un interrogatoire… poussé ?

Oberon ignora le ton persiffleur de son valet.

— Il est toujours préférable d'anticiper le pire. Nous ne savons toujours pas ce qui se trame là-bas. Elle est peut-être mêlée à une affaire dangereuse.

— Vous ne faites sans doute pas référence à Mlle Sutton. En effet, j'avais cru comprendre que vous aviez renoncé à vos soupçons à l'encontre de cette jeune femme, répondit Pearson en regardant son maître avec insistance.

Oberon, irrité de voir son jugement remis en cause

par son valet, se força néanmoins à répondre honnêtement à sa question.

— Mlle Sutton est victime de gens dont nous ignorons tout, et elle peut fort bien s'être attiré des ennuis sans le savoir. Elle ne serait ni la première ni la dernière à être complice, en toute innocence, d'individus louches et de leurs douteux projets.

Son valet ne répondit rien, mais son silence traduisait parfaitement son scepticisme.

— Quoi encore ? demanda Oberon, exaspéré.

— Pardonnez-moi, monseigneur, mais Philtwell est une bourgade tranquille, bien loin de la vie bouillonnante, cosmopolite et parfois dangereuse de Londres. Sachant cela, l'éventualité à laquelle vous faites allusion semble infondée. Puis-je donc suggérer à Votre Grâce d'examiner attentivement ses… sentiments vis-à-vis de la jeune demoiselle ?

Oberon lança un regard furieux à Pearson. Impassible, ce dernier s'inclina avant de quitter la pièce.

— Crénom de Dieu ! Alors maintenant il se mêle de mes affaires ! grommela Oberon dans sa barbe, maudissant l'insolence de son domestique.

En temps normal, il aurait ignoré les commentaires du valet, mais là il devait bien reconnaître que Pearson n'avait pas tort.

Son attitude de la veille parlait d'elle-même : inutile de réfléchir bien longtemps pour comprendre que son inquiétude pour Mlle Sutton dépassait largement les devoirs incombant à sa charge.

En un après-midi, cette façade flegmatique, fruit de longues années d'autodiscipline, avait failli s'écrouler sous l'assaut d'émotions incontrôlables : la peur, l'instinct protecteur, le désir…

Oberon s'était juré, quelque temps auparavant, de

découvrir tous les secrets de Mlle Sutton et d'étouffer cette regrettable attirance qui, depuis, n'avait malheureusement cessé de croître.

Mais bon sang ! Il était magistrat et son seul devoir était de clore cette enquête, s'admonesta-t-il, déterminé à remplir la mission qui lui avait été confiée… et rien de plus.

En effet, plus vite il aurait résolu cette affaire, plus vite il en serait débarrassé. Dans la foulée, peut-être parviendrait-il à se défaire de cette fascination malvenue pour la jeune femme.

Puisque Mlle Sutton habitait désormais sous son toit, et était donc en sécurité, il pouvait reprendre son enquête l'esprit serein.

Rassuré, Oberon partit donc au village, sans se retourner.

En dépit de ses bonnes résolutions, Oberon éprouva une désagréable tension toute la journée. Ce n'est qu'une fois de retour à Sutton House, en ôtant ses gants après une longue journée, qu'il sentit ses muscles se détendre…

Bien sûr, il tenta de justifier ses réactions de manière rationnelle : en gentleman, il s'était tout simplement inquiété pour Mlle Sutton et était rassuré de la retrouver chez lui, en sécurité. Mais il ne pouvait se leurrer plus longtemps. Le soulagement qu'il avait éprouvé en apercevant la jeune femme n'était pas normal. Encore plus étrange, sa présence à Sutton House lui semblait naturelle, presque comme une évidence…

Une telle pensée aurait dû l'effrayer, voire l'indigner, mais il n'eut pas la force de repousser le sentiment agréable que cela lui procurait. Pire, il se complut dans ce fantasme. Que ressentirait-il s'il pouvait, chaque jour, la retrouver ainsi, après une longue journée de travail à l'extérieur ? Il l'imaginait déjà à Westfield, souriante, ses yeux verts brillant du plaisir de le voir rentrer... Pourtant, il avait quitté le domaine ducal depuis bien longtemps et, depuis, il n'avait encore jamais éprouvé le besoin d'y retourner... jusqu'à maintenant.

Lorsque Mlle Sutton se tourna vers lui, leurs regards se croisèrent et Oberon en éprouva un choc indéniable. Etait-il en train de rêver, ou avait-il aperçu dans les yeux de la jeune femme l'image d'un rêve semblable au sien ?

— Vous êtes de retour, monseigneur ! Quel bonheur !

La voix stridente de Mme Bamford le ramena à la réalité. Mlle Sutton détourna les yeux et Oberon se rappela soudain tout ce qui les séparait.

Elle avait élu résidence dans ce village reculé où elle gérait son affaire, et lui habitait Londres depuis des années. Il n'y avait pas de place pour une femme dans sa vie. Celle-ci ou n'importe quelle autre...

Machinalement, il retrouva son masque d'impassibilité et écouta poliment le bavardage de Mme Bamford.

Mais, une fois de plus, son regard fut attiré par Mlle Sutton. Ses cheveux étaient rassemblés en un chignon bas. Simple. Confortable. Presque sévère... Soudain, il se souvint des mèches échappées de sa coiffure, caressant son cou gracile lorsqu'il l'avait tenue contre son torse. Il sentit sa main se crisper involontairement.

— Je crois entendre madame votre mère nous appeler pour le dîner, dit soudain Mme Bamford en regardant en direction de la salle à manger.

Bientôt, la petite compagnie emboîta le pas à la

vieille femme, visiblement affamée. Oberon, resté un peu en arrière, se trouva à côté de Mlle Sutton.

Il pouvait humer son parfum — de l'eau de rose peut-être ? — aussi léger qu'enivrant.

— Avez-vous parlé au Dr Tibold ? s'enquit-elle.

Oberon acquiesça.

— Oui, mais je crains de n'avoir rien appris de nouveau. En fait, le docteur, d'habitude si râleur, semblait n'avoir qu'un objectif : attirer de nouveaux patients à Philtwell, et non les en chasser.

Quant à l'éventualité qu'il s'adresse à une station thermale concurrente, ouverte discrètement un peu plus loin, l'homme était bien trop lunatique pour se voir confier une telle entreprise, pensa-t-il.

— Le bon docteur m'a néanmoins orienté vers le galant de votre femme de chambre, poursuivit Oberon. M. Edward Plummer a certes la réputation d'être un don Juan, mais son intérêt soudain pour Cassie semble avoir été commandité. Un jeune garçon lui aurait offert de l'argent pour l'attirer loin du cottage.

— Pardon ? s'exclama Mlle Sutton, en lui jetant un regard stupéfait. Croyez-vous que ce soit le même garçon qui a donné le faux message à la cuisinière ?

Oberon avait eu la même idée et il fit un signe d'acquiescement.

Il était aussi retourné sur le chantier de démolition des anciens bâtiments, où il avait constaté les progrès réalisés en l'absence de l'ancien contremaître. Ce dernier n'était d'ailleurs pas revenu…

— Quelqu'un connaît certainement ce garçon ? insista Mlle Sutton.

— C'est en effet probable, s'il habite la région, répondit Oberon.

En réalité, dès qu'il avait appris l'existence de ce

mystérieux messager, Oberon s'était empressé d'interroger tous ceux qui étaient susceptibles de l'identifier, promettant une généreuse récompense à quiconque aurait des informations utiles.

— Mais il peut également s'agir d'un étranger au service d'un habitant ou de quelqu'un d'autre, ajouta-t-il.

Lorsqu'ils entrèrent dans la salle à manger, Oberon resta muet de stupeur devant le spectacle qui s'offrit à lui. Sa mère était au bras d'un homme qu'il ne reconnut d'abord pas, visiblement fière de son effet de surprise.

C'était un gentilhomme d'une cinquantaine d'années, brun, arborant un air gêné qui n'inspirait pas confiance.

— Monsieur Pettit ! s'exclamèrent en chœur les Sutton.

C'était donc le propriétaire de Sutton House. Enfin !

Une fois les présentations faites, et après que l'on se fut enquis de la santé de M. Pettit, ce dernier prit place en tête de table et se servit de larges portions de dîner.

— N'en faites pas trop, mon ami, lui rappela la duchesse. N'oubliez pas que vous être toujours convalescent.

— Oui… oui, bien sûr, dit Pettit, d'un air maussade.

Malgré tout, il engloutit son assiette en un temps record, comme s'il avait été privé durant de longues semaines. Perplexe, Oberon observait la scène avec intérêt. Sa mère aurait-elle négligé son malade en ne le nourrissant pas correctement ? Ce n'était pas le genre de la duchesse, mais alors…

Comme pour renforcer ses soupçons, la duchesse informa l'assistance que M. Pettit était encore trop faible pour assumer ses fonctions de magistrat.

— Je suis d'ailleurs très reconnaissant à monseigneur de me remplacer, affirma leur hôte en gratifiant

Oberon d'un signe de tête. Je dois l'avouer : le récit que l'on m'a fait des événements me stupéfie.

— Et qu'en pensez-vous, monsieur Pettit ? demanda Mme Bamford. Croyez-vous que Glory devrait fermer la station thermale ?

— Non, évidemment, répliqua la duchesse.

Sa mère était-elle à ce point nostalgique du lieu qu'elle ne voyait pas le côté rationnel d'une fermeture ?

— Et si… si la source était… maudite ? chuchota Mme Bamford d'un air mélodramatique.

— Je n'ai jamais entendu parler d'une malédiction, et je vis ici depuis… Depuis combien de temps déjà ? demanda M. Pettit à la duchesse.

— Je ne sais plus, je ne m'en souviens pas.

Malgré ses efforts pour faire taire ses soupçons, Oberon ne pouvait s'empêcher de trouver le comportement de ses invités étrange. Comme l'avait fait remarquer Pearson, on ne se débarrassait pas si aisément de ses habitudes. Il les observa donc avec beaucoup d'attention tandis qu'ils discutaient des incidents des derniers jours.

Il avait espéré que M. Pettit, qui habitait la région depuis de nombreuses années, aurait un point de vue différent sur les événements. Malheureusement, leur hôte n'avait aucune information nouvelle à apporter, et se contenta d'exprimer son ignorance quant à l'identité du ou des fauteurs de troubles.

Le silence retomba, chacun étant soudain perdu dans ses pensées… Sauf Thad, qui s'abîmait dans la contemplation de la fresque murale. Pettit, qui avait remarqué la fascination du jeune homme pour l'œuvre, prit la parole :

— Nous avons écrit à Londres, ce matin même, pour

essayer de trouver un peintre capable de la restaurer, indiqua-t-il en pointant du doigt la fresque.

— Mais vous devez sûrement savoir ce qu'elle représente, répondit Thad avec une touche d'impatience. Pensez-vous que l'on puisse voir le cadeau offert par la reine Elisabeth aux Sutton ?

Pettit haussa les épaules.

— Jusqu'à maintenant, je ne m'y étais jamais intéressé. Après tout, je n'étais pas censé changer la décor…

Il laissa la phrase en suspens et prit une gorgée de vin.

Intrigué par cette soudaine interruption, Oberon fixa un regard inquisiteur sur lui. Que fallait-il penser de Randolph Pettit ? En d'autres circonstances, l'attitude du vieil homme aurait davantage provoqué ses soupçons, mais Pettit avait été souffrant et cela avait pu affecter son comportement. Et, comme le faisait remarquer Pearson, Philtwell n'était pas Londres. Pourtant, ce petit village semblait au carrefour de nombreuses intrigues.

Oberon fit signe à une domestique, qui acquiesça d'une révérence avant de quitter la pièce.

— Mais vous avez entendu parler du cadeau de la reine, n'est-ce pas ? demanda Thad à leur hôte.

— Oui. Il y a toujours eu des rumeurs de cet ordre, mais je suis incapable de vous dire si la légende repose ou non sur des faits. A ma décharge, je ne suis pas historien, et je ne connais rien ou presque de la source ni de son histoire. Cependant, si vous êtes intéressé, jeune homme, la bibliothèque de Sutton House jouit d'une assez belle collection d'ouvrages sur la reine Elisabeth. Vous devriez peut-être y jeter un coup d'œil.

Thad fit la grimace, apparemment peu enclin à se lancer dans une recherche historique.

— Mais pensez-vous que le cadeau — si tant est

qu'il existe — puisse se trouver dans cette maison, à Sutton House ? insista-t-il.

Pettit secoua la tête.

— J'ai dressé un inventaire complet lorsque j'ai pris possession des lieux et je n'ai rien trouvé de tel, à moins qu'il ne s'agisse d'un objet rangé dans la maison. Peut-être en effet s'agit-il d'un bel objet et que le récit a pris de l'ampleur avec le temps. C'est fort possible si l'on considère la période : Henri VIII avait banni l'Eglise catholique du sol anglais, confisquant un nombre important de reliques et autres richesses. Les sites religieux ont été pillés et aucun monticule de terre, aucun bâtiment, même en ruine, n'a été épargné.

A ces mots, le visage de Thad s'éclaira.

— Vous pensez donc que ce trésor peut être enterré dehors ?

— Non, non, mon garçon, répondit M. Pettit en s'esclaffant.

— Mais puisque la reine se tient devant la maison…

— Il n'est pas question que tu te mettes à creuser la propriété de M. Pettit, Thad, l'interrompit Glory. La fresque a dû être peinte bien plus tard et représente sans doute la reine lors d'une simple visite à Sutton House, puisqu'elle ne tient apparemment aucun cadeau à la main.

— Peut-être est-il caché ? suggéra à son tour Mme Bamford.

Elle ne cessait de jeter derrière elle des regards inquiets, comme si quelque chose allait jaillir des recoins sombres de la pièce et lui sauter dessus.

— Ces vieilles maisons sont pleines de passages secrets et de cachettes où l'on abritait les prêtres persécutés, ajouta-t-elle.

— Mais c'est par là qu'il nous faut chercher, alors ! s'exclama Thad, enthousiasmé par cette nouvelle piste.

Il adressa à M. Pettit un regard plein d'espoir.

— Je n'ai jamais trouvé de telles cachettes mais je vous autorise à chercher tout votre soûl, si cela vous fait plaisir, dit leur hôte. Après tout, vous êtes ici dans la « maison Sutton ».

— Peut-être est-ce imprudent, Thad ? répliqua lugubrement Mme Bamford. Si malédiction il y a, tu devrais rester à l'écart.

Les réserves qu'aurait émises Oberon eussent sans doute été d'ordre plus pratique : si le garçon trouvait un trésor, ce dernier reviendrait d'abord au propriétaire de la maison et non à lui. Mais le duc préféra se taire.

Lorsque la domestique revint avec les ustensiles demandés, il se leva.

— J'ai une certaine expérience avec les objets fragiles et délicats, dit Oberon sans donner plus de détails. Aussi, si vous le permettez, je vais essayer d'ôter la poussière sans abîmer la peinture.

— Je vous en prie, dit M. Pettit.

— Croyez-vous que cela soit sage ? s'enquit Mme Bamford en regardant la fresque avec inquiétude. Intervenir dans ce genre de domaine peut causer plus de mal que de bien.

— Balivernes, répliqua sèchement la duchesse.

Ignorant les avertissements de leur tante, les jeunes Sutton se saisirent de chandeliers et les approchèrent du mur.

La lueur des bougies mit en lumière de nouveaux détails, mais l'arrière-plan demeura sombre et difficile à discerner.

— Que tenez-vous à la main ? demanda Thad.

— Un pinceau, répondit Oberon.

Il le posa doucement sur le tableau, au niveau des mains tendues de la femme et, délicatement, enleva la poussière. Après plusieurs passages du pinceau, l'espace entre les doigts de la reine devint plus vif, comme s'il y avait là une source de lumière.

— C'est peut-être une couronne, suggéra Thad. Connaissez-vous la valeur marchande d'un tel objet ?

Oberon fit non de la tête. Thad était rouge d'excitation. Sa sœur, en revanche, était moins enthousiaste.

— Il s'agit sans doute d'un objet symbolique, représentant la grandeur de son règne.

— La bibliothèque vous en apprendra certainement plus, rappela M. Pettit à Thad.

— Votre cottage également, ajouta Oberon en jetant à Mlle Sutton un regard entendu.

Cette dernière détourna les yeux, mais acquiesça.

— En effet, Thad, nous pourrons aussi chercher de ce côté-là.

— Pourquoi ne pas vous en charger tous les deux ? suggéra Thad en regardant sa sœur, puis Oberon. Je ne suis pas très doué pour fouiller les vieux papiers.

— Oui, ce pourrait être intéressant, dit Oberon. Ces anciens documents nous aideront peut-être à découvrir ce qui se cache derrière tous nos ennuis.

Fuyant toujours son regard, Glory se tourna vers sa tante.

— Ma tante, te joindras-tu à nous ?

— Grand Dieu, non ! s'exclama cette dernière en frissonnant. Je refuse d'être mêlée de près ou de loin à cette histoire de fresque ou à quoi que ce soit qui risque de réveiller la malédiction. Et tu devrais faire de même, ma petite.

Glory ne daigna même pas répondre et s'adressa enfin à Oberon :

— Très bien, monseigneur. Allons donc voir ce que nous pouvons dénicher.

Ravi à la perspective de passer du temps avec Mlle Sutton, Oberon fit tout pour dissimuler sa joie sous son masque d'indifférence habituel.

Il s'agissait d'une mission, que diable, et non d'un rendez-vous galant ! Fort heureusement, entre les robustes hommes de main engagés pour surveiller le cottage et les domestiques supplémentaires, les chances de se retrouver en tête à tête étaient presque inexistantes… Donc, pas de tentation.

Comme il s'était trompé ! D'habitude, l'instinct d'Oberon tombait juste mais, là, il avait fait preuve d'une grossière erreur de jugement. A présent, il se retrouvait dans le grenier, seul avec Mlle Sutton et le désir irrépressible qu'elle lui inspirait.

Heureusement, cet endroit lugubre, plein de vieux bibelots et de caisses vermoulues, n'invitait pas à première vue au romantisme. Sombre, encombré d'objets recouverts d'une épaisse couche de poussière, le grenier ne donnait pas envie de s'attarder, et encore moins d'y fouiller.

— Vous devriez demander à une des femmes de chambre de ranger un peu cet endroit avant que nous commencions notre exploration, suggéra-t-il.

— Je n'y ai pas pensé, reconnut Mlle Sutton en s'agenouillant devant une caisse. La dernière fois que je suis montée ici, je suis partie, disons…, abruptement. Pouvez-vous soulever ce couvercle ? lui demanda-t-elle en reposant sa lanterne à ses pieds.

Apparemment, le caractère vétuste du décor ne la dérangeait pas, ce qu'Oberon trouva admirable. Il pouvait maintenant ajouter les travaux pénibles à la longue liste de choses qui ne rebutaient pas Mlle Sutton. Elle s'était contentée de porter un tablier au-dessus de sa robe de coton… ce qui, étrangement, la rendait encore plus attirante.

Serait-il préférable de la laisser fouiller seule les combles ? A l'évidence, pour l'instant, le seul danger qu'elle courait dans ce grenier venait de lui.

Mais au lieu de partir Oberon s'assit sur une caisse de bois. Après tout, sa présence pourrait être utile à Mlle Sutton… pour déplacer des objets lourds, par exemple, se convainquit-il, refusant de reconnaître qu'il refusait de la quitter.

Appuyé contre un mur, il la regarda sortir des vêtements poussiéreux d'une caisse. Une fois de plus, il éprouva le sentiment très vif que la place de cette jeune femme était d'être là, avec lui, et que la sienne était d'être avec elle.

Il essaya de chasser cette impression mais, dans cet endroit confiné et silencieux, il ne pouvait détacher ses yeux d'elle.

Il observa la générosité de sa gorge, sa moue lorsqu'elle examinait un objet et le murmure d'excitation qui s'échappait de ses lèvres sensuelles lorsqu'elle découvrait une chose intéressante.

Mlle Sutton commentait chacune de ses découvertes, émettant des théories sur leur histoire et leur utilité ; Oberon se contentait de l'écouter, bercé par le son apaisant de sa voix. Chaque fois que celle-ci se faisait plus basse ou plus rauque, il éprouvait une gêne inexplicable…

Son regard s'attarda alors sur les courbes généreuses qu'il avait, auparavant déjà, tenues dans ses bras… Il éprouva une tension inconfortable et détourna la tête.

— Mais qu'est-ce là ? s'exclama-t-elle, le ramenant soudainement à la réalité.

Elle était penchée sur une caisse, la lampe à la main.

— On dirait une vieille malle que l'on a voulu mettre à l'écart.

Son enthousiasme était rafraîchissant. C'était sûrement ce trait de caractère qui lui plaisait tant chez elle.

Il secoua la tête, inquiet de la tournure de ses pensées. Dès son retour à Londres, il trouverait une maîtresse différente des femmes froides et blasées qu'il choisissait d'habitude. Malheureusement, il en était presque certain : remplacer Mlle Sutton ne serait pas si facile. Cette pers-pective l'attrista.

Il se leva et, le dos courbé pour éviter les poutres, il entreprit de tirer la malle vers le milieu de la pièce. Il l'avait à peine lâchée que déjà Mlle Sutton se précipitait pour en soulever le couvercle. Oberon s'accroupit à ses côtés et, lui prenant la lanterne des mains, il la leva bien haut pour éclairer l'intérieur de la malle.

La lumière révéla une pile épaisse de vieux dossiers et de livres de comptes, ainsi que des feuilles volantes.

— Enfin ! dit Mlle Sutton dans un murmure rauque.

Lorsqu'elle tourna vers lui un visage radieux, Oberon sentit un désir fulgurant et sauvage s'emparer de lui. Malgré sa retenue, son expression avait dû le trahir, car elle s'immobilisa, le fixant en silence, ses grands yeux verts écarquillés.

Elle avait les joues rouges à cause de la chaleur et Oberon remarqua qu'une traînée de poussière maculait sa peau parfaite.

Il lui prit le menton et effaça la marque avec son pouce. Un geste d'une familiarité troublante, beaucoup trop intime. Plus troublant encore que l'étreinte forcée de leur première rencontre. Cette fois, il ne s'agissait pas d'un concours de circonstances. Rien ne pouvait excuser son geste.

Oberon avait parfaitement conscience de l'inconvenance de son attitude mais il n'arrivait pas à ôter sa main. Pire, ses doigts descendirent sur les lèvres de Glory, caressèrent leur surface soyeuse en les entrouvrant légèrement.

Il suspendit son geste, s'attendant à des protestations, mais non, elle levait vers lui des yeux brillants et fiévreux. Il se pencha et effleura ses lèvres des siennes.

Ce contact suffit à l'embraser. Il approfondit aussitôt son baiser, goûtant cette bouche douce, fraîche, offerte.

Lorsqu'elle se mit à gémir doucement, il la pressa plus fort contre lui. Il sentait son flegme légendaire l'abandonner à chaque souffle échangé. Il la voulait toujours plus proche, enfouie dans ses bras, et toutes les raisons qui le retenaient encore de s'abandonner à ce désir s'évanouirent.

Mais l'exiguïté du grenier, qui avait causé sa perte, fut aussi son salut : alors qu'il la serrait contre lui, ils heurtèrent le couvercle de la malle qui s'abattit brutalement, dégageant ainsi un épais et enveloppant nuage de poussière ; Mlle Sutton se détourna pour tousser.

La réaction de la jeune femme aida Oberon à reprendre ses esprits.

Avait-il donc perdu la tête pour agir ainsi ?

Honteux, il tendit un mouchoir à Mlle Sutton, prêt à s'excuser. Mais à la voir ainsi rougissante, ses grands yeux langoureux levés vers lui, il faillit la serrer de nouveau dans ses bras et la prendre, là, ici, maintenant, sur les draps poussiéreux tombés par terre.

— Hou, hou ? C'est vous là-haut ?

En entendant la voix de sa mère, Oberon tressaillit

violemment et se plaça devant Mlle Sutton, au moment où la duchesse apparaissait dans l'embrasure de la porte.

Elle eut l'air surpris de les voir si proches, mais tourna les talons à une vitesse stupéfiante.

— Cette pièce est bien trop petite pour que l'on y tienne à trois, lança-t-elle par-dessus son épaule.

— Attendez ! s'écria Mlle Sutton. Euh… Avec la chaleur, les combles sont devenus irrespirables… Je vous accompagne. J'ai besoin d'air.

Et elle se précipita vers la duchesse comme si sa vie en dépendait, laissant sans regret sa précieuse découverte derrière elle.

— Je vais faire porter la malle à Sutton House et vous pourrez ainsi en examiner le contenu à loisir, proposa Oberon, sans obtenir de réponse.

Sa mère s'écarta pour laisser sortir Mlle Sutton, lui époussetant le dos au passage, avant de disparaître, elle aussi, dans les escaliers.

Oberon, resté seul, put enfin reprendre ses esprits.

Que venait-il de se passer entre lui et Mlle Sutton ? Il avait bafoué les convenances, compromettant des années de discipline pour quelques secondes de plaisir.

Et pourtant le désir soudain qui l'avait étreint grondait encore en lui. Il avait l'impression d'être un héros de roman, luttant pour ne pas s'abandonner à un amour impossible. Mais, à l'inverse d'un personnage romanesque, Oberon ne pouvait réparer son offense par des mots tendres et des actes héroïques…

La place de Mlle Sutton était à Philtwell, près de sa chère station thermale, et la sienne était à Londres où l'attendait son devoir.

*
* *

Laetitia trouva Randolph au jardin, assis sur un banc de pierre, à lézarder au soleil. Elle marcha d'un pas vif vers lui. Il leva les yeux, souriant, mais la joie disparut de son visage lorsqu'il vit l'état d'agitation dans lequel se trouvait sa vieille amie.

— Que se passe-t-il ? Il est arrivé quelque chose ? demanda-t-il, soudain inquiet.

— J'ai tout gâché, Randolph, déclara Laetitia.

— Letty, tu n'as rien fait à la station thermale, n'est-ce pas ?

— Mais non, vieux fou. Je les ai imaginés cloîtrés au milieu de vieux papiers, avec des domestiques pour les aider dans leurs recherches. Comment pouvais-je savoir qu'ils seraient seuls dans le grenier ?

— De qui parlez-vous ? demanda Randolph, un peu perdu.

— Vous me le demandez ? s'énerva Laetitia. De mon fils et de Mlle Sutton, bien sûr ! De notre objectif, Randolph.

— Et alors ?

Laetitia poussa un soupir.

— J'avais espéré les réunir en leur demandant de m'accompagner dans une longue marche au cours de laquelle j'aurais volontairement été à la traîne.

— Evidemment, dit Randolph d'un ton acerbe.

Ignorant son aigreur, Laetitia se pencha et murmura :

— Or il se trouve que j'ai interrompu ce qui était indiscutablement un tête-à-tête amoureux !

— Vous plaisantez ?

Randolph faillit s'étrangler.

Laetitia secoua la tête. La satisfaction qu'elle avait éprouvée en les découvrant ainsi était uniquement tempérée par la déception d'avoir gâché cette chance.

— Je les ai trouvés seuls, en un lieu où ils étaient certains de ne pas être dérangés, ajouta-t-elle.

— Le grenier ?

— En effet.

— Ce n'est pas l'endroit le plus romantique que l'on puisse imaginer, répliqua Randolph.

— Randolph, ne soyez pas aussi collet monté. Pour les jeunes gens, l'important est d'avoir un lieu où se retrouver, affirma la duchesse.

— C'est possible, mais comment pouvez-vous affirmer qu'ils faisaient autre chose qu'explorer les lieux ?

— Je sais, sans l'ombre d'un doute, qu'ils s'exploraient *mutuellement*, parce que Mlle Sutton avait une trace de main poussiéreuse imprimée à l'arrière de sa robe.

Les sourcils de Randolph se soulevèrent, marquant ainsi l'étendue de sa surprise.

— Si vous avez vu juste, pourquoi n'avez-vous pas discuté avec Oberon de ses responsabilités d'homme et de duc ?

Laetitia écarta d'un geste désinvolte les arguments de son ami.

— Je connais mon fils. Si je le pousse à se comporter honorablement, il va se braquer. C'est ce qu'il a toujours fait lorsque je lui ai présenté des partis acceptables. Cette rencontre est notre dernière chance, et je ne vais pas la compromettre en me mêlant de ses affaires de façon trop ostentatoire.

— Alors que comptez-vous faire ?

Laetitia prit un air songeur.

— Je vais essayer de nouveau demain, pourvu que le temps le permette.

Cette décision sembla la soulager. Elle s'assit à côté de Randolph, rassérénée.

— Je ne sais pas comment vous qualifiez votre comportement, grommela-t-il en levant les yeux au ciel, mais moi j'appelle cela *se mêler* des affaires de votre fils.

Chapitre 9

Tandis qu'elle rentrait à Sutton House, Glory ne cessait de s'interroger sur ce qu'avait pu voir la duchesse en entrant dans le grenier.

La gêne entre les deux femmes était palpable : la duchesse ne cessait de parler, comme pour masquer son embarras ; quant à Glory, le visage empourpré, incapable de regarder sa compagne, elle lui répondait par monosyllabes.

Une fois arrivée au manoir, la douairière, au grand soulagement de Glory, la quitta pour se mettre en quête de M. Pettit, tandis qu'elle-même se réfugiait dans la bibliothèque.

Glory avait déjà eu l'occasion d'y examiner quelques ouvrages. Elle s'attaqua donc à un épais livre, espérant y trouver une distraction aux émotions qui l'étreignaient.

Mais comment oublier ce baiser… et l'homme qui le lui avait donné ?

Malgré ses efforts, elle fut incapable de se concentrer sur sa lecture. Comment en était-elle venue à… accepter les avances d'un homme qu'elle avait auparavant considéré comme son ennemi ?

Elle secoua la tête. Maintenant qu'elle avait appris à le connaître, elle éprouvait presque de l'admiration pour le duc. Leurs conversations étaient devenues moins conflictuelles et plus agréables, mais cela n'expliquait en rien l'attitude inqualifiable dont elle s'était rendue coupable. Elle l'avait laissé lui caresser le visage, l'embrasser…

Instinctivement, elle se toucha le visage, se remémorant la façon dont il l'avait regardée, ses yeux si froids soudain brillants d'une lueur inconnue… Et puis le plaisir d'être touchée par lui, ses lèvres sur les siennes…

Un émoi de jeune écervelée et rien de plus ! se sermonna-t-elle.

Dès leur première rencontre, elle avait été séduite par la beauté du duc. Plus tard, elle avait été éblouie par ses manières. C'était plus qu'il n'en fallait pour tourner la tête d'une jeune femme qui n'avait jamais connu la passion avec un homme.

Sans doute une femme plus expérimentée aurait-elle pu s'éviter ce genre de mésaventure. En pareille circonstance, quel dommage, en effet, de ne pouvoir bénéficier des conseils d'une amie mieux renseignée qu'elle ! Mais Glory ne pouvait décemment pas écrire à ses amies de Londres à ce sujet. Et, ici, ses seuls interlocuteurs étaient Phillida et Thad.

Elle songea un instant à se confier à son frère, mais l'adoration croissante que portait ce dernier au duc pourrait le pousser à excuser le comportement de Westfield. Et si Thad s'en offusquait Glory n'avait pas envie d'être la cause d'une autre bagarre — ou même pire — entre les deux hommes.

Elle aurait certes aimé s'épancher sur une épaule féminine, mais si sa tante avait vent de l'incident elle se lancerait immédiatement dans la préparation de son mariage.

A cette idée, Glory étouffa un rire. Une chose était sûre dans cette histoire : Westfield ne lui faisait pas la cour.

Quelle raison, en effet, aurait-il eue de la courtiser ? Elle n'était pas un parti acceptable pour un duc. Et, comme toute femme non mariée, quel que soit son rang, elle se devait de rester vigilante en toutes circonstances.

Une règle qu'elle n'aurait jamais dû oublier. Oui, elle regrettait cet écart de conduite… Même si, dans le secret de son âme, elle rêvait qu'il y en ait d'autres.

Glory soupira. Aujourd'hui, elle avait joué avec le feu et, par chance, elle s'en était sortie indemne. A l'avenir, elle devrait se montrer plus prudente. Comme elle l'avait elle-même parfaitement analysé, apprécier Westfield était tout à fait acceptable tant que cela restait dans des limites raisonnables.

Or l'embrasser n'était certainement pas une chose « raisonnable ».

Oberon faisait les cent pas dans la bibliothèque de Sutton House. Il se sentait nerveux et était incapable d'apaiser son agitation. Pourtant, à Londres, il avait l'habitude de passer le plus clair de son temps à l'intérieur, sans que cela le dérange.

Mais là il avait l'impression de ne servir à rien. Maintenant que Mlle Sutton était à l'abri, il était partagé entre son envie de sortir pour mener son enquête et son besoin de rester pour veiller sur la jeune femme.

— Je note beaucoup de références à un certain Dr Dee, dans ce livre.

Au son de la voix douce et sensuelle, Oberon se retourna vers Mlle Sutton, dont la tête brune était courbée au-dessus des livres et des papiers étalés sur la table.

— Ce vieux mystique ? demanda-t-il.

— Comment, vous le connaissez ? s'étonna Glory.

— C'était un érudit, un visionnaire, un génie, un fou. Je crois que tous ces qualificatifs, aussi contradictoires soient-ils, pouvaient s'appliquer à cet homme. Il avait beaucoup de talent mais était indéniablement attiré par le surnaturel.

— Il fut apparemment un des conseillers de la reine Elisabeth. Apparemment, il l'aurait accompagnée à Philtwell, indiqua Mlle Sutton.

Oberon feignit de porter de l'intérêt à cette découverte, mais en réalité il ne voyait pas vraiment l'utilité d'une telle information. En effet, en quoi cela les aiderait-il à résoudre l'affaire ? Pearson n'avait trouvé aucune preuve de l'existence d'une station rivale, et lui-même était à court d'idées.

Oui, sa frustration venait sûrement de ce sentiment d'impuissance... ou avait-elle une cause plus intime ?

Comme pour valider ce soupçon, et alors qu'il observait Mlle Sutton tendant la main pour prendre un livre, son œil fut attiré par la finesse de ses doigts. Il éprouva alors un désir violent et soudain d'être touché par elle. Il inspira profondément. Un peu d'air frais lui ferait certainement du bien, et calmerait son... agitation.

Il allait se diriger vers la porte lorsque sa mère apparut.

— Allons, mes enfants, dit-elle en enfilant ses gants, cela fait bien trop longtemps que vous êtes enfermés dans cette bibliothèque. On ne peut décemment pas vous demander de rester ainsi cloîtrés par une si belle journée ! Venez donc vous promener avec moi. J'insiste.

— Demandez à Mme Bamford de vous accompagner, suggéra Oberon.

— Elle est absente, tout comme Thad. Quant à M. Pettit, il n'est pas en état, rétorqua-t-elle. Allons ! je ne tolérerai aucun refus.

Oberon allait protester de nouveau mais il finit toutefois par céder. Après tout, il était ici à ne rien faire… Il fit un signe de tête à sa mère avant de lancer un regard éloquent à Mlle Sutton.

— Nous pourrions peut-être aller faire une promenade du côté de la buvette… ?

— Sottises ! s'exclama la duchesse. Vous avez assez travaillé pour aujourd'hui. Cet après-midi, nous ferons autre chose.

Le ton de la duchesse était sans appel et Mlle Sutton ne put que s'incliner. Bientôt, les deux jeunes gens se retrouvèrent à marcher en compagnie de la douairière sur la route qui surplombait le village, un parcours de santé régulièrement suivi par les curistes de la station thermale.

— Rien n'est plus beau que ces chemins escarpés en été. Votre père et moi avions l'habitude d'emprunter ce même chemin, dit la duchesse à son fils.

Avec un sourire rêveur, elle leur fit signe de poursuivre sans elle.

— Avancez, je vous rattraperai.

Mlle Sutton eut l'air d'hésiter, mais Oberon lui indiqua discrètement de le suivre.

— Ma mère est submergée par la nostalgie, lui confia-t-il dès qu'ils se furent éloignés. Elle se remémore sans doute ses jeunes années.

Mlle Sutton hocha la tête d'un air entendu.

— Depuis combien de temps votre père est-il décédé ?

— Trop longtemps…

D'habitude Oberon coupait court à ce genre de discussion, mais il se surprit à vouloir évoquer plus en détail l'homme dont la vie s'était arrêtée trop vite. Mlle Sutton l'écoutait en silence tandis qu'il se laissait lui-même gagner par la nostalgie.

Cette marche lui rappelait les promenades qu'ils avaient l'habitude de faire ensemble, non pas à Philtwell mais chez lui à Westfield.

Il s'immobilisa quelques instants, envahi par une pensée soudaine : il ne s'était plus jamais promené à Westfield depuis la disparition de son père. Il avait d'ailleurs fui le domaine familial depuis ce jour-là… Soudain, il se sentit envahi par un sentiment de honte.

Pourtant, il n'avait rien à se reprocher. Il s'occupait parfaitement des affaires familiales et ses propriétés étaient parfaitement bien gérées par des hommes de confiance. Et puis il n'avait guère le temps de séjourner à Westfield : son devoir l'appelait à Londres.

— Excusez-moi, dit-il après un long silence, je n'ai pas l'habitude d'évoquer ce sujet.

— Pourquoi cela ? Ces souvenirs sont-ils trop douloureux pour vous ? demanda Mlle Sutton avec douceur.

— En quelque sorte…

Ce qu'il s'apprêtait à dire, il n'en avait jamais parlé à personne. Il resta silencieux quelques secondes.

— Lorsque mon père est mort, j'étais jeune et j'avais le cœur brisé. Je représentais une proie facile pour ceux qui voulaient m'utiliser, moi et mon rang, à des fins personnelles.

Mlle Sutton prit un air choqué et Oberon lui adressa un triste sourire.

— De nombreuses personnes utilisent l'influence et

les relations des aristocrates pour acquérir une fortune et une place dans la bonne société.

Encore maintenant, des années après, ces souvenirs étaient trop pénibles, et Oberon fut incapable d'entrer dans les détails.

— Pendant très longtemps, je me suis senti perdu, trahi, seul, avoua-t-il.

Il lui raconta comment un certain Portland l'avait approché ; comment il lui avait proposé de profiter de la situation au lieu d'en être victime. Plutôt que de fuir les intrigants et autres individus louches qui tentaient de profiter de lui, Oberon devait au contraire les encourager à se confier à lui… pour mieux les démasquer.

A l'époque, cette proposition avait sauvé Oberon des sombres pensées qu'il ressassait en permanence. Il avait accepté ce travail et en avait même tiré une certaine satisfaction personnelle. Si le prix à payer était de renoncer à une vie de famille, eh bien, tant pis ! Il était prêt à s'interdire toute émotion et à vivre sans les distractions… et avec les souffrances qui accompagnaient ce choix.

Mais avait-il renoncé à lui-même en choisissant cette voie ? Cette question le submergea lorsqu'il vit la mine bouleversée de Mlle Sutton.

Comme pour oublier ses mauvais souvenirs, Oberon pressa le pas. Lorsqu'il fut parvenu au virage, il s'arrêta, ébloui par la vue qui s'offrait à lui.

C'était une région accidentée, bien différente des douces collines de Westfield, mais elle ne manquait pas de charme.

A ses pieds s'étendaient de riches pâturages, des vallées boisées, des landes de bruyères et, surplombant l'ensemble, des pics montagneux.

— C'est magnifique, n'est-ce pas ? murmura

Mlle Sutton qui l'avait rejoint. Si les futurs clients pouvaient voir cela, nous serions sûrement submergés de demandes.

De petits papillons mordorés voletaient autour de massifs de fleurs roses. Seul le bruissement des bruyères brisait le silence.

Depuis combien de temps n'avait-il pas remarqué ce genre de choses ? Pendant toutes ces années, Oberon avait observé ses contemporains, déterré leurs secrets, analysé leurs propos et testé leur loyauté. Oui, il était passé à côté de beaucoup de choses… et pas seulement de beaux paysages.

Ils s'étaient arrêtés pour admirer la vue, mais Oberon ne pouvait s'empêcher d'admirer également sa compagne.

Elle avait les joues rouges et des mèches de cheveux sombres, soulevées par le vent, caressaient son visage. Oberon éprouva une bouffée de désir désormais familière, et le souvenir de leur étreinte dans le grenier se rappela brutalement à lui.

Sans doute Mlle Sutton avait-elle perçu son soudain émoi, car elle se tourna vers lui. Dans le regard de la jeune femme brillait la même lueur de désir, intense et irrésistible… Ses lèvres s'entrouvrirent, comme une invitation.

Une minute s'écoula pendant laquelle ils restèrent silencieux, immobiles, tandis qu'Oberon s'enjoignait à ne pas céder à la tentation.

Puis la brise fit voleter vers eux quelques feuilles et Mlle Sutton fit un pas en avant pour ôter celles qui s'étaient perdues dans ses cheveux.

Oberon abandonna alors toute velléité de retenue. Il lui prit la main et l'attira à lui. Il allait l'embrasser, laissant libre cours à son désir, quand il y eut une envolée de moineaux. Sur le qui-vive, Oberon se retourna pour inspecter les alentours du regard, s'attendant à voir apparaître sa mère à tout moment.

Après un court instant, alors qu'il se tournait de nouveau vers Mlle Sutton, il sentit qu'elle le poussait violemment en avant. Ils furent projetés au milieu des herbes folles dans un bruit assourdissant.

C'était un bruit de pierres entrechoquées. Un éboulement ! Oberon prit sa compagne dans ses bras et fit un rempart de son corps, l'attirant sous un contrefort pour se protéger des pierres.

Ils restèrent ainsi, blottis sous leur toit de fortune, pendant qu'une masse de rochers s'abattait là où ils s'étaient tenus quelques secondes auparavant.

Ils avaient eu la chance d'être tout juste arrêtés, dans leur chute, à quelques mètres d'un précipice.

Mlle Sutton aurait pu être blessée ou, pire, faire une chute mortelle. A la pensée du danger auquel ils venaient d'échapper, le cœur d'Oberon se remit à battre la chamade.

Il serra la jeune femme encore plus fort, à la fois terrifié pour elle et plein de colère de ne pouvoir rien faire d'autre que de rester couché, immobile et silencieux.

Attendre était la meilleure stratégie car Oberon était convaincu que cet éboulement n'était pas accidentel.

L'agresseur attendait-il plus haut sur le chemin, ou était-il grimpé sur des rochers les surplombant pour provoquer un effondrement ? Une fois son forfait accompli, s'était-il enfui ou était-il resté pour s'assurer du succès de sa mission ?

Oberon avait une bonne vue d'ensemble des abords immédiats, mais il ne connaissait pas la géographie des lieux ; abandonner Mlle Sutton pour se lancer à la poursuite de leur assaillant n'était donc pas une solution envisageable.

— Avez-vous votre pistolet ? chuchota-t-il à l'oreille de sa compagne.

Elle acquiesça. Oberon avait un couteau dans sa botte, mais si leur agresseur n'était pas seul il préférait savoir Mlle Sutton armée.

— Bien joué, dit-il. Pouvez-vous l'atteindre ?

Encore une fois, elle opina, se tortillant pour attraper son sac.

Ensuite, ils attendirent, retenant leur souffle pendant des minutes qui leur parurent interminables. Soudain, un bruit de pas se fit entendre. Oberon tendit la main vers son couteau.

— Oberon ? J'ai cru entendre…

La voix de sa mère l'obligeait à agir.

— Mère, baissez-vous et faites attention, des pierres peuvent tomber, s'exclama Oberon en s'approchant d'elle.

La duchesse pâlit en voyant son fils s'extirper d'un abri en contrebas, et traîner Mlle Sutton à sa suite.

Bien qu'il ne distingue rien au-dessus de lui, Oberon ne s'attarda pas.

— Dépêchez-vous ! lança-t-il aux deux femmes en les poussant le long du chemin, loin des contreforts escarpés qui, maintenant, paraissaient plus dangereux que pittoresques.

Il gardait les sens en alerte, guettant le moindre bruit pendant qu'ils descendaient en courant le sentier, trébuchant, courbés, les mains agrippées aux herbes qui longeaient le chemin.

Lorsqu'ils atteignirent enfin une sorte de prairie, Oberon regarda dans toutes les directions. Personne ne semblait les suivre. Leur agresseur avait dû s'enfuir ou bien était très bien caché. Cette dernière possibilité leur interdisait de s'arrêter plus de quelques secondes pour reprendre leur souffle. La duchesse ralentit un instant, une main sur les côtés, mais Oberon lui saisit le bras pour l'encourager. Il était impératif qu'ils aillent se mettre à l'abri.

— Comment avez-vous su ? demanda-t-il à Mlle Sutton tandis que cette dernière scrutait le paysage, à l'affût du moindre signe de présence humaine.

— J'ai éprouvé une sensation devenue familière depuis mon arrivée ici : je me suis sentie observée, murmura-t-elle.

Oberon entendit le hoquet de surprise de sa mère.

— Que s'est-il passé ? s'enquit cette dernière, la voix plus aiguë que d'habitude.

Mlle Sutton ne répondit pas, mais regarda le pistolet qu'elle tenait à la main et le remit dans son sac. La duchesse jeta à Oberon un regard alarmé.

— Mlle Sutton m'a sauvé la vie, indiqua Oberon, même s'il est évident que je n'étais pas la victime désignée.

— Pardon ? s'écria sa mère.

— Il semblerait que notre ennemi soit passé à l'échelon supérieur, répondit-il. Le vandalisme, l'effraction et, maintenant, la tentative de meurtre.

Glory lança un regard effrayé au duc. Il n'avait fait que mettre en parole ce qu'elle redoutait, mais elle ne comprenait que maintenant la gravité des événements. Sous le choc, elle se laissa guider jusqu'à Sutton House. Là, le duc l'installa dans un fauteuil confortable, dans la bibliothèque.

Une femme de chambre apporta du cognac, que Westfield encouragea les deux femmes à boire. Glory refusa : aucun alcool ne pourrait apaiser son tourment. Du reste, elle était trop abasourdie pour bouger, et l'attentat contre sa vie n'était pas seul responsable de son état.

L'incident était certes choquant, mais son bouleversement était aussi provoqué par la révélation qu'il avait entraînée. En effet, lorsqu'elle avait compris qu'il y avait un éboulement, sa première pensée n'avait pas été de sauver sa propre vie mais celle de son compagnon.

Les soupçons qu'elle avait nourris à son égard tout comme ses sentiments mitigés à l'idée de travailler avec lui — Westfield avait trop tendance à imposer ses vues et elle était bien trop troublée en sa présence — s'étaient effacés en un instant. La vérité de ses sentiments pour lui s'était imposée.

Glory était amoureuse de Westfield.

C'était ridicule, bien sûr. L'amour n'existait pas, ou du moins certainement pas sous la forme décrite par les poètes.

Certes, plus jeune, elle avait nourri l'espoir d'une union agréable avec un homme de son milieu. Elle avait également rêvé d'une maisonnée remplie d'enfants ; mais elle avait grandi depuis. Elle avait alors compris une chose essentielle : elle n'entendait pas abandonner le contrôle de sa vie, de sa fortune et de sa famille à n'importe qui.

De toute façon, personne n'en avait manifesté le désir et personne ne l'avait jamais intéressée… jusqu'à Westfield.

Elle s'était empressée d'ignorer les battements de son cœur, préférant les attribuer à des envies de romantisme trop longtemps négligées. Après tout, elle était une femme et, comme toutes les femmes, elle était sensible aux charmes d'un bel aristocrate.

Et puis, il y avait eu le baiser. Plus difficile à justifier mais, après tout, quel mal y avait-il à vouloir goûter à ce qu'elle ne connaîtrait jamais ?

A présent, elle devait se rendre à l'évidence : ce n'était pas un romantisme contrarié qui l'avait poussée à protéger son compagnon…

Amoureuse, oui, elle était amoureuse de Westfield.

— Tenez, mon enfant, prenez un peu de cognac, insista la duchesse, en plaçant d'autorité un verre dans sa main.

Glory leva les yeux vers le duc, pour les détourner aussitôt. Non, il ne devait pas deviner ses sentiments. Elle but à contrecœur une gorgée d'alcool et essaya de reprendre contenance.

Phillida et M. Pettit arrivèrent bientôt et, pour une fois, sa tante ne s'évanouit pas au récit de leur attaque. Elle se contenta de se laisser choir dans un fauteuil en s'éventant, visiblement trop inquiète à l'idée que sa nièce ait risqué sa vie pour se soucier de ses propres émotions.

— Et Thad ? Où est-il ? demanda-t-elle, alarmée.

— Il n'était pas avec nous, répondit la duchesse.

— J'ai envoyé un domestique le chercher, dit Westfield. S'il est à la buvette, il ne devrait pas tarder.

Le duc avait à peine terminé sa phrase que Thad apparut dans l'embrasure de la porte.

— Qu'y a-t-il de si important qu'il me faille abandonner mes clients ? s'enquit-il, la mine renfrognée.

Sans les marques de coups qu'il portait au visage, Glory l'aurait sûrement rabroué.

— Que t'est-il arrivé ? s'écria-t-elle.

Thad avait-il lui aussi été agressé ?

— Un petit désaccord entre hommes, répondit-il avec désinvolture.

— A quel propos ?

— A propos de mauvaises manières.

Glory ne savait pas comment réagir à cela.

Au cours de l'année écoulée, elle avait pu constater des changements importants chez son frère ; le jeune homme avait quitté l'enfance pour devenir un homme, avec tous les défis que cela représentait. Mais une bagarre pour un prétexte aussi futile... pile au moment où Oberon et elle étaient attaqués... Lui cacherait-il autre chose ?

— Tu es certain que cet incident n'a rien à voir avec les Eaux de la Reine ? demanda-t-elle.

— Tu sais, tout ne tourne pas autour de ta précieuse station thermale ! répliqua son frère avec une hargne qu'elle connaissait bien.

Cependant, le duc et la duchesse, auxquels Thad avait épargné cet aspect de sa personnalité, furent désagréablement surpris par son ton.

— Peut-être pardonnerez-vous notre inquiétude, dit Westfield, glacial, mais votre sœur et moi-même avons failli mourir lors d'un incident qui n'avait rien d'accidentel.

Le visage de Thad s'empourpra au récit que lui fit le duc de l'éboulement.

— Les habitants nous avaient invités à la prudence, déclara-t-il. Selon eux, les promenades pouvaient se révéler dangereuses : certains ne sont jamais revenus de leurs marches en montagne.

— Ce genre d'avertissement est très exagéré, rétorqua M. Pettit. On exhorte en effet tous les nouveaux venus à la prudence lorsqu'il s'agit d'emprunter ces chemins escarpés, mais il y a une grande différence entre trébucher et se faire assassiner.

Ses paroles jetèrent un grand froid. Glory rassembla

toutes ses forces et prononça des mots qu'elle avait pensé ne jamais avoir à dire :

— Peut-être devrions-nous fermer la station thermale, de façon temporaire ? dit-elle.

— Sûrement pas, répliqua la duchesse.

— C'est exactement ce qu'ils veulent, insista Thad. En faisant cela, tu exauces leur souhait.

— Nous ne sommes pas certains que ce soit le but visé par ces attaques, argua le duc. Je m'inquiète surtout pour la santé de votre sœur…

Et, se tournant vers Glory, il ajouta :

— Je vous conseille d'éviter la buvette tant que nous n'en savons pas plus.

Glory baissa les yeux. Autrefois, elle aurait protesté, avançant qu'il n'avait aucun droit de régenter sa vie, et elle aurait affirmé son refus d'être confinée à Sutton House. Maintenant, son inquiétude était ailleurs…

— Et vous ? Que comptez-vous faire ? lui demanda-t-elle.

— Je crois que tout le monde est d'accord : l'attaque était dirigée contre vous, répondit-il.

— Et si on avait également voulu se débarrasser du magistrat ? suggéra Glory.

— Ne vous souciez pas de moi, je sais me protéger si besoin est, répondit Westfield avec assurance tout en se levant. J'aimerais reprendre mon entraînement de boxe avec vous, si cela ne vous dérange pas, lança-t-il à Thad.

— Heu… Bien sûr, répondit Thad, ravi. Je monte me changer.

Aussitôt, le jeune homme sortit précipitamment de la bibliothèque avant que Glory n'ait pu protester.

Elle continuait à penser que la boxe était un passe-temps dangereux, mais si cela pouvait donner à Thad un avantage sur ses ennemis elle ne s'y opposerait pas. Après tout, il n'était plus un petit garçon. Elle l'oubliait souvent, mais il était un homme, maintenant.

Comme si elle avait deviné ses pensées, Phillida ajouta :

— J'espère que Thad ne s'est pas encore attiré des ennuis, soupira-t-elle.

— Encore ? s'enquit Westfield.

— Rien de grave, répondit Glory. Lorsque nous vivions à Londres, il a cédé aux tentations habituelles que rencontrent les jeunes gens dans une grande ville.

Glory avait toujours pris soin de cacher la nature exacte des « escapades » de Thad à sa tante, et elle n'était donc pas certaine d'avoir compris l'allusion de Phillida. Elle n'avait cependant pas envie de discuter du passé de son frère devant des étrangers.

Phillida n'avait visiblement pas les mêmes scrupules.

— Je n'appréciais pas l'allure de ses amis, expliqua-t-elle avec une moue dédaigneuse. Des gens de basse extraction, à l'air douteux. Et comme on pouvait s'y attendre ils exerçaient sur lui une très mauvaise influence.

— Dieu merci, on ne trouve pas ce genre de gens à Philtwell, dit Glory pour mettre fin à la conversation.

Elle se leva et se dirigea vers la table où étaient encore étalés des dossiers et quelques livres.

— Si vous le permettez, je vais me replonger dans ces documents. Je pourrai peut-être y trouver des informations utiles.

— Bonne idée, dit la duchesse. Si les autres veulent bien me suivre dans le salon ?

Bientôt, tous sortirent de la bibliothèque, excepté Westfield. Non, elle n'avait vraiment nul désir de discuter en tête à tête avec lui ! Et si par malheur il devinait ses sentiments ?

Elle fit mine d'être absorbée dans la lecture du premier livre qui lui tomba sous la main.

— Vous seule décidez de la fermeture ou non de la buvette, mais je suis inquiet à propos de la source, dit Westfield, faisant fi de l'indifférence qu'elle affichait.

Glory leva les yeux vers lui, incapable de réfléchir. Une seule pensée occupait son esprit : le tourbillon de sentiments qu'elle ressentait pour cet homme.

Cette obsession semblait gagner tout son corps, emplissant son être tout entier d'une douce chaleur, chacun de ses sens soudain en éveil.

— Imaginez qu'on empoisonne le puits, la pompe ou même que l'on verse directement quelque chose dans les verres. Vous seriez alors confrontés à des maladies inexpliquées, voire à des morts, expliqua le duc, la ramenant à des considérations plus inquiétantes.

— Vous pensez sérieusement que l'on puisse… empoisonner la source ? demanda-t-elle, soudain alarmée.

Westfield fit un pas en avant. Allait-il la prendre dans ses bras ? Non, il se détourna.

— Je crois que nous devrions en tout cas être prudents et prendre toutes les mesures qui s'imposent.

Glory ne souhaitait pas décourager l'intérêt récent de Thad pour les Eaux de la Reine, mais elle ne pouvait pas mettre en danger la vie de ses clients. Et puis, la moindre rumeur de maladie pouvait signifier la ruine.

— Il est sans doute préférable de fermer les portes de la station pendant un temps, concéda-t-elle.

— C'est plus sage, en effet.

Sur ces mots, Westfield s'inclina poliment et lui tourna le dos pour sortir de la pièce.

L'espace d'un instant, Glory n'eut qu'une envie : lui crier de revenir. Mais pour quoi faire ? Et que pourrait-elle lui dire ? La seule chose qui avait changé entre eux était ses sentiments envers lui. Il était toujours duc de Westfield et, mis à part de vains batifolages, Glory ne pouvait rien espérer de lui.

Cette perspective la fit rougir, mais elle savait qu'elle serait sage de s'en souvenir. Ses sentiments ne pouvaient que lui attirer des ennuis et elle en avait déjà bien assez avec les Eaux de la Reine. Elle eut une pensée émue pour sa chère station thermale : les Eaux, à l'inverse de Westfield, seraient toujours là. Et c'était très bien ainsi…

C'était ce qu'elle avait toujours voulu et elle s'en contenterait.

Ayant repris confiance en elle, Glory s'assit et prit l'un des livres étalés sur le bureau. Elle s'était attaquée à un vieux manuscrit, espérant enfin en apprendre davantage sur le cadeau de la reine. Mais, au lieu de s'épuiser à déchiffrer l'anglais ancien, elle décida plutôt de s'intéresser aux registres récents qu'elle avait trouvés dans la malle. Westfield lui avait déjà suggéré que ces vieux registres pouvaient cacher le récit d'inimitiés anciennes, susceptibles d'expliquer leurs malheurs présents, mais Glory avait jusque-là ignoré ses conseils. Après tout, les Eaux de la Reine n'étaient fermées que depuis une génération et avaient fonctionné avec succès pendant des siècles, jusqu'à l'incendie…

Glory fut soudain saisie d'un affreux soupçon. Et si la destruction de la station thermale avait été délibérée, un incendie criminel ?

Non, non, c'était impossible. Même si un individu avait allumé l'incendie, il était peu probable que cette même personne soit responsable des problèmes qui les accablaient maintenant. Oui, trop d'années s'étaient écoulées. Pourtant, certains habitants du village avaient mal accueilli le retour de la famille Sutton. Et cette sensation qui ne l'avait jamais quittée d'être observée, surveillée ?

Glory frissonna avant de se sermonner : elle devait se ressaisir !

Elle reprit aussitôt la lecture des registres. C'était un travail rébarbatif et, très rapidement, un bruit provenant de l'extérieur attira son attention. Abandonnant son étude, elle se leva et se dirigea vers les lourdes portes qui donnaient sur le jardin. Mis à part le mur d'enceinte, elle ne distinguait rien. Soudain, un cri la fit sursauter. Inquiète, elle s'avança vers l'origine du bruit, à l'avant du manoir, où commençait le jardin principal, mais s'arrêta net.

Mais oui, comment avait-elle pu l'oublier ? Westfield avait prévu de boxer avec son frère !

Elle fut néanmoins surprise du spectacle qu'elle découvrit. Les deux hommes se faisaient face, sautillant d'un pied sur l'autre, les bras pliés devant le visage. Mais leur attitude n'était pas le plus étonnant, le pire était leur tenue… très légère.

Torse nu, les deux hommes se faisaient face, inconscient, de sa présence. En temps normal, Glory aurait disputé Thad pour son laisser-aller — surtout chez des étrangers — mais là elle était sans voix. Voir ainsi Westfield lui coupait le souffle.

Il avait les épaules larges et le torse musclé. Le dos pâle de Thad, à côté, faisait ressortir le teint hâlé d'Oberon, ses muscles qui ondulaient sous sa peau, luisant sous les rayons du soleil. Il n'avait ni bleus ni cicatrices. Sur sa poitrine, quelques poils bruns s'étendaient jusqu'à la ceinture de son pantalon, seules marques visibles sur une peau par ailleurs lisse et sans défaut.

Glory déglutit, et se força à lever les yeux vers le

visage du duc. Ses cheveux bruns caressaient un cou libéré de son haut col et de sa cravate. Se déplaçant avec une grâce incroyable, il lança un brusque coup de poing et sourit lorsque Thad l'esquiva.

Westfield avait perdu son impassibilité habituelle, remarqua Glory. Son beau visage trahissait une grande concentration, mais aussi de la joie, née sans doute d'une impression de liberté physique.

Le cœur de Glory se mit à tambouriner dans sa poitrine. Le plus sage aurait été de partir, de faire demi-tour, mais elle n'avait pas la force de s'arracher à ce spectacle.

Tout à coup, comme s'il s'était senti observé, le duc regarda dans sa direction. L'expression qu'elle lut dans son regard la fit chanceler. Le désir. Oui, un désir violent et sans retenue.

Bouleversée par les pensées incontrôlables qui la submergeaient, Glory s'enfuit vers la maison, à la recherche de la relative sécurité qu'offrait la bibliothèque. Une fois à l'abri des regards, elle pressa ses mains contre ses joues brûlantes et essaya de reprendre son souffle.

Dangereux, oui, Westfield était dangereux. Elle le savait depuis le début. Le trouble qu'elle avait considéré avec mépris comme un émoi de jeune fille était en train de se transformer en une émotion bien plus violente et plus dévastatrice.

Tout comme la cendre qui couve sous le feu, elle savait désormais qu'une seule étincelle suffirait pour qu'elle s'embrase.

Chapitre 10

Glory tenta de retourner à sa lecture, mais elle avait de nouveau du mal à se concentrer. Lorsqu'elle entendit des pas approchant de la bibliothèque, elle leva les yeux, à la fois excitée et anxieuse, le cœur battant la chamade. Ce ne fut pas Westfield qui entra mais Thad, maintenant rhabillé, et impatient de lui raconter sa première leçon de boxe.

Ayant encore à l'esprit l'image du duc à moitié nu, Glory était très distraite et peinait à suivre le récit de son frère. Finalement, il la fit lever pour lui faire une démonstration. Récalcitrante au début, Glory finit par comprendre le parti qu'elle pourrait tirer d'un tel savoir si elle se donnait la peine d'écouter.

— Cache tes pouces dans tes poings et garde les bras bien haut pour éviter les coups au visage, lui indiqua Thad.

Il lui apprit quantité de mots, mais Glory était plus intéressée par la technique que par la terminologie.

— Une cible mouvante est plus difficile à toucher, lui dit Thad.

Et il se lança dans une sorte de sautillement qui tenait plus de la danse que du vrai combat. Glory trouvait la chose ridicule jusqu'à ce que son frère lui démontre la facilité avec laquelle on pouvait frapper un adversaire immobile.

— D'après Westfield, et dans le cas d'une bagarre de rue, qui échappe aux règles du combat de boxe, il est vital d'envoyer au plus vite son adversaire au tapis.

Thad lui montra comment « envoyer un direct » avant de donner un coup de pied, une manœuvre impossible à pratiquer en jupe.

En fait, Glory voulait surtout apprendre l'uppercut au menton ainsi que le « revers », qui prenait l'adversaire en traître. Elle pratiqua ces deux coups avec assiduité jusqu'à ce que Thad se désintéresse de l'exercice et parte se changer.

Après son départ, Glory continua à s'entraîner, lançant des coups de poing imaginaires devant le miroir posé entre les hautes fenêtres.

Plus tard, lorsque Thad redescendit pour dîner, elle lui montra fièrement ses progrès.

— Peut-être... euh... devrais-tu garder le silence sur notre entraînement, la pria Thad, un peu embarrassé.

Apparemment, son excitation était retombée ; sans doute se demandait-il ce que Westfield — sans parler de Phillida — penserait de la petite leçon qu'il avait donnée à sa sœur.

— Ne t'inquiète pas, assura Glory en lui prenant le bras. Je serai très discrète, tout comme j'espère que tu n'utiliseras pas tes nouvelles connaissances pour te bagarrer de nouveau avec les villageois.

— Mais enfin, bien sûr que non !

Tout en discutant, ils se dirigeaient vers la salle à manger. Plus ils approchaient, plus Glory avait du mal à se concentrer sur les propos de son frère tant elle était distraite par les battements de son cœur. Elle redoutait ce dîner avec Westfield.

Lorsqu'ils pénétrèrent dans le salon, le duc était en train d'examiner la fresque murale en compagnie de M. Pettit. Au moins, il avait le dos tourné et Dieu merci, il était habillé !

Le visage en feu, Glory fut reconnaissante de pouvoir s'asseoir sans avoir à croiser son regard. Mais tôt ou tard elle devrait lui parler, ne serait-ce que pour lui faire part de sa découverte.

Dès que l'on eut épuisé les sujets de conversation habituels en pareille circonstance, Glory en profita pour prendre la parole :

— J'ai trouvé dans les anciens registres une chose que vous pourriez juger intéressante, dit-elle en lançant au duc un regard timide.

Il leva les yeux vers elle, visiblement amusé par le trouble qu'elle ressentait. Aussitôt, elle se tourna vers la duchesse et M. Pettit.

— Etes-vous au courant de l'existence d'un investisseur, quelqu'un qui ne faisait pas partie de la famille Sutton ?

— Quel investisseur ? Quand ? demanda la duchesse, l'air un peu confus.

— Avant l'incendie.

— Je n'ai pas le souvenir d'une tierce personne impliquée dans le développement de la station, du moins, à mon époque. J'ai toujours connu les Eaux comme une entreprise familiale, assura M. Pettit.

Il tendit la main vers son verre.

— Vous pensez à un villageois en particulier ? demanda-t-il.

— Je ne sais pas, répondit Glory. Mais dans la marge du dernier registre il est inscrit : *Thorpe remboursé en totalité*. Et, lorsque je suis remontée dans le temps, j'ai trouvé un afflux de capitaux attribués au même M. Thorpe.

M. Pettit fronça les sourcils.

— Je sais que la station était en difficulté dans les derniers temps. Peut-être M. Sutton a-t-il été contraint de rechercher des fonds supplémentaires ?

— Mais qui est ce Thorpe ? demanda la duchesse. Et pourquoi personne ne le connaît ?

— Peut-être s'agissait-il de ce que l'on appelle un associé « tacite », un investisseur secret ? suggéra le duc d'une voix étrange.

— Sous-entendriez-vous que ce Thorpe pourrait être à l'origine de tous les problèmes ? demanda M. Pettit.

Glory secoua la tête.

— Croyez-vous que cela soit possible ? Il doit être fort vieux, n'est-ce pas ? Et la note affirme qu'il a été remboursé, probablement grâce à la vente de cette maison. Je ne vois donc pas quels griefs il pourrait avoir, dit Glory, soucieuse.

— Peut-être, mais cette transaction a été gardée secrète et tout ce qui concerne les affaires d'argent doit être pris en considération, fit remarquer Westfield. Je vais de nouveau aller voir Mme Goodhew et lui demander si ce nom lui dit quelque chose.

Thad ne semblait pas partager l'intérêt des autres pour la découverte de sa sœur.

— Je croyais que tu cherchais des informations sur le cadeau de la reine, lança-t-il, fidèle à son obsession. J'imagine que tu n'as rien à nous apprendre sur le sujet ?

— Eh bien, si, répondit Glory avec un sourire.

— Quoi donc ? Et pourquoi ne m'as-tu rien dit plus tôt ? s'exclama Thad.

— Je ne suis sûre de rien, mais j'ai commencé

à m'intéresser à un certain Dr Dee dont il est fait plusieurs fois mention.

— Dr Dee ? Etait-ce l'un des médecins de la station thermale ? s'enquit Phillida.

— Non, c'était, entre autres, l'un des conseillers de la reine Elisabeth, expliqua Glory. Puisque son nom apparaissait souvent, j'ai mené mon enquête et j'ai découvert que c'était un personnage assez inhabituel.

— En effet, c'était un homme en avance sur son temps dans de nombreux domaines, dont les mathématiques, l'astronomie, la cartographie et la cryptographie, ajouta M. Pettit.

Ses connaissances surprirent beaucoup Glory ; puis elle comprit : bien sûr ! Il ne pouvait pas ignorer le contenu de sa propre bibliothèque puisque c'était lui-même qui lui avait conseillé de s'y intéresser.

— La cryptographie ? demanda Phillida avec la même gravité que s'il s'était agi de déterrer des cadavres.

— L'étude des codes, expliqua son hôte.

— Pour les messages secrets ? demanda Thad, très intéressé.

M. Pettit acquiesça.

— Surtout à usage politique. C'est le décryptage de tels messages qui a causé la perte de la reine Marie d'Ecosse, la rivale d'Elisabeth.

— Dee était également un mystique qui se piquait d'astronomie et de sciences occultes, ajouta le duc.

— Il s'intéressait à beaucoup de choses. Certains ont même insinué qu'il était bien plus qu'un simple conseiller, servant parfois d'espion pour sa souveraine, répondit M. Pettit.

— Vraiment ? s'étonna Glory, qui n'en avait trouvé mention nulle part. C'est fascinant !

Westfield était loin de partager son intérêt.

— Je ne vois pas le rapport avec les Eaux de la Reine, à moins qu'il n'ait utilisé quelque baguette magique pour découvrir la source.

— Vous êtes beaucoup trop pragmatique pour apprécier le romantisme de cette histoire, répliqua Glory.

Une remarque qui aurait très bien pu s'appliquer à elle quelques jours plus tôt.

— Mais, si Dee était célèbre pour ses messages codés, peut-être a-t-il laissé un indice sur l'endroit où est caché le cadeau de la reine, lança Thad.

Glory sourit devant l'enthousiasme de son frère.

— C'est peu probable, mais j'ai trouvé référence de rumeurs l'impliquant dans cette histoire de cadeau. Peut-être l'a-t-il choisi, ou a-t-il offert le cadeau au nom de la reine.

Thad eut l'air déçu.

— Es-tu en train de me dire que le cadeau de la reine pourrait être un vieux livre sur les mathématiques ? maugréa-t-il.

— Il s'agit peut-être d'un objet religieux, fit Phillida. Et peut-être est-ce là l'origine de la malédiction.

— Il n'y a pas de malédiction, assura de nouveau Glory. Qu'il se soit agi d'un cadeau ou non, le haut patronage de la reine a assuré le succès de la source pendant de très nombreuses années.

— Lorsque j'ai rencontré mon mari, la station était certes sur le déclin, mais c'était néanmoins un endroit charmant, ajouta la duchesse. Et bientôt les Eaux de la Reine retrouveront leur lustre d'antan.

Autrefois, Glory aurait acquiescé mais maintenant elle doutait.

— Je l'espère, même si je crains que cela n'arrive pas dans l'immédiat. Tant que nous ne pourrons pas garantir la sécurité de nos clients, la buvette restera fermée.

— Quoi ? hoqueta Thad. Ne me dis pas que tu vas céder !

— Ce n'est pas mon intention, mais je ne veux pas être responsable d'un accident qui signifierait notre ruine définitive.

Thad sembla vouloir ajouter quelque chose, mais la duchesse prit la parole :

— C'est une déception pour tout le monde, jeune homme. Nous avons tous intérêt à voir prospérer cette station thermale, n'est-ce pas ?

M. Pettit faillit s'étrangler avec son vin et Phillida eut l'air sceptique. Quant au duc, il afficha une mine renfrognée, tout comme Thad, dont la bonne humeur, après son cours de boxe, ne semblait plus qu'un souvenir.

Les Eaux portaient-elles effectivement malheur ? A voir les visages maussades de l'assistance, on pouvait en effet se le demander.

Oberon attendit patiemment que le souper soit terminé pour interroger l'auteur d'un propos lancé, probablement sans y penser, lors du dîner. Il savait par expérience qu'une personne détendue était plus facile à interroger lorsqu'elle croyait ses propos sans conséquence. C'était une méthode qu'il avait pratiquée avec succès sur des ministres, des politiciens ou des visiteurs étrangers ; cependant, il n'avait jamais imaginé l'utiliser un jour sur sa propre mère.

Il découvrit la duchesse installée dans son coin favori du salon. Elle se détendait en buvant un verre de vin et en jouant aux cartes avec son cousin… que l'alcool rendait fort gai.

— Ah, Oberon ! Venez donc vous joindre à nous, lança-t-elle.

— Si cela ne vous dérange pas, dit-il à M. Pettit.

— Non, bien sûr.

M. Pettit l'invita à prendre place à côté d'eux.

— Asseyez-vous où vous le souhaitez, dit-il en ouvrant les bras. Après tout, c'est aussi votre maison.

La duchesse éclata de rire.

— Il est vrai que votre générosité nous pousserait presque à le croire.

Oberon remarqua le regard appuyé qu'elle lança à son compagnon, mais M. Pettit semblait mettre un certain temps à comprendre l'allusion.

— Oh... Oui, bien sûr, finit-il par balbutier. Nous sommes en famille, ici.

Etait-ce vraiment le cas ? Ces démonstrations semblaient un peu trop forcées pour être complètement honnêtes.

— Vous me permettrez donc de m'entretenir avec ma mère, dit Oberon.

Cette perspective semblait mettre leur hôte mal à l'aise car il lui adressa un regard inquiet en se levant pour quitter la pièce.

— Non, non, restez, je vous en prie. Vous pourrez peut-être m'éclairer sur quelques points.

Cette fois-ci le sentiment qui s'affichait sur le visage de M. Pettit était indubitablement de la panique.

— Que voulez-vous, Oberon ? s'enquit la duchesse. Je vous préviens : je ne peux vous accorder que peu de temps, car je suis en train d'écraser Randolph au jeu et je ne veux pas perdre mon avantage.

— Rassurez-vous, je vais être rapide, répondit Oberon. Je me demandais combien vous aviez investi dans la station thermale ?

— Pardon ?

Sa mère eut l'élégance de feindre la surprise.

Mais Oberon n'était pas dupe : sa mère ne se laisserait pas désarçonner aussi facilement. Il s'adossa confortablement et croisa les jambes.

— Depuis le début, une question me tarabuste : qui est l'investisseur secret que Mlle Sutton a réussi à convaincre d'investir dans une station thermale abandonnée ? Pendant longtemps, j'ai cru que ce dernier pourrait être le responsable de tous les incidents. Vous imaginez donc mon soulagement lorsque j'ai découvert qu'il ne s'agissait nullement d'individus louches, mais bien de ma propre mère.

La duchesse le regarda sans sourciller.

— Avez-vous bu, mon fils ?

— Au souper, vous avez admis avoir intérêt à la réussite de l'entreprise.

— Mon chéri, être intéressée à la réussite d'une entreprise ne signifie pas forcement qu'il soit question d'argent, répondit la duchesse en riant. Allons, ne prenez pas tout aussi sérieusement !

— Vous affirmez donc n'avoir rien investi dans la station ? insista Oberon, sans se démonter.

— Non, pas un sou, répliqua sa mère.

Mais Oberon remarqua la pâleur subite de M. Pettit. Avait-il trop bu, ou était-ce ses questions qui lui donnaient ce teint de craie ?

— Comment Mlle Sutton fait-elle pour assumer le coût de tous ces travaux alors qu'elle n'a quasiment aucune rentrée d'argent ? insista-t-il.

— Comment, vous l'ignoriez ? Mlle Sutton finance la réouverture de la station sur ses propres deniers ! répondit sa mère avec un sourire crispé. Après avoir quitté Philtwell, son père a bien réussi dans les affaires.

Et elle abattit une carte comme si elle venait de triompher de son fils et non de son adversaire au jeu.

— Il était devenu riche bien avant son mariage, poursuivit-elle. Lorsque lady Ormesby l'a épousé, elle n'est pas venue sans dot. Certes, son père a désapprouvé cette union, mais la sœur de ce dernier, Mme Bamford, a pris fait et cause pour sa nièce.

La jubilation avec laquelle elle assena cette information était étrange… Quoi qu'il en soit, Oberon fut soulagé de constater que l'argent familial n'avait pas été investi dans les Eaux de la Reine.

Il se tourna brusquement vers M. Pettit.

— Et vous, expliquez-moi clairement votre intérêt à voir prospérer la station thermale.

— Eh bien… euh…

Les balbutiements de leur hôte furent interrompus par l'intervention de la duchesse.

— Randolph a voulu dire que…

— Mère, je vous en prie, coupa Oberon, la réduisant ainsi au silence.

— Oui… mon intérêt est surtout pour cette maison et pour vous deux, la jeune génération, finit par dire M. Pettit, apparemment satisfait de sa réponse.

La seconde partie de la phrase attira l'attention du duc. Il se souvenait parfaitement du jour où on l'avait forcé à boire l'eau croupie de la source en compagnie de Mlle Sutton… alors que les autres n'en avaient rien fait.

— Non ! Vous n'espériez tout de même pas me contraindre… au mariage, avec cette absurde légende sur les pouvoirs romantiques de l'eau ?

Pettit opina du chef avant de se reprendre immédiatement en secouant violemment la tête, en signe de dénégation.

— Non, bien sûr que non ! s'écria-t-il.

— Je ne cherche pas de femme, s'exclama Oberon, scandalisé.

— Qui a dit… ? fit sa mère.

— Et pourquoi pas ? interrompit M. Pettit.

— Monsieur, cela n'est pas votre affaire, rétorqua Oberon. Et puis, sommes-nous même parents ?

Pettit eut l'air penaud.

— C'est bien ce que je pensais. A qui appartient cette maison ? insista Oberon.

En d'autres circonstances, la tête de Pettit aurait pu être comique ; mais dans le cas présent Oberon n'avait pas envie de rire. Lorsqu'il vit M. Pettit se pencher vers sa mère avec désespoir, il s'emporta.

— Expliquez-vous, que diable !

— Inutile de vous échauffer, mon fils. Lorsque la maison a été mise en vente, j'ai demandé à Randolph de l'acheter pour moi afin… de pouvoir retourner dans la région si l'envie m'en prenait.

Elle ne lui disait pas toute la vérité, Oberon aurait pu en jurer. Ou bien elle n'osait pas lui avouer sa nostalgie pour les lieux, ou bien il s'agissait encore d'une ridicule histoire sur le pouvoir magique des eaux. Quoi qu'il en soit, elle semblait avoir perdu tout sens commun.

Après des années à poursuivre des menteurs et des comploteurs, voilà qu'il était roulé dans la farine par sa propre mère et par un vieil ivrogne.

— Vous m'avez attiré ici sous de faux prétextes, m'écartant de mes obligations à Londres, c'est cela ? s'emporta Oberon. Est-ce tout ? Ou bien êtes-vous également responsables de la destruction de la buvette ? D'ailleurs, cet après-midi, peut-être poussiez-vous des rochers ?

— Oberon Makepeace ! protesta la duchesse en

jetant ses cartes sur la table. Comment pouvez-vous penser une chose pareille ?

— Je ne sais plus quoi penser. Rassurez-moi, mère : vous n'avez impliqué aucune autre personne dans vos plans ? Quelqu'un qui pourrait avoir poussé les choses plus loin que prévu ?

Il crut un instant que sa mère ne lui répondrait pas, mais elle leva vers lui un regard plein de reproche.

— Il n'y a pas de « plans », Oberon, et si vous me croyez capable de telles vilénies je vous conseille de courir à Londres remplir vos précieuses « obligations ». Il ne faudrait pas que votre famille vous en détourne !

Sa mère n'avait fait aucune allusion à son père, mais dans ses yeux Oberon lut un reproche silencieux : il n'était pas l'homme que son père avait été. Et comment pourrait-il la contredire ?

Oberon tourna les talons et quitta la pièce. Il ne marqua même pas l'arrêt lorsque M. Pettit lui lança d'une voix avinée :

— Personne ne peut lutter contre le pouvoir des eaux !

Les poings serrés par la rage, Oberon traversa la maison à grandes enjambées, ralentissant devant le rai de lumière qui s'échappait de la bibliothèque.

Cela faisait des années qu'il ne partageait rien, avec personne, mais en cet instant il n'avait qu'une envie : se confier à Mlle Sutton. Malheureusement, il pouvait difficilement discuter d'un sujet aussi intime avec elle. Peut-être, quelques jours plus tôt, auraient-ils pu rire ensemble des grotesques machinations de sa mère, mais le baiser qu'ils avaient échangé rendait cela impossible.

Ce baiser avait tout changé.

Non pas qu'il soit à présent convaincu des vertus magiques des eaux, mais il ne pouvait plus en rire avec Mlle Sutton.

Oberon ralentit le pas. Il était maintenant conscient d'avoir mal agi envers elle : un gentilhomme n'imposait pas ainsi ses attentions à une femme de qualité.

Mon Dieu, mieux valait ne pas imaginer la réaction de sa mère si elle apprenait la manière dont il s'était conduit.

Elle attendrait certainement de lui qu'il se comporte avec honneur. Elle avait d'ailleurs l'air de croire que ses révélations sur l'origine aristocratique de la jeune femme le pousseraient à faire sa demande.

Comme elle le connaissait mal ! Tout cela n'avait aucune importance à ses yeux.

La vérité était plus simple : il ne cherchait pas d'épouse.

Inutile donc de poursuivre ses relations avec la jeune femme.

Cela ne l'empêcherait pas de travailler avec elle, de l'aider en tant que magistrat… Pourtant, ce n'était pas son rôle de juge qui le poussait vers la bibliothèque.

Mon Dieu… Prendre le visage de Glory dans ses mains, enfouir sa tête dans la douce odeur de sa gorge… Trouver le réconfort… Enfin.

Il n'était pas l'homme que son père avait été.

Serrant les poings, Oberon se raisonna et se dirigea vers sa chambre, où l'attendait Pearson. A défaut de pouvoir se confier, il aurait au moins de la compagnie.

Quelle ironie ! Lui qui appréciait tant la solitude que lui imposait son travail, il se sentait en cet instant totalement abandonné… Que n'aurait-il donné pour bénéficier du réconfort d'un ami…

***

Laetitia rassembla ses cartes et les reposa. Sa chance l'avait abandonnée. Elle avait été démasquée et tous ses plans étaient tombés à l'eau.

Elle secoua la tête, dépitée. A défaut de magie, elle avait espéré que l'air de la campagne et la beauté de la nature feraient de l'effet à son fils, comme cela avait été le cas pour son père. Mais non.

Comment avait-elle pu être assez sotte pour placer tous ses espoirs dans une vieille légende ?

Elle s'était bercée d'illusions… Sur les Eaux, sur son fils. Cela faisait des années qu'elle l'avait perdu. Après la mort de son père, il s'était éloigné d'elle jusqu'à n'être plus son fils que de nom.

Cette distance entre parent et enfant n'était pourtant pas si rare dans la bonne société où les mariages, comme les enfants, étaient considérés comme des arrangements et des devoirs. Mais ce n'était pas l'esprit dans lequel son mari et elle avaient fondé leur famille. La famille avait été une valeur qu'ils avaient chérie par-dessus tout.

— Il est peut-être déjà en train de planifier son départ, murmura-t-elle, la gorge serrée.

— *Môsieur* a des « obligations », ironisa Randolph en faisant tourner le vin dans son verre.

— Des obligations mondaines, renchérit-elle.

— Rien n'est moins sûr, dit Randolph la voix pâteuse.

Honteux de la tournure prise par les événements, il avait noyé son malaise dans la bouteille.

— Il paraît trop sérieux…

Randolph laissa échapper un hoquet sonore et alcoolisé.

— … pour s'adonner à de stupides mondanités, conclut-il.

Laetitia regarda son ami, la mine songeuse.

Pendant des années, elle s'était plainte des occupations futiles de son fils mais, en y repensant, la remarque de Randolph était assez juste.

Elle savait finalement peu de choses de la vie que son fils menait à Londres, si ce n'est ce que lui rapportaient ses relations. Mais, après cette semaine passée en compagnie du duc, les paroles de Randolph semblaient pertinentes.

Oberon n'était pas le genre d'homme à se contenter d'une vie de salon.

L'architecture, les voyages, l'art, les livres, Oberon pouvait discuter intelligemment de tous ces sujets, pourtant il ne voyageait pas, et n'était pas non plus un collectionneur ou un bâtisseur.

Son fils ne jouait pas, ne buvait pas et ne faisait pas scandale avec une vie amoureuse dissolue.

— Mais alors, que fait-il de ses journées ? s'exclama-t-elle tout haut.

— C'est en effet une bonne question, dit Randolph. Peut-être a-t-il une femme et dix enfants qu'il cache à la campagne ?

— Randolph ! gronda Laetitia en lui confisquant son verre tout en se demandant si l'hypothèse de son ami méritait d'être creusée. Et si nous menions une enquête ? Connaîtriez-vous un homme discret, à Londres, qui pourrait s'en charger ?

Randolph secoua la tête.

— Oubliez Londres et cette histoire d'épouse cachée à la campagne, dit-il. Vous devriez plutôt enquêter sur ce qui se passe ici, dit-il en pointant vaguement le sol du doigt.

— Et pourquoi le devrais-je ? demanda Laetitia, sans comprendre.

— A cause de l'incident dans la montagne. Si votre fils et Mlle Sutton sont tués, vous pouvez dire adieu à vos petits-enfants !

Laetitia jeta à Randolph un regard effaré.

Elle était à la fois horrifiée et ravie de ces propos. Horrifiée à l'idée du danger qui guettait son fils et sa bru potentielle ; ravie car Randolph avait l'air de croire qu'une idylle était encore possible entre Oberon et Mlle Sutton.

L'optimisme de son ami raviva le sien. Il restait cependant de nombreux obstacles à surmonter avant un éventuel mariage… et pas des moindres.

— Vous avez raison, mon ami, reconnut-elle. Maintenant que nous avons tout mis en œuvre pour les jeter dans les bras l'un de l'autre, il est temps que nous découvrions qui en veut à leur vie.

Chapitre 11

Glory était penchée sur une pile de livres lorsque la duchesse entra précipitamment dans la bibliothèque.

— Oberon part interroger Mme Goodhew. Si vous vous dépêchez, vous pouvez le rattraper, s'exclama-t-elle.

Si elle avait pu réfléchir, Glory aurait sûrement refusé : pas question de passer plus de temps que nécessaire en compagnie de cet homme ! Mais, comme elle était prise au dépourvu, sa réaction instinctive fut de se réjouir d'être avec lui.

Elle décida de céder à sa pulsion première, d'abord parce qu'elle en avait envie, mais aussi pour échapper à cette bibliothèque, qui était devenue sa prison.

Le chapeau à la main, elle rattrapa le duc à la porte, où elle aperçut sa grande et élégante silhouette.

Elle essaya de ne *pas* l'imaginer sans son manteau… ou son gilet… ou sa chemise.

Devoir faire taire ainsi son imagination lui fit monter le rouge aux joues. Si cela la mettait dans un état pareil, pourquoi l'avait-elle rattrapé ? Mais, le chapeau à la main, il lui était difficile de faire demi-tour.

— Je vous accompagne, annonça-t-elle. Je vais devenir aveugle à force de déchiffrer ces vieux registres, ou folle à force de rester enfermée !

— Non, je n'ai pas besoin de compagnie.

— Monseigneur, vous ne pouvez pas m'enfermer, répliqua Glory d'un ton de défi.

Il la foudroya du regard et Glory détourna les yeux, gênée à l'idée de ce qu'il pourrait y lire.

— Je m'inquiète juste pour votre sécurité, lui dit-il.

Et voilà, il lui servait encore sa fameuse excuse pour lui imposer sa volonté !

Mais cette fois-ci il finit par céder et lui offrit son bras. Glory se mordit la lèvre pour ne pas sourire devant cette maigre victoire.

— Soyez attentive, prévint-il. Et pas seulement à l'égard de ceux qui sont assez près pour nous agresser, mais envers toute personne marchant dans les parages. Faites également attention à tout mouvement suspect qui viendrait des taillis.

Glory jeta autour d'elle un regard inquiet ; les jardins de Sutton House paraissaient soudain angoissants. Le vent agitait les feuilles des grands ormes et elle prit conscience du nombre de cachettes que recelaient les environs — pourtant familiers — de Philtwell.

Elle savait Westfield capable de mater un assaillant et, puisque les lieux n'offraient aucun rocher à lancer, elle ne comprenait pas les précautions excessives de son compagnon. Avait-il peur d'autre chose ?

— Vous pensez que l'on pourrait nous... tirer dessus ? demanda-t-elle.

— Je n'écarte aucune éventualité. Jusqu'à présent, les attaques contre vous ont été maladroites, mais la déception conduit parfois aux pires extrémités.

Glory blêmit, et se concentra pour essayer de déterminer si elle éprouvait la sensation, déjà maintes fois éprouvée, d'être observée. Non, la seule présence qu'elle ressentait était celle de Westfield et des sentiments qu'elle éprouvait pour lui. Cacher ces derniers l'empêchait d'ailleurs de tenir avec le duc une conversation normale. Fort heureusement, Westfield sembla ne pas remarquer son trouble.

— Parlez-moi donc de vos découvertes, lui demanda-t-il.

Elle réussit à lui résumer ce que ses lectures lui avaient appris et, avant qu'elle ne s'en rende compte, ils se trouvaient devant la maison de Mme Goodhew.

On les conduisit, comme lors de leur précédente visite, dans un petit salon confortable où brûlait un feu de cheminée. Il faisait une chaleur infernale dans la pièce, et la présence du duc ne faisait rien pour améliorer les choses. Au bord du vertige, Glory tenta de respirer calmement.

— C'est très aimable à vous d'accepter de nous recevoir de nouveau, dit le duc à la vieille dame.

— Mais je vous en prie, monseigneur.

Elle les observa avec attention.

— J'ai cru comprendre que vous avez été tous deux très occupés, poursuivit-elle.

Glory crut lire dans son regard un sous-entendu de nature plus tendancieuse et rougit.

Westfield, quant à lui, resta imperturbable.

— Pas assez, en tout cas, pour contrecarrer les plans de ceux qui souhaitent fermer les Eaux de la Reine.

— Maintenant qu'ils ont réussi, les ennuis vont peut-être cesser, répliqua Mme Goodhew en se renfonçant dans son fauteuil.

— C'est ce qui m'inquiète, lança Westfield.

D'abord surprise par cette remarque, Glory en reconnut rapidement la logique.

En effet, si ses ennemis abandonnaient la partie,

comment pourrait-on démasquer les responsables et rétablir définitivement l'ordre ?

Elle comprit alors avec consternation qu'il faudrait peut-être fermer la station pour un temps indéterminé.

— Je suis effarée, avoua Mme Goodhew en secouant la tête. Il faut le reconnaître : les temps ont bien changé si même les habitants d'un même village se retournent les uns contre les autres.

— Rien ne nous dit qu'il s'agisse de personnes de Philtwell, dit Glory pour apaiser la doyenne.

— Alors de qui pourrait-il s'agir ?

— Connaîtriez-vous un dénommé Thorpe, qui aurait peut-être investi dans la station thermale ? demanda Glory

— Quand cela se serait-il produit ? demanda Mme Goodhew.

— Juste avant l'incendie.

La vieille dame eut l'air pensive.

— Je n'ai jamais entendu parler d'un investissement... Toutefois, cela n'est pas exclu car, à l'époque, la station n'avait pas beaucoup de succès. En ce temps-là, on se déplaçait plus difficilement et nous étions loin de tout, nous avions peu de distractions, comparé à des villégiatures plus connues.

Mme Goodhew s'interrompit et regarda fixement Westfield.

— Votre mère dirait sûrement le contraire car elle a, à juste titre, de très bons souvenirs des Eaux, mais la station n'avait plus le même lustre qu'à l'époque de ma mère ou de ma grand-mère. Sutton avait fermé une des auberges en la laissant à l'abandon, et le terrain n'était plus aussi bien entretenu... Non pas que l'endroit ait manqué de charme.

Soudain, elle fronça les sourcils.

— Si cet investisseur était un partenaire extérieur, n'avez-vous pas mention de son adresse ? conclut-elle.

— Je n'ai pas encore étudié tous les registres mais, pour l'instant, je n'ai trouvé aucun contrat ou document légal. Juste une note manuscrite et un nom : Thorpe, indiqua Glory.

Madame Goodhew parut réfléchir.

— Je crois me souvenir avoir rencontré un homme portant ce nom. Il n'était pas de Philtwell, ça j'en suis certaine. Il était venu avec sa femme et son bébé. D'ailleurs, je les ai considérés comme des touristes comme les autres… C'était un peu avant l'incendie. Je ne les ai pas revus depuis.

Mais soudain son regard s'illumina.

— Le registre des clients ! Avez-vous vérifié dans le registre des clients ? s'écria-t-elle.

— De quel registre parlez-vous ?

— Tous les visiteurs devaient signer ces registres, expliqua Mme Goodhew. S'ils n'ont pas été détruits dans l'incendie, vous devriez trouver une trace de cette famille.

Glory n'avait pas envie de se replonger dans ces vieux livres. Autrefois, la perspective de glaner des informations sur la station était alléchante, et elle avait adoré s'adonner à ces premières recherches. Depuis, elle avait passé trop de temps enfermée dans la bibliothèque, et chercher une aiguille dans une meule de foin était devenu une idée beaucoup, beaucoup moins excitante.

A voir la tête de Westfield, fouiller la bibliothèque n'avait pas l'air de le réjouir davantage.

— Avons-nous le choix ? dit-il. Nous ne pouvons pas ignorer cet indice tant que nous n'avons pas fait notre possible pour tout apprendre sur ce M. Thorpe.

— Mais nous ne savons pas où se trouvent ces registres, ni même s'ils existent toujours, soupira Glory.

— C'est pourquoi nous allons faire un détour par votre cottage.

Ils remercièrent chaleureusement leur hôtesse et prirent congé, après lui avoir fait la promesse de la tenir au courant du fruit de leurs recherches.

Le chemin vers le cottage se fit en silence, chacun étant perdu dans ses pensées. Glory observait à la dérobée le séduisant profil de son compagnon, mais le visage de ce dernier ne trahissait aucune émotion.

Devant la porte du cottage, Westfield s'effaça pour la laisser passer, en s'inclinant de manière exagérée.

Glory lui jeta un regard surpris. Elle n'était pas revenue au cottage depuis qu'ils avaient échangé leur baiser, et ce souvenir la fit rougir.

— Nous avons déjà fouillé le grenier, je ne comprends pas l'intérêt de cette nouvelle visite, dit-elle, incapable de le regarder.

Son cœur battait la chamade à l'idée de se retrouver de nouveau seule avec le duc dans un espace confiné.

— Mais nous n'avons pas inspecté la cave, répliqua ce dernier en faisant signe à Glory de le précéder.

Que pouvait-elle faire, sinon obtempérer ? Elle emprunta l'escalier avec un sentiment d'excitation mêlée à la peur. Elle n'avait rien à craindre du duc, tenta-t-elle de se rassurer. Westfield n'était pas le genre d'homme à organiser un rendez-vous galant dans un souterrain. D'ailleurs, il ne nourrissait sûrement aucun dessein romantique à son égard. Le baiser dans le grenier était un accident, certainement dû à une curiosité réciproque et à une soudaine proximité.

Probablement…

Toute autre explication était inenvisageable.

Glory se méfiait de ses sentiments pour Westfield car ils avaient tendance à lui faire oublier tout bon sens. Aussi fut-elle ravie lorsque son odorat fut assailli par une forte odeur de moisi et d'humidité : quel soulagement, l'endroit était dans un état plus déplorable encore que le grenier, et donc moins propice à des… abandons.

Elle se fraya un chemin dans une semi-obscurité, la lueur de la lampe révélant des toiles d'araignées et des masses indistinctes. Plus elle descendait et plus l'air devenait humide ; une vague odeur de décomposition lui chatouillait les narines, émanant sûrement de quelque animal égaré là et qui n'avait jamais réussi à trouver la sortie.

Une fin atroce dont la pensée ne la rassurait pas.

Lorsqu'ils atteignirent le bas des marches, elle aperçut dans la pénombre des caisses et des ustensiles abandonnés. Le gardien avait apparemment négligé d'entretenir tout ce qui se trouvait au-dessus et au-dessous des pièces principales de la maison ! Cependant, le grenier était un refuge agréable comparé à cette pièce glacée, avec son sol en terre battue et ses murs de pierre.

Alors qu'elle se tenait immobile à l'entrée de la cave, Westfield la dépassa et se dirigea droit vers les caisses.

— Tout doit être pourri, déclara Glory d'un ton maussade.

Il devait y avoir de la moisissure… et des rats ! En entendant un bruissement, elle se rapprocha du duc.

Elle tenta de balayer la cave du regard, mais la lumière de la lampe n'atteignait pas les recoins de la pièce, d'où n'importe quoi ou… n'importe qui pouvait surgir.

Elle devait se ressaisir : personne n'avait pu pénétrer dans la cave, puisque le cottage était maintenant gardé par une armée de domestiques. Non, le seul danger ici émanait de Westfield, or ce dernier ne manifestait aucune intention à son égard, romantique ou autre.

Elle le vit soulever le couvercle d'une des caisses. Glory s'approcha et put admirer le candélabre qui s'y trouvait soigneusement empaqueté.

Apparemment, tout ce qui restait des Eaux de la Reine avait été rangé là, plutôt qu'à Sutton House qui devait déjà avoir été vendue à l'époque. Ils découvrirent des draps devenus gris avec le temps, et des verres de cristal qui avaient dû être autrefois étincelants. Logiquement, les registres de clients devaient se trouver quelque part au milieu de ce fatras.

Glory entraperçut au fond d'une caisse de curieux registres. Mais, alors qu'elle se penchait pour les atteindre, elle sentit un courant d'air lui chatouiller la nuque. A cet instant, la lampe s'éteignit, les plongeant dans le noir.

Glory s'immobilisa, affolée à l'idée qu'il puisse s'agir d'une autre agression. Où diable avait-elle posé son sac ?

— Monsieur le duc, chuchota-t-elle.

— Je suis ici.

Le son de sa voix grave et profonde la fit frissonner… bien plus que le contact de sa main dans son dos.

Instinctivement, elle se tourna vers lui, les mains nouées autour de sa taille masculine.

Le danger n'existait plus, plus rien n'existait à part eux. Comme animées d'une vie propre, les mains de Glory remontèrent jusqu'au torse de Westfield, s'égarèrent sur son cou, puis dans sa chevelure.

Tout était facile dans le noir. Enveloppée par l'obscurité et le silence, Glory se sentait libre d'agir comme il lui plaisait. Elle ne pouvait se voir et discernait à peine la silhouette de Westfield…

Mais elle entendit la respiration de ce dernier s'accélérer, puis sentit la pression de ses bras autour d'elle lorsqu'il lui prit la taille et l'attira contre son corps puissant.

Malgré l'obscurité, la bouche de Westfield trouva la sienne avec une force qui lui coupa le souffle.

Inutile de se mentir, ce n'était pas un accident, un simple frôlement de leurs lèvres provoqué par une soudaine proximité. Non, la fougue et la passion avec lesquelles Westfield l'embrassait ne laissaient aucun doute sur ses intentions.

Glory répondit avec la même ardeur. Ses premiers baisers, timides au début, se firent rapidement plus affirmés, jusqu'à ce que la violence de leur passion s'accorde parfaitement, la laissant le souffle court, brûlante de désir.

Lorsque les lèvres de Westfield abandonnèrent les siennes, ce fut pour dessiner un chemin brûlant le long de son cou et de son épaule. Glory crut défaillir.

La tête rejetée en arrière, elle laissa échapper un gémissement de plaisir qui résonna dans le silence de la cave. Un son inarticulé jaillit des lèvres de Westfield, comme en réponse.

Son corps viril s'appuyait de plus en plus fort contre le sien. Elle trébucha contre la caisse qui se trouvait derrière elle. Westfield la rattrapa et s'immobilisa. Glory allait protester pour qu'il reprenne ses baisers, lorsqu'elle sentit son pouce lui caresser lentement l'épaule puis… rajuster le haut de sa manche !

— Peut-être devrais-je demander à une femme de chambre de vous aider à fouiller la cave à ma place, dit-il d'une voix rauque.

Pendant de longues minutes, Glory fut engourdie, incapable de comprendre ce qu'il disait ; pétrifiée, elle le laissa recoiffer ses cheveux et défroisser les plis de sa jupe.

Lorsque enfin il s'éloigna d'elle, elle commença à reprendre ses esprits. Honteuse, elle enfouit son visage dans ses mains tremblantes. Mais que lui était-il arrivé pour qu'elle agisse ainsi ?

Westfield.

Il ralluma la lampe dont la flamme avait été soufflée par le courant d'air. Heureusement, la faible lueur qui s'en dégageait ne permettait à personne de voir clairement l'état lamentable dans lequel Glory se trouvait. Et — était-ce par délicatesse ? — le duc lui tournait le dos, feignant d'être concentré sur une caisse de bois.

Glory se préparait à fuir lâchement — et sans explication — lorsque la voix de Westfield l'arrêta.

— Je vous demande pardon, dit-il.

Son débit était haché, comme s'il prononçait ces mots à contrecœur.

— Ma seule excuse est que je vous trouve irrésistible, lâcha-t-il.

Il se retourna, affichant un sourire badin qui fit oublier à Glory toute gêne.

— Et dans d'autres circonstances j'aurais espéré poursuivre notre association, dit-il.

Le pouls de Glory s'affola. Allait-il lui proposer d'être sa maîtresse ? Elle n'était pas une femme de petite vertu, mais elle en avait certainement donné l'impression. Pourtant, jamais elle n'accepterait de devenir la maîtresse d'un homme, quel que soit l'amour qu'elle lui portait. Il ne s'agissait pas seulement de sa réputation, mais de celle de sa famille et de son entreprise. Elle s'était déjà suffisamment compromise, continuer ainsi causerait sa ruine.

— J'imagine que vous ignorez tout de ses plans

mais, pour couronner le tout, ma mère projette depuis notre rencontre de nous jeter dans les bras l'un de l'autre, ajouta le duc.

Sa mère ? Mais, s'il ne faisait pas référence à une liaison, que voulait-il dire par « association » ? se demanda Glory, incrédule.

— Mère veut me marier, proclama-t-il. Et elle a décidé que vous faisiez un excellent parti. C'est la raison pour laquelle elle a manigancé de nous faire boire les eaux en même temps.

Glory en resta bouche bée.

— A cause de la vieille légende ? finit-elle par demander.

Westfield acquiesça avec une moue de dédain.

— Apparemment, une simple gorgée suffit pour que nous succombions à une irrésistible attirance mutuelle.

Glory baissa les yeux. Oui, elle avait succombé, mais les Eaux n'étaient en rien responsables, elle en était convaincue. Depuis leur arrivée à Philtwell, Phillida, Thad et elle-même avaient bu de cette eau sans constater d'effets ou de pouvoirs particuliers.

— Bien qu'il me faille condamner des superstitions aussi absurdes, je ne désapprouve pas son choix en matière d'épouse, ajouta Westfield.

Il se tut un instant, puis reprit :

— Cependant, j'ai un certain nombre d'obligations dont ma mère ignore tout et qui m'empêchent d'obéir à sa volonté.

Glory était interdite.

— Bien entendu, réussit-elle à articuler. Vous devez choisir une femme de votre milieu.

— Non, ce n'est pas la raison. Je suis tenu par des… obligations.

Il avait l'air embarrassé, presque autant que Glory.

— J'espère que vous me pardonnerez ma franchise, ajouta-t-il. Je voulais éviter un malentendu. Vous êtes… Vous méritez mieux.

— Bien sûr, je comprends, balbutia Glory avec peu de conviction.

Même si c'était pour lui en démontrer l'impossibilité, le duc de Westfield venait de lui parler de mariage. C'était incroyable, en soi.

— Comme vous le savez, j'ai également des obligations, finit par répondre Glory. Toute ma vie est consacrée à la station thermale, poursuivit-elle, bien décidée à clore une conversation qui lui était de plus en plus douloureuse.

Pourtant, lorsque Westfield acquiesça, le visage de nouveau froid et distant, elle n'éprouva aucun soulagement, mais bien de la tristesse.

Ils se retrouvaient tous les jours à Sutton House pour le petit déjeuner et le dîner ; plus l'enquête piétinait, plus l'atmosphère devenait pesante.

En tant que magistrat, Westfield semblait de plus en plus frustré — et comment l'en blâmer ? Aucune nouvelle piste ne s'était présentée. Quant à Glory, elle passait ses journées plongée dans les registres, à la recherche d'indices inexistants.

Sa seule satisfaction était que Thad avait cessé de bouder. Il regrettait toujours la fermeture de la buvette, mais s'occupait en fouillant de son côté les alentours du manoir, à la recherche d'informations concernant le fameux cadeau de la reine.

Ce matin-là, cependant, les nouvelles du monde eurent de quoi réjouir l'assistance : Napoléon avait enfin été enfermé à Sainte-Hélène. La réaction de Westfield fut, curieusement, assez mitigée : il oscillait entre un état de fébrilité dû à son impatience de recevoir d'autres nouvelles et un silence pensif.

— Alors, cette fois, c'est bien fini ? demanda Thad. La guerre, les troubles…

Il se tourna vers Glory.

— Peut-être est-ce le moment de faire mon voyage en Europe ? ajouta-t-il.

— Il y a toujours des remous en Europe, dit Westfield. Les problèmes sont inévitables, que ce soit chez nous ou ailleurs.

— Je vous trouve bien fataliste, Westfield, lança Pettit.

Lorsque le duc remarqua la gêne que provoquaient ses propos parmi les convives, il concéda, en s'adressant à Thad :

— Oui, en effet, on peut dire que la guerre est finie. Ce qui est une bonne nouvelle.

Puis il regarda Glory avec une expression étrange ; cette attention soudaine la fit rougir.

Depuis leur conversation au cottage, elle avait fait son possible pour éviter Westfield, et ce dernier avait de son côté gardé ses distances.

Elle se détourna, gênée de sentir son regard sur elle, anxieuse à l'idée de lui dévoiler les sentiments toujours forts qui l'animaient. N'y tenant plus, elle allait se lever de table lorsque la gouvernante entra dans la salle à manger.

Elle annonça avec un ton désapprobateur l'arrivée d'un jeune villageois qui demandait à voir le duc ou bien son valet.

— Faites-le entrer, dit Westfield.

La domestique s'inclina avant de se retirer en faisant la grimace. Elle revint quelques secondes plus tard, accompagnée d'un jeune garçon, âgé de dix ans tout au plus, qui serrait nerveusement sa casquette entre ses doigts.

— Monseigneur, dit-il d'une voix essoufflée, et sans attendre d'avoir été invité à parler, je suis venu dès que j'ai vu… J'ai laissé un autre garçon sur place, mais je lui ai dit de ne rien faire et de vous attendre.

— Que se passe-t-il ? Quelqu'un s'est introduit dans la station ? le pressa Westfield.

— C'est plus grave, monseigneur. On a trouvé un homme assommé, dans la buvette. Mais vous feriez mieux de venir voir vous-même.

Le duc se leva immédiatement, suivi par Thad et Glory. Westfield aurait certainement préféré qu'elle reste avec les autres mais, après tout, c'était *sa* station thermale, et elle avait le droit de savoir.

Comme elle le découvrit très vite, l'homme retrouvé dans la buvette faisait partie de l'équipe des gardiens de nuit.

Une enquête rapide révéla que son homologue, chargé de la surveillance de jour, s'était posté devant l'entrée sans savoir que son collègue gisait sans connaissance, au milieu des arbres, à l'arrière du bâtiment.

Apparemment Westfield avait engagé un nombre important d'hommes de main d'âges variés, et dont le travail consistait à surveiller le village et ses alentours. C'était un de ces garçons qui avait découvert l'homme, vivant mais inerte, une grosse pierre abandonnée à ses côtés.

Glory frissonna, le souvenir de sa propre mésaventure sur les falaises était encore frais. On aurait pu les retrouver, Westfield et elle, dans le même état que ce malheureux, voire pire.

Elle se pencha au-dessus de l'homme étendu et parvint à le réveiller en lui mettant sous le nez les sels de Phillida, pendant qu'on allait quérir le médecin.

Rapidement, la victime réussit à s'asseoir, n'exhibant d'autre blessure qu'une belle bosse à l'arrière du crâne. L'homme se souvenait avoir entendu un bruit provenant des arbres, puis plus rien. Selon ses souvenirs, il avait perdu connaissance au milieu de la nuit, ce qui signifiait que la buvette était restée sans surveillance pendant un long moment.

Glory jeta un regard vers la porte, à l'arrière du bâtiment. Thad suivit son regard et, après s'être approché de l'entrée, il confirma ses soupçons.

— La serrure a été brisée.

Glory se releva, les jambes flageolantes.

— Mais pourquoi a-t-on fait cela ? Nous sommes fermés, que diable ! N'est-ce pas ce qu'ils voulaient ?

Westfield marcha vers la porte. Il entra avec précaution, suivi de Glory et de Thad.

L'angoisse saisit la jeune femme. Avait-elle vraiment envie de constater l'état sûrement désastreux de la buvette ? Ils venaient à peine de se remettre du dernier acte de vandalisme ; elle n'était pas certaine d'avoir la force d'affronter un incident de plus.

Mais à l'intérieur il n'y avait ni fenêtre cassée, ni verre brisé, ni papiers répandus par terre. Elle se sentit respirer de nouveau. Peut-être le ou les intrus n'avaient-ils pas eu le temps de saccager les lieux comme la fois précédente ? Cette fois, les villageois avaient été sur leurs gardes, surtout les plus jeunes et…

Ils pénétrèrent dans la pièce principale, où chaises et tables n'avaient pas été touchées. Glory laissa échapper un nouveau soupir de soulagement… qui se transforma en hoquet lorsqu'elle se rapprocha de la pompe elle-même.

— Nom de Dieu ! s'exclama Westfield.

Le parquet neuf installé autour du comptoir avait été arraché, des planches jetées au hasard ; les fondations avaient été brisées et, à leur place, il y avait un trou creusé jusqu'à la terre.

Ainsi donc on en voulait au puits lui-même ! Glory pouvait toutefois s'estimer reconnaissante, car les choses auraient pu être pires : la précieuse eau de la station thermale aurait pu tout inonder.

— Il vaut mieux que tu recules, Glory, lança Thad en marchant précautionneusement sur les restes du parquet. Quelqu'un s'est attaqué au sol avec une hache ou une pioche.

Glory contemplait le désastre, horrifiée, tandis que Westfield s'accroupissait pour examiner les dégâts de plus près.

Après un examen rapide, il se redressa.

— Eh bien, maintenant, nous sommes fixés, annonça-t-il. Ce n'est pas la fermeture de la buvette qui les intéresse — même si elle les arrange.

— Alors que veulent-ils ? demanda Glory, perplexe.

— Que pourrait-on chercher sur le site des Eaux de la Reine ? demanda Westfield.

— La source ? suggéra-t-elle.

Et, avant que Westfield ait pu répondre, Thad s'écria soudain, atterré :

— Vous ne suggérez pas qu'ils l'ont trouvé… ?

— Trouvé quoi ? demanda Glory.

— Le cadeau de la reine, répondit Westfield avant que Thad n'ait pu formuler sa pensée.

Chapitre 12

Glory ordonna que l'on répare le parquet, et une fois de plus Westfield s'attela à découvrir tout ce qu'il pouvait sur cette dernière attaque.

Son enquête fut malheureusement infructueuse, et lorsqu'ils se retrouvèrent pour le dîner la frustration du duc était visible. Les coupables semblaient apparaître et disparaître comme par enchantement, au nez et à la barbe de tous les villageois et des hommes qui surveillaient les propriétés des Sutton.

Evidemment, les chuchotements de Phillida, qui ressassait encore cette histoire de malédiction, n'arrangeaient pas l'humeur des convives. A l'entendre, on aurait pu croire à une sorte d'esprit maléfique responsable de tous les dégâts.

— Voilà pourquoi, mon chéri, vous n'arrivez pas à appréhender les coupables, ironisa la duchesse en adressant à son fils un regard narquois.

Phillida se raidit sous la moquerie, mais ne proposa aucune solution pour se débarrasser des forces maléfiques.

— Mes enfants, nous devrions retourner à Londres et oublier toute cette affaire, finit-elle par dire.

Ce fut là sa seule suggestion et, connaissant le

manque d'enthousiasme de sa tante pour son projet, Glory ne fut pas surprise.

En revanche, la réaction de Thad l'étonna grandement.

éèderont pas à l'intimidation, gronda-t-il. Glory, tu *dois* rouvrir la buvette le plus tôt possible.

Vraiment ? Les propos de Westfield sur la possibilité d'un empoisonnement de la source résonnaient encore aux oreilles de Glory. Après tout, quelqu'un avait peut-être réussi à accéder au puits lui-même.

D'après Thad, les intrus avaient certainement trouvé ce qu'ils étaient venus chercher — le cadeau de la reine — et s'en étaient allés. Glory doutait cependant que ce dernier soit resté caché durant des siècles dans la station thermale. Si c'était bien ce que les vandales cherchaient, ils avaient probablement éventré le parquet en vain. Ils étaient donc toujours à la recherche d'un objet qui n'existait peut-être pas. Et rien ne les arrêterait.

Quelles avaient été les paroles de Westfield ? « La déception peut pousser aux pires extrémités. » Le pire était peut-être à venir, et cette perspective emplit Glory d'effroi.

— Le cadeau de la reine est sans doute en route vers quelque arrière-cour de Londres, où il sera vendu pour une bouchée de pain, ajouta Thad, dépité. Alors pourquoi ne pas rouvrir nos portes ?

— Parce que ta théorie n'est pas forcément juste, répondit Glory.

— Ces hommes ont toujours eu un coup d'avance sur nous et nous devons rester vigilants, ajouta Westfield.

— Où peuvent-ils encore frapper ? demanda Glory avec angoisse. Où pourraient-ils chercher ?

A peine avait-elle prononcé ces mots que la réponse s'imposa à elle. Tous les regards des convives se tournèrent en même temps vers la fresque murale.

Difficile à discerner dans la pénombre de la pièce, sa présence semblait soudain peser comme une menace sur les habitants de la maison.

Les yeux plissés, Glory fouilla du regard la scène dépeinte dans le tableau, comme si Elisabeth elle-même pouvait lui fournir une réponse. Mais la reine avait toujours les bras tendus, semblant donner vie à Sutton House, que l'on pouvait discerner dans la pénombre derrière elle.

— Je persiste à dire qu'elle se tient devant la maison, dit Thad.

— Ou bien la maison symbolise ses propriétaires, la famille Sutton, suggéra M. Pettit.

— Mais je ne vois ni la buvette ni le puits, s'exclama Thad, qui avait l'air d'avoir retrouvé son enthousiasme. Peut-être que le cadeau de la reine se trouve à Sutton House ?

— J'ai arrêté de chercher des références à ce cadeau pour étudier les registres de la station. J'essaie de trouver le nom de Thorpe parmi les clients, indiqua Glory. Mais tu peux reprendre mes recherches, peut-être trouveras-tu un indice ?

L'idée n'eut guère la faveur de Thad.

— Je préfère chercher le cadeau lui-même, plutôt que de lire des histoires sur le sujet.

— La vie de la reine Elisabeth m'a toujours beaucoup intéressé, je serais ravi de vous apporter mon aide, Thad, suggéra Randolph.

— Vous aviez promis de m'accompagner, puisque les jeunes gens doivent rester au manoir, lança la duchesse en jetant à son vieil ami un regard appuyé.

— Je suis désolé, Votre Grâce, répondit M. Pettit en ignorant le regard suppliant de la duchesse. Je ne peux décemment pas refuser mon aide aux Sutton, surtout s'ils cherchent un trésor caché !

Phillida était consternée par le tour que prenait la conversation.

— Si vous croyez sincèrement qu'il se trame quelque chose autour de cette maison, alors le cottage est l'endroit le plus sûr. Ici, nous pouvons être attaqués à tout moment, et jusque dans nos lits ! geignit-elle.

— Sutton House est bien gardée, et nous avons suffisamment de domestiques pour assurer notre sécurité, répliqua Westfield. Aucun étranger ne se risquera à dévaster cet endroit.

Mais si le ou les vandales n'étaient pas des étrangers ? se dit soudain Glory tandis que ses yeux balayaient la tablée. Non, elle ne pouvait pas imaginer M. Pettit capable d'une telle violence, et Westfield était d'emblée écarté.

— Nous pensions aussi être à l'abri à la buvette, tout comme au cottage, et maintenant ceci…, insista Phillida que les paroles de Westfield n'avaient pas apaisée.

Sa tante se mit à inspirer profondément. Allait-elle s'évanouir ? Thad, prudent, se rapprocha d'elle, prêt à la retenir au cas où… Mais visiblement Phillida n'en avait pas fini.

— Ma chère enfant, je n'ai jamais compris ta passion pour cette station thermale mais je t'ai soutenue… jusqu'à présent. Avec toutes ces histoires, je suis à fleur de peau et mes nerfs vont bientôt lâcher. Je *dois* penser à ma santé.

Son ton était sobre, dépourvu de ses habituels accents mélodramatiques.

— Il me faut retourner à Londres, poursuivit-elle. Thad, veux-tu m'accompagner ?

Glory était atterrée. Les sentiments que Phillida nourrissait envers son projet avaient toujours été très clairs, mais ses simagrées avaient empêché Glory de la prendre au sérieux.

Que Phillida déserte Philtwell peu de temps après leur arrivée ne l'aurait pas étonnée, mais qu'elle le fasse maintenant, alors qu'elle s'était liée d'amitié avec la duchesse, la prenait totalement par surprise.

Apparemment, ces nouvelles relations aristocratiques ne suffisaient pas à compenser les désagréments occasionnés par la réouverture des Eaux de la Reine.

Certes, Glory ne pouvait en vouloir à Phillida, mais le départ d'une femme qu'elle considérait comme sa mère était néanmoins douloureux.

Tous trois avaient reconstitué un cercle familial uni. Ils s'étaient rarement séparés, et maintenant...

Glory regarda Thad, la gorge serrée. Elle n'était pas prête à se séparer de son frère et craignait de le voir retourner à Londres sans surveillance. Si Phillida avait eu connaissance des bêtises que son neveu était enclin à faire dans la capitale, elle ne lui aurait certainement pas demandé de l'accompagner.

Glory retint son souffle, attendant la réponse du jeune homme.

Thad secoua la tête en signe de refus, et Phillida n'insista pas.

— Très bien, dit-elle avec raideur. Je vais donc partir toute seule. Je prendrai l'attelage, si cela ne vous dérange pas.

— Prenez le mien ; j'en ai fort peu l'utilité ces jours-ci, suggéra M. Pettit.

Tout le monde — la duchesse, Westfield, Thad et Glory — s'attacha à la faire changer d'avis. Phillida, bien que ravie de toute cette attention, insista.

— Je suis fatiguée de ton cher projet, et de tout ce qui va avec, Glory. Si ton père est parti pour ne jamais revenir, c'est qu'il y avait une raison, et tu ferais bien d'en tenir compte.

Glory préféra ne pas répondre, mais la duchesse ne fut pas aussi prudente.

— Et de quelle raison parlez-vous ? demanda-t-elle

Phillida resta quelques secondes silencieuse pour ménager ses effets, puis répondit en chuchotant presque :

— La malédiction…

Glory ne put s'empêcher de frissonner. Elle ne croyait pas à cette histoire, mais la perspective de vivre sans sa tante l'inquiétait.

Après l'annonce du départ de Mme Bamford, Laetitia s'était attardée à la table du petit déjeuner, jusqu'à ce qu'il ne reste plus autour de la table que Randolph et elle-même.

Lorsque la femme de chambre eut rempli de nouveau leur tasse de café, Laetitia, tout en remuant son breuvage, regarda son vieil ami, assis en face d'elle. Il s'était révélé plus fin qu'elle le croyait.

Après la colère avec laquelle Oberon avait accueilli ses plans de mariage, elle s'était sentie découragée. Randolph avait remis les choses en perspective.

— Vous espériez que votre fils se réveille, qu'il sorte enfin de sa froide indifférence ? Eh bien, c'est fait, lui avait-il fait remarquer.

La réaction de son fils avait en effet été assez extraordinaire. Le Oberon qu'elle côtoyait depuis quelques années aurait froidement ignoré ses projets de mariage et ne se serait jamais énervé ainsi.

Les paroles de Randolph lui avaient rappelé à point

nommé ce qu'elle avait pu constater depuis plusieurs jours : le pouvoir des eaux avait bien agi sur son fils et sur Mlle Sutton. Alors pourquoi diable ne voyaient-ils pas ce qui était évident pour n'importe quel observateur extérieur ?

— Mon ami, vous n'avez toujours rien trouvé sur les activités de mon fils à Londres ? demanda Laetitia en tournant distraitement sa cuillère dans son café.

Elle avait, de son côté, écrit quelques lettres pour interroger discrètement de vieux amis, mais n'avait reçu aucune information intéressante.

— Non, je n'ai rien appris, répondit Randolph.

Il attrapa le journal abandonné par Thad et, le visage dissimulé derrière les pages, se plongea dans sa lecture.

— Je crois que vous avez suffisamment remué votre café, dit-il avec ironie, sans interrompre sa lecture.

Laetitia baissa les yeux pour constater qu'elle n'avait pas lâché la cuillère et, sortant de sa torpeur, la reposa.

— Nous ne pouvons pas laisser les choses en l'état, affirma-t-elle.

Mlle Sutton passait ses journées à la bibliothèque et Oberon était par monts et par vaux, cherchant visiblement à éviter la jeune fille. Non, vraiment, il fallait que cela cesse !

— Le départ du chaperon de Mlle Sutton est peut-être regrettable, mais cela peut jouer en notre faveur, dit-elle en réfléchissant tout haut.

Les pages du journal s'abaissèrent légèrement, ne laissant paraître que les yeux de Randolph.

— Rassurez-moi, vous n'en êtes pas responsable ?

— Responsable de quoi ?

— Vous avez convaincu cette écervelée de partir en jouant sur ses peurs, c'est cela ? Vraiment, Letty, vous devriez avoir honte ! s'exclama Randolph. Je suis surpris que vous n'ayez pas soudoyé le garçon afin qu'il parte également. J'ai peur d'imaginer ce que vous avez prévu pour cette jeune fille.

Et, sur ces mots, il se remit à l'abri derrière les pages de son journal.

— Je n'ai pas l'intention de l'enchaîner au lit de mon fils, si c'est ce que vous pensez, répondit la duchesse avec hauteur.

— Oh ! mais de votre part plus rien ne m'étonne !

Laetitia fronça les sourcils.

— Je vous jure que je ne suis pour rien dans le départ de Mme Bamford, répondit-elle. Elle est entièrement responsable de sa décision, aussi stupide soit-elle. Je ne vois pas ce qu'elle craint à Philtwell ! Après tout, elle n'est même pas une Sutton !

Ignorant le grognement de dédain de Randolph, elle poursuivit :

— Et puisque c'est visiblement l'heure des accusations : qu'espérez-vous obtenir en assistant Mlle Sutton dans ses recherches, interdisant ainsi à quiconque — et par quiconque je pense à Oberon — de la voir en tête à tête ?

— Je lui offre mon aide, comme c'est le devoir de tout gentilhomme, répliqua Randolph. Et vous devriez faire de même, car plus vite ces attaques cesseront, plus vite nous pourrons reprendre le cours de nos vies.

Laetitia sentit son cœur se serrer. Non, elle ne souhaitait pas de mal à la famille Sutton, mais la perspective de retourner à sa vie morne, sans petits-enfants, sans même son fils… sans amour, la désespérait.

Face au silence qui suivit, Randolph abaissa les pages de son journal.

— Letty, peut-être est-ce vous qui devriez boire

l'eau de cette source ? Avez-vous déjà pensé à cela ? murmura-t-il.

— Pardon ? … Mais j'ai déjà connu un mariage heureux, bafouilla la duchesse.

— Eh bien, il est peut-être temps de vous remarier.

M. Pettit était un compagnon agréable. Il était calme et reposant, et possédait un sens de l'humour qu'il partageait avec Glory à intervalles réguliers, tandis qu'ils fouillaient ensemble les vieux grimoires de la bibliothèque.

Et puis sa présence lui épargnait de se retrouver seule face à Westfield. C'était mieux ainsi… Même si, au fond d'elle-même, elle ne pouvait nier qu'elle aurait apprécié un tête-à-tête avec le duc.

Les heures passaient et Glory commençait à s'impatienter. Malgré l'intérêt et le plaisir évidents que prenait son hôte à faire des recherches sur la reine Elisabeth, Glory était prête à le supplier de prendre sa place devant les registres.

Mais soudain, alors qu'elle allait jeter l'éponge, le nom longtemps espéré surgit sous ses yeux.

Surprise, Glory relut la page de peur de s'être trompée. Oui, Cornelius Thorpe avait bien signé le livre de présence, sans oublier de mentionner son lieu de résidence.

— Le village de Little Watling ! s'écria-t-elle, faisant sursauter M. Pettit qui somnolait au-dessus d'un vieux grimoire.

— Quoi ? Pardon ? demanda-t-il en se redressant, ahuri.

— Little Watling, répéta Glory. En avez-vous entendu parler ?

— Bien sûr. Cette bourgade se trouve plus bas dans la vallée. Pas très loin.

— Parfait, dit Glory en refermant le registre. Allons-y.

M. Pettit, maintenant parfaitement réveillé, la regarda avec surprise.

— Mais Westfield n'est pas encore rentré et…

— Nous pouvons y aller tous les deux, coupa Glory.

Après des jours et des jours d'inaction, elle avait hâte de bouger enfin. Cependant, son compagnon n'avait pas l'air de partager son enthousiasme. Elle l'avait oublié, mais il était encore convalescent.

— … Si vous êtes suffisamment rétabli bien sûr, ajouta-t-elle en tentant de masquer sa déception.

— Pardon ? Oh non, je suis en pleine forme, répondit M. Pettit en se levant pour prouver ses dires. Mais je ne suis pas certain que Westfield approuve.

Ah non ! Il n'allait pas s'y mettre lui aussi. Comme si elle avait besoin de la permission du duc pour agir ! Certes, elle était reconnaissante à Westfield de s'inquiéter pour elle, mais elle avait de plus en plus l'impression d'être sous son joug.

— Nous emmènerons Thad, opposa Glory.

Et avant que M. Pettit n'ait le temps de protester elle sortit de la bibliothèque, à la recherche de son frère.

Si Thad avait refusé de l'accompagner, Glory aurait peut-être attendu le retour du duc, mais son frère fut ravi d'avoir enfin quelque chose à faire. Surtout s'il s'agissait de débusquer un ennemi.

Très vite, ils se retrouvèrent tous les trois entassés dans le petit attelage des Sutton, roulant en direction de Little Watling. Thad ne cessait de se vanter de la rouste qu'il infligerait à Thorpe.

— Cet homme doit être très âgé pour avoir été l'associé de notre grand-père, fit Glory.

— Peut-être s'agit-il du fils ou du petit-fils de Thorpe, suggéra M. Pettit.

A l'idée de combattre un homme qui pourrait avoir son âge, et peut-être faire deux fois sa taille, Thad parut soudain moins sûr de lui.

— Ils ne peuvent pas être deux, n'est-ce pas ? demanda-t-il avec inquiétude.

— Il serait tout de même sage d'attendre le retour de Westfield pour enquêter, ne croyez-vous pas ? insista de nouveau M. Pettit en jetant un regard entendu en direction de son frère.

— En cas de bagarre, c'est en effet un formidable allié, renchérit Thad.

— Peut-être, mais il n'a pas plus l'habitude que nous de ce genre d'enquête, rétorqua Glory.

— Cela, je n'en suis pas si sûr, grommela M. Pettit.

— Il est peut-être en relation avec quelques hommes de la maréchaussée, fit Thad. Peut-être les aide-t-il, de temps à autre.

Glory leva les yeux au ciel en entendant cette idée ridicule. Westfield était certes très habile pour se défendre, mais l'imaginer pourchassant des criminels dans les ruelles crasseuses de Londres semblait grotesque.

Les paroles de son frère signifiaient en tout cas une chose : elle n'était pas la seule à penser que le duc n'était pas un simple mondain titré.

D'ailleurs, dans le carrosse qui les menait à Little Watling, Thad énuméra le nom de meurtriers célèbres ces dernières années, en se demandant à voix haute combien d'entre eux avaient été arrêtés par des hommes comme Westfield.

*
* *

Peut-être était-ce à cause de cette discussion à propos de meurtres, mais Glory commençait à regretter sa décision hâtive. Elle s'était sans doute laissé aveugler par le dépit. En effet, elle qui avait l'habitude de diriger sa vie et ses affaires comme elle l'entendait se sentait dépossédée. Westfield semblait avoir pris le contrôle de tout, y compris de son cœur.

A elle l'étude de livres poussiéreux, recluse à la bibliothèque, à lui l'action et les marches au grand air. Quelques jours plus tôt, elle l'avait surpris de nuit dans un mystérieux conciliabule avec des inconnus qui se disaient envoyés par « le bureau ».

Oui, vraiment, qui pourrait la blâmer de vouloir reprendre un peu le contrôle de sa vie ? Et puis, ce petit voyage à Little Watling n'était pas si imprudent que cela, après tout. Les registres étaient si vieux qu'il était fort possible que la famille Thorpe ait quitté la région depuis longtemps, ou bien oublié jusqu'à l'existence de la station thermale.

Telles étaient en tout cas les pensées qui l'animaient en attendant M. Pettit, parti interroger les habitants de Little Watling.

Un passant indiqua la lisière de la ville au vieil homme. Là, quelques maisons délabrées se dressaient à l'orée de champs et de pâturages.

— Il semblerait que M. Thorpe ait été un fermier, prospère de surcroît, annonça M. Pettit en revenant.

— Il a dû investir dans les Eaux de la Reine, dit Glory.

— Mais il a vendu toutes ses terres ainsi que de nombreuses maisons… sauf une, indiqua M. Pettit.

Il indiqua au cocher de s'arrêter devant une maison située sur le bord de la route.

— C'est ici ? demanda Glory en descendant de l'attelage.

— Non, c'est là, dit M. Pettit en pointant du doigt un bâtiment abandonné, au toit effondré, entouré de chênes noueux et de hautes herbes.

— Mais personne n'habite ici, n'est-ce pas ? s'enquit Thad d'une voix aiguë.

Glory ne put s'empêcher de sourire en voyant le visage décomposé de son frère. Thad était visiblement effrayé à l'idée d'affronter un individu capable de vivre dans de telles conditions.

M. Pettit secoua la tête.

— M. Thorpe est mort il y a plus d'un an.

Glory poussa un soupir de soulagement.

— Et sa famille ? demanda Thad en jetant autour de lui des regards inquiets, comme si dix jeunes fils Thorpe allaient surgir d'un moment à l'autre.

— Partie, répondit M. Pettit. Mais allons donc interroger la voisine.

Cette dernière se nommait Mme Marleybone mais n'avait que de très vagues souvenirs des Thorpe.

— C'était un vieux fou, ce M. Thorpe. Toujours en train de crier après quelqu'un. Plein de haine, je vous dis ! raconta-t-elle.

— Et sa famille ?

— Oh ! d'après ce que je sais, ils ne l'appréciaient pas plus que nous. Sa femme s'est enfuie pour ne plus avoir à le supporter. Ils ont eu quatre filles, qui sont parties dès qu'elles l'ont pu : elles sont allées travailler chez des parents ou se sont mariées.

— Aucune n'est restée dans la région ?

Mme Marleybone secoua la tête.

— Lorsque le toit s'est effondré, Thorpe et la dernière des filles sont partis. Personne ne sait où ils sont allés. Elle est revenue après sa mort, mais n'est pas restée. Comment aurait-elle pu ? dit la vieille femme en indiquant les ruines de la maison.

— Etait-elle accompagnée ? Un jeune garçon, un fils, peut-être ? demanda Glory en pensant au mystérieux garçon qui avait volontairement éloigné ses domestiques.

— Non, je n'ai jamais vu de garçon dans les parages, sauf ceux qui courtisaient les filles, mais cela fait des années de cela.

— Nous devrions peut-être jeter un coup d'œil, suggéra Thad en indiquant du regard le vieux bâtiment.

Pensait-il sérieusement que le cadeau de la reine puisse s'y trouver ?

Mme Marleybone eut soudain l'air soupçonneux vis-à-vis de ces étrangers qui venaient fureter près de chez elle.

— A votre place, je n'entrerais pas là-dedans, dit-elle. C'est dangereux et… étrange. On dit que le fantôme du vieux hante la maison.

— Dans ce cas, nous devrions, à plus forte raison, inspecter les lieux, annonça Pettit.

La femme haussa les épaules pour signifier qu'elle se désintéressait désormais de leur sort.

— Vous feriez mieux de rester près de la haie. M. Dobbins, le propriétaire des champs autour, n'aimerait pas vous voir piétiner son orge.

Ils acquiescèrent et prirent soin de rester près de la haie où poussaient les hautes herbes. Le chemin qui menait à la maison avait disparu sous la végétation.

Lorsqu'ils atteignirent les marches branlantes du porche, M. Pettit s'arrêta, hésitant.

— Il est sans doute préférable que vous nous attendiez ici, mademoiselle Sutton. Je crains que l'endroit ne soit pas très sûr, dit-il.

— Balivernes ! Les murs m'ont l'air solides, répliqua Glory.

— Les apparences sont parfois trompeuses.

Mais Thad venait d'ouvrir la porte et Glory s'engouffra à sa suite, faisant fi des inquiétudes de M. Pettit.

La maison avait probablement été autrefois assez plaisante, mais l'effondrement du toit avait laissé entrer pluie et vent, entraînant dégradation et délabrement. Malgré la journée chaude et ensoleillée, l'intérieur de la demeure était sombre et glacial et Glory se mit à frissonner.

— Je ne vois aucune trace de vie, déclara Thad.

— Mis à part celles d'habitants à quatre pattes, ajouta Pettit.

En effet, la maison semblait vide depuis longtemps ; les meubles et autres effets personnels avaient été enlevés, les murs et les sols étaient nus et décrépis. Les coins étaient encombrés de feuilles mortes et de dépôts de poussière. Glory se sentit envahie par un étrange sentiment de tristesse devant ce gâchis.

— Que devons-nous chercher ? demanda Thad en disparaissant dans une autre pièce, indifférent à la mélancolie du lieu.

— Je ne sais pas… des vieux papiers, répondit Glory.

Il lui parut cependant évident que la maison n'offrait rien d'intéressant. Et dire qu'elle avait passé des heures à fouiller de vieux registres… pour finir dans une vieille maison en ruine !

Elle allait s'engager sur les marches enfoncées de l'escalier lorsqu'un bruit la fit sursauter. Elle s'appuya contre le mur, s'attendant presque à voir la maison s'effondrer autour d'elle. Il y eut un battement d'ailes et un oiseau s'envola vers la charpente où il avait fait son nid.

Glory resta encore un moment immobile, troublée par l'obscurité qui régnait à l'étage. Le soleil avait dû passer derrière un nuage ou, l'heure tournant, la maison ne bénéficiait plus de son rayonnement, car il faisait soudain très sombre. Elle devait plisser les yeux pour voir la silhouette de Thad, devant elle. Un regard en arrière lui indiqua que Pettit ne les avait pas suivis.

— Il n'y a rien ici, dit Glory. Allons donc retrouver M. Pettit et partons.

— Mais il y a peut-être quelque chose dans le grenier, insista Thad en se dirigeant vers un coin enseveli sous les tuiles brisées et les débris.

A cet endroit, le sol était en parti enfoncé, et Glory n'osa pas s'aventurer plus avant. Le vent qui s'engouffrait dans la maison en ruine faisait craquer les vieilles poutres et l'on entendait les bruits des rongeurs courant sur les décombres.

— Reviens, Thad ! s'écria-t-elle, de plus en plus inquiète.

Pourvu que M. Pettit, tout juste rétabli d'une longue maladie, ne trébuche pas car elle ne se le pardonnerait pas. Après tout, c'était elle qui avait insisté pour faire ce voyage.

— Oublie ça et rentrons, insista-t-elle d'une voix forte.

Mais son frère était déjà en train de soulever un lourd morceau de bois. Glory entendit un craquement.

Elle sentit un courant d'air, et un poids frappa violemment son épaule. Elle chancela et vint heurter le mur, perdant l'équilibre. Elle cria, essayant désespérément de s'accrocher à quelque chose. Elle trouva une poutre qui arrêta sa chute dans les escaliers.

Tremblante, l'épaule douloureuse, elle reprenait à peine son souffle lorsque Thad arriva à sa hauteur.

— Que s'est-il passé ? s'exclama-t-il.

— Ton morceau de bois m'a heurtée !

— Non, ce ne peut pas être moi. Quelque chose a dû tomber du toit, répondit Thad en levant les yeux.

— Peu importe d'où il est tombé. Allons-nous-en avant que la maison ne s'effondre sur nous !

Mais Thad n'était pas de cet avis ; tout en l'aidant à descendre l'escalier, il essaya de la convaincre.

— Ecoute, tu vas rester dehors et moi je retourne à l'intérieur pour fouiller encore un peu.

— Non !

Le ton de Glory était catégorique.

— Nous n'aurions jamais dû entrer dans cette maison, ajouta-t-elle.

Arrivée au rez-de-chaussée, elle scruta l'obscurité, essayant de distinguer la silhouette de M. Pettit. Ne le voyant pas, elle l'appela.

Un bruit de pas précéda l'apparition de leur compagnon, qui accourut, un peu essoufflé, de l'arrière du bâtiment.

— Qu'y a-t-il ? Avez-vous trouvé quelque chose ? J'ai cru entendre crier.

— Glory s'est blessée, annonça Thad.

— C'est vrai ? demanda M. Pettit, soudain très pâle.

— Je vais bien, lui assura Glory.

Elle se tenait le bras, resserrant les pans de son manteau. Soucieuse de partir au plus vite, elle n'avait pas envie de perdre du temps en atermoiements sur son état.

Même lorsqu'ils sortirent enfin de la maison, Glory resta crispée. Elle se précipita vers la calèche, trébuchant sur le sol inégal, avec la désagréable sensation d'être de nouveau observée. Lorsqu'elle s'arrêta pour inspecter les alentours, elle ne vit que la vieille maison dont les fenêtres restaient sombres, l'ombre des vieux arbres semblant en garder l'accès. Au-delà, les champs d'orge s'étendaient à perte de vue, ondulant dans le vent.

Chapitre 13

Il avait beau s'en défendre, chaque fois qu'Oberon retournait à Sutton House, il éprouvait une certaine excitation. Parfois, il choisissait d'étouffer ce sentiment et évitait la jeune femme qui en était la cause ; mais en d'autres occasions il choisissait de s'y abandonner et regardait furtivement dans la bibliothèque, admirant Mlle Sutton penchée au-dessus d'un livre, les rayons du soleil jouant dans sa chevelure.

Son comportement était ridicule, il en avait parfaitement conscience, mais il ne pouvait s'empêcher de l'observer ainsi.

Il se sentait de plus en plus frustré, un sentiment qui lui était jusque-là inconnu. Il était irrémédiablement attiré par cette femme et ne tentait même plus de résister aux sentiments qu'elle lui inspirait.

Etait-il en train de devenir fou ?

Il en avait vu d'autres succomber à ce genre de folie. Ce pauvre vieux Dee, par exemple, réduit à sangloter sur une malheureuse broche, ou quelque autre colifichet ayant appartenu à sa belle.

Tandis qu'il était perdu dans ses pensées, ses pas l'avaient de nouveau amené devant la bibliothèque sans qu'il en ait conscience. Envahi par un mélange de gêne et d'excitation, il entrouvrit la porte, s'attendant à y découvrir Mlle Sutton.

Mais rien. La pièce était vide.

Son estomac se noua tandis que le désir laissait place à l'inquiétude. Il parcourut la pièce du regard tandis que mille questions assaillaient son esprit.

— Où sont-ils tous passés ? demanda-t-il à la domestique qu'il croisa dans le couloir en sortant de la bibliothèque.

— Madame votre mère est dans sa chambre. Mlle Sutton, M. Thad et M. Pettit ont pris le carrosse ce matin, répondit la jeune fille.

Oberon avait beau tenter de se raisonner, il fut incapable d'ignorer la panique qui menaçait de s'emparer de lui.

Comme la vie était facile lorsqu'il ne se souciait de rien ni de personne, et qu'il regardait tourner le monde sans sourciller ! Maintenant, rien n'était plus pareil. Il s'inquiétait… Pour une personne qui courait la campagne sans qu'il sache où elle était, ni comment la protéger. Il jeta un coup d'œil à la fenêtre ; le soleil se couchait, bientôt il ferait nuit.

Mais où diable était-elle ?

Devait-il blâmer Thad ou M. Pettit pour sa disparition ? Non, c'était sans doute l'œuvre de sa mère.

Le visage dur, Oberon se dirigea vers les escaliers, prêt à arracher la duchesse de son lit pour obtenir une réponse. Il était au milieu des marches lorsqu'il entendit le valet courir derrière lui.

Le carrosse était de retour.

Oberon se précipita vers la porte, avec un soulagement mêlé d'inquiétude. Etre ainsi victime de ses émotions lui était bien étrange. Lui qui d'habitude ne perdait jamais contenance, même dans les situations les plus délicates, était complètement perdu. L'homme qu'il avait été — insensible à tout et à tout le monde, à peine vivant — lui paraissait maintenant un étranger.

Le problème, c'était qu'à présent il éprouvait tout avec beaucoup trop d'intensité : il lui fallut se retenir pour ne pas courir accueillir Glory.

Lorsqu'il la vit émerger du carrosse, saine et sauve, il n'eut qu'une envie : l'enlacer, tenir son visage entre ses mains et la couvrir de baisers. Devoir se l'interdire ne fit qu'accroître sa frustration.

Son sentiment devait se lire sur son visage car M. Pettit se tint à distance et Thad s'éclipsa rapidement, sans ses habituelles effusions.

Les domestiques s'affairèrent un moment, jusqu'à ce qu'il se retrouve finalement seul dans l'entrée, avec Mlle Sutton. Il faillit l'entraîner dans le salon tout proche, mais elle semblait vouloir regagner sa chambre. Il se planta devant elle pour attirer son attention.

— Où diable étiez-vous passée ? s'enquit-il.

— Nous sommes allés à Little Watling à la recherche de la famille Thorpe, murmura-t-elle.

— Pardon ?

Oberon se retint pour ne pas hurler.

— Vous ne deviez pas quitter cette maison.

— Seriez-vous mon geôlier, en plus d'être magistrat, monseigneur ? demanda Mlle Sutton, en relevant le menton d'un air de défi.

Oberon ravala sa réponse acerbe. Elle avait l'air fatiguée, son regard était trouble et son visage très pâle.

Contre tout sens des convenances, il l'attira à lui et elle grimaça.

— Quoi ? Vous êtes blessée ?

Et sans attendre sa réponse il repoussa sa cape et découvrit une vilaine écorchure en haut de son bras.

En voyant sa blessure, il la prit dans ses bras et la souleva, malgré les protestations de la jeune femme.

— Monseigneur, je vais bien. Je suis tout à fait capable de marcher.

Mais Oberon l'ignora et commença à monter les escaliers tout en la tenant dans ses bras.

Arrivé en haut des marches, il croisa sa mère, qui ne manifesta aucune inquiétude en voyant son fils emporter Mlle Sutton dans une chambre. Elle ne prononça pas un mot.

Tant mieux, pensa Oberon qui n'avait aucune envie de se justifier.

Il ouvrit d'un coup d'épaule la porte de sa chambre et installa Glory sur son lit.

Aucune femme n'avait jamais partagé son lit, mais Mlle Sutton, elle, y paraissait… à sa place. Les chambres du château ducal de Westfield lui iraient sans doute encore mieux au teint, ne put s'empêcher de penser Oberon.

Malgré les protestations de son « invitée », il fit appeler Pearson et lui demanda d'apporter de l'eau chaude et un linge pour panser la blessure. Oberon ne s'éloigna que pour servir à Mlle Sutton un verre de cognac.

Cette dernière refusa de rester allongée et s'assit en grimaçant, preuve, s'il en était, de son courage physique. Mlle Sutton était décidément une femme extraordinaire.

— Que s'est-il passé, demanda-t-il en regrettant de l'avoir laissée sous la protection bien maigre de Thad et M. Pettit.

— Thad déplaçait une pièce de bois, lorsqu'un morceau m'a heurtée. Ce n'est qu'une écorchure, indigne d'une telle attention, je vous assure.

Oberon défit sa cape et la repoussa pour étudier la blessure. Elle n'était pas profonde, mais ce genre d'écorchure pouvait s'infecter, voire se gangréner. Parfois le pire arrivait, il en avait déjà fait la douloureuse expérience. Voilà pourquoi il s'était éloigné de ses amis et de sa famille ; pour s'épargner de souffrir lorsque les choses tournaient mal. Pourtant, cette fois-ci, il n'arrivait pas à se détourner et à fuir.

Bouleversé, il chercha le regard de sa compagne, mais Pearson choisit ce moment pour entrer dans la chambre.

Oberon s'affaira donc à nettoyer la blessure pendant que Mlle Sutton lui résumait son voyage inutile à Little Watling. Il dut se mordre les lèvres et garder la tête froide jusqu'à ce qu'elle se taise, les paupières tombantes.

Il la regarda ensuite s'endormir, assailli par des émotions qu'il ne pouvait plus ignorer.

Le lendemain, Oberon se leva, une fois encore, de très bonne heure. Il savait, si nécessaire, s'accommoder du manque de sommeil, mais les effets de plusieurs nuits d'insomnie commençaient à se faire sentir.

Malgré sa bonne volonté, il ne voyait pas comment résoudre les problèmes rencontrés aux Eaux de la Reine et encore moins le dilemme qui était le sien.

Comme il était loin, ce mondain célébré dans les salons londoniens, pensa-t-il en contemplant l'homme aux yeux cernés qui le regardait dans le miroir.

Il tira sur les pans de sa robe de chambre. A ce moment, un coup sec fut frappé à la porte.

— Entrez, dit Oberon, convaincu que Pearson venait lui apporter l'eau chaude pour son rasage.

Mais à sa grande stupéfaction ce fut Mlle Sutton, en chemise de nuit, qui apparut.

Lui d'habitude si réactif resta pétrifié. La jeune femme avait l'air aussi surprise que lui. Pendant un instant, elle fixa ses pieds nus, clairement visibles sous sa robe de chambre. Et, assez étrangement, ce regard innocent le troubla bien davantage que l'œillade d'une courtisane.

Très embarrassé, il fit à peine attention à Pearson qui entra avant de ressortir immédiatement en refermant la porte derrière lui.

Le claquement sembla réveiller Mlle Sutton dont les yeux, finalement, rencontrèrent les siens. Visiblement, elle n'avait pas entrepris de le séduire au saut du lit, mais était venue l'avertir d'un événement plus grave.

— Thad a disparu, dit-elle d'une voix angoissée. Je suis allée dans sa chambre pour discuter avec lui, mais son lit n'était même pas défait.

En temps normal, Oberon ne se serait pas inquiété. Après tout, il était normal qu'un garçon de l'âge de Thad découche de temps en temps. Même dans un village aussi reculé, on pouvait toujours trouver une femme qui, pour de l'argent ou pour le plaisir, saurait se montrer accueillante.

Cependant, et comme tout ce qui touchait la famille Sutton, les choses n'étaient pas toujours aussi simples. Les adversaires de la station thermale avaient peut-être décidé d'étendre leur champ d'action au frère de la propriétaire.

Soudain, il se souvint des bleus qu'avait arborés le jeune homme quelque temps auparavant. Il les avait négligés, les mettant sur le compte d'une échauffourée entre jeunes gens. Mais était-ce vraiment ce qui s'était passé ?

Mlle Sutton le regardait avec angoisse, et Oberon sut qu'elle pensait elle aussi à la bagarre à laquelle avait pris part son frère. Peu accoutumé à réconforter qui que ce soit, il lui prit maladroitement la main. Au regard du peu de vêtements qui les couvrait tous deux, il ne pouvait se permettre de faire plus.

— Nous allons le retrouver, lui assura-t-il.

Mais ses paroles semblèrent, au contraire, accroître l'inquiétude de la jeune femme.

— Nous nous sommes disputés, dit-elle avec un sanglot dans la voix. Hier, il a creusé un trou dans le mur qui se trouve sous la fresque, convaincu de trouver le cadeau de la reine dissimulé dans la pierre. Bien entendu, je l'ai vertement réprimandé. Après tout, Sutton House ne nous appartient pas.

Elle soupira, les yeux baissés, les doigts agrippés aux siens.

— Nous sommes tous bouleversés par les récents événements et mes mots ont sûrement dépassé ma pensée. Il est sorti en claquant la porte et j'ai cru qu'il était allé dans sa chambre. Plus tard, j'ai frappé mais il n'a pas répondu.

Elle s'interrompit, visiblement émue par ce souvenir.

— J'ai cru qu'il m'ignorait et qu'il se calmerait, reprit-elle. Mais après une nuit à me tourmenter pour les paroles très dures que j'avais eues à son égard, eh bien... j'ai décidé d'aller m'excuser avant le petit déjeuner.

Elle jeta à Oberon un regard désespéré.

— J'ai alors découvert sa disparition. S'il lui est arrivé malheur, je ne me le pardonnerai jamais.

Oubliant toute précaution, Oberon l'attira contre lui et la serra dans ses bras. Elle chuchota, les lèvres contre son torse. Envahi par un désir incontrôlable, Oberon craignait d'être incapable de se contenir.

— Il compte plus que tout pour moi, dit-elle.

Lovée contre Oberon, elle se mit à lui parler de la douleur de perdre un être cher. En l'écoutant, il regretta vivement son propre comportement à la mort de son père. Mlle Sutton avait rassemblé sa petite famille, alors que lui avait abandonné la sienne. Cette jeune femme était vraiment digne de son admiration.

— Je l'ai élevé pendant toutes ces années, tout cela pour en arriver à le faire fuir, gémit-elle.

— Ne dites pas de bêtises. Les jeunes hommes de l'âge de Thad, et les hommes en général, n'aiment pas être réprimandés, surtout par quelqu'un de plus âgé et de plus sage. Qui plus est si c'est une femme. Il est probablement allé se réfugier au cottage…

Ou à Londres, pensa-t-il en lui-même tout en se gardant d'exprimer sa pensée à haute voix.

Malgré sa détresse évidente, Mlle Sutton leva vers lui un regard intense.

— Que faites-vous des menaces qui pèsent sur nous depuis notre arrivée ? Imaginez que quelqu'un soit posté dehors, à l'attendre ?

— Thad s'est toujours déplacé très librement, répliqua Oberon. Rien ne suggère qu'il soit plus en danger maintenant qu'il ne l'était auparavant.

Toutefois, ils avaient tous deux conscience que le danger existait. Mlle Sutton était trop intelligente pour se laisser bercer par de belles paroles, et Oberon la respectait trop pour lui mentir.

Toutefois, il existait une possibilité qu'elle n'avait pas évoquée, ou à laquelle elle n'avait pas pensé, mais qui trottait néanmoins dans sa tête.

Une fois convaincu des bonnes intentions et de

l'honnêteté de Mlle Sutton, il avait oublié tout soupçon contre la famille. Mais, ce faisant, il avait choisi d'ignorer certains éléments troublants.

Par exemple : Thad n'était jamais avec sa sœur lors des divers incidents — si l'on exceptait l'accident de la veille. A moins que… Mlle Sutton n'ait été frappée par un morceau de bois que maniait son frère.

Que rajouter de plus ? De son propre aveu, le jeune homme ne voulait pas vivre à Philtwell. Sans compter ces allusions aux ennuis qu'il s'était attirés, à Londres.

Et si le jeune homme s'était de nouveau fourré dans le pétrin, mais cette fois-ci à Philtwell ?

Après avoir obtenu l'assurance que le duc ne partirait pas sans elle, Glory retourna précipitamment dans sa chambre pour s'habiller.

Elle essaya de chasser de son esprit l'image d'Oberon, debout, les pieds nus et les cheveux en bataille. Elle avait d'autres choses auxquelles penser en cet instant !

Cette fois-ci, lorsqu'elle se précipita en bas pour retrouver le duc, ce n'était pas l'excitation qui faisait battre son cœur, mais l'angoisse.

Ils ne prirent pas la peine de prendre leur petit déjeuner et partirent sur-le-champ. Ils s'arrêtèrent d'abord à la buvette, espérant trouver Thad sur les lieux. Mais ni les gardes ni les employés n'avaient vu le jeune homme.

Pendant que Westfield les interrogeait, Glory se dirigea vers le puits pour observer l'avancée des travaux. Ils seraient bientôt terminés et, bientôt, elle pourrait rouvrir la station au public. Mais étrangement cette perspective ne l'enchantait pas.

Quelques jours plus tôt, ce parquet tout neuf, poli

avec soin, l'aurait remplie de fierté. Elle se souvint de son sentiment de réussite lorsque les travaux de rénovation de la buvette s'étaient achevés. Elle avait alors eu le sentiment de prendre place parmi la longue lignée des Sutton qui avaient présidé aux destinées de cet endroit.

Maintenant, elle n'éprouvait qu'une grande tristesse. C'était pourtant ce qu'elle avait toujours désiré, consacrer sa vie à cette source, à son héritage. Alors pourquoi ce but lui paraissait-il soudain si creux ? Un piètre substitut pour combler le vide de sa vie.

Embarquée dans ce projet ambitieux, avait-elle agi de manière trop précipitée ? Déjà, Phillida était repartie vers sa vie londonienne. Tôt ou tard Westfield retournerait à « ses obligations », emportant le cœur de Glory avec lui.

Et Thad ?

La poitrine serrée, Glory se tourna vers le duc, espérant apprendre de bonnes nouvelles.

— J'ai envoyé des hommes fouiller les environs ; s'il est ici, nous le trouverons, assura Oberon.

Si… Glory aurait préféré ne pas entendre ce mot.

— En attendant, je suggère d'interroger les jeunes gens du coin. Certains sont peut-être au courant des projets de votre frère, poursuivit le duc. Lui connaissez-vous des amis, en particulier ?

Glory secoua la tête.

— Un des sujets de récrimination de Thad était qu'il n'avait aucun ami à Philtwell.

En effet, il avait immédiatement jugé les habitants du village comme trop provinciaux pour être dignes de la moindre considération de sa part.

— Thad est un jeune homme, et il ne tient pas

forcément sa sœur au courant des événements de sa vie, fit Westfield en offrant son bras à Glory.

Ce dernier commentaire ajouta toutefois à son inquiétude, et elle s'agrippa au bras de son compagnon, consciente des dangers que courait un jeune homme comme Thad.

Cela dit, un village comme Philtwell ne devait pas offrir tant d'occasions de s'attirer des ennuis, se dit-elle pour se rassurer. Et ce n'était certainement pas au presbytère, où avait choisi de s'arrêter Westfield, que les tentations étaient les plus fortes.

Glory considéra malgré tout le lieu avec méfiance, car elle était loin d'apprécier le révérend Longley. Rigide, hautain, l'homme considérait la station thermale comme un lieu de débauche, ce qui promettait de rendre la conversation peu chaleureuse, au mieux tout juste cordiale.

Glory se préparait donc à un accueil assez froid. Toutefois, ce ne fut pas le révérend qui leur ouvrit la porte, mais son fils, Clarence Longley.

Le jeune Longley se montra plein de commisération en apprenant la disparition de Thad, sans pour autant pouvoir fournir d'informations sur les allées et venues de son frère.

— Il ne s'est donc pas confié à vous ? demanda Westfield.

— Non. Nous ne sommes pas particulièrement amis.

— Mais il n'y avait pas d'inimitié entre vous ? insista le duc.

— Non, bien sûr que non, répondit M. Longley, visiblement surpris par cette dernière question.

— Vous ne vous êtes donc jamais battu avec le jeune Sutton ?

— Moi ?

Le jeune homme se mit à rire.

— Mon père me couperait la tête si je frappais quelqu'un. Et puis, je n'ai rien contre les Sutton ou contre les Eaux de la Reine. Au contraire, la station apportera un regain de vie à Philtwell : des distractions, des visiteurs, des bals. Exactement ce dont le village a besoin !

— Votre père est moins enthousiaste, lança Glory.

Clarence Longley rougit.

— Oui... Il est un peu vieux jeu, mais il s'y fera, vous verrez. La marche du progrès est inexorable.

— « Vieux jeu », qu'entendez-vous par là ? demanda Westfield.

— Oh ! il pense que les eaux sont impures à cause du pouvoir un peu spécial qu'on leur prête, dit Longley en riant. En temps qu'homme d'Eglise, il ne peut pas tolérer pareille chose. Et puis il a appris que ma sœur avait bu l'eau de la source et il a fait un scandale.

Longley rougit comme s'il en avait trop dit.

Cette vieille légende expliquerait donc la condamnation de la station par le révérend ? se dit Glory. A entendre le jeune homme, tout le monde au village connaissait cette histoire... sauf elle.

— Et avec qui aurait-elle bu l'eau de la source ? demanda Westfield.

Longley devint cramoisi.

— Euh... avec Thad, je crois.

Glory apprit ainsi avec stupéfaction l'intérêt de son frère pour la fille du vicaire. Grâce aux subtiles méthodes d'interrogation de Westfield, ils découvrirent beaucoup d'autres choses.

L'intérêt soudain de Thad pour la station thermale remontait en fait à l'arrivée de la demoiselle Longley sur les lieux. Elle était d'abord venue avec des amis, et avait fini au fil de ses visites par trinquer avec le propriétaire.

Glory était impressionnée par le nombre d'informations que réussissait à glaner Westfield, qui faisait preuve d'une habileté presque diabolique en réussissant à maintenir l'apparence d'une innocente conversation. La technique du duc avait l'air très au point, comme s'il faisait cela tous les jours.

— Puis-je interroger votre sœur ? demanda poliment Westfield.

— Bien sûr, Votre Grâce, dit Longley en se levant, visiblement soulagé que la conversation se termine.

Profitant de son absence, Glory se tourna vers Oberon, très troublée.

— Pourquoi Thad ne m'a-t-il rien dit ?

Certes, à leur arrivée au village, son frère était devenu distant et silencieux. Mais ces derniers temps l'ancien Thad avait refait surface : enthousiaste et bavard.

Pourtant, il avait tu l'existence de Mlle Longley.

— Et vous, vous confiez-vous à lui ? demanda Westfield.

Glory rougit.

Bien évidemment, elle n'avait rien dit à Thad de ses sentiments pour le duc. Comment l'aurait-elle pu ? L'objet de son affection était un duc, pair du royaume, qui lui avait très clairement expliqué « ses obligations ».

En revanche, Mlle Longley était une jeune femme charmante, qui ferait un très bon parti pour son frère… En dépit de son père, le révérend Longley.

Oui, elle était vraiment charmante, se dit Glory en apercevant la timide Mlle Longley.

Ravissante et douce, elle avait également l'air d'être bien élevée. Elle rougit violemment en entendant mentionner le nom de Thad.

— Mais je ne comprends pas, dit-elle, battant les paupières de ses yeux bleus. Je n'ai pas revu M. Sutton depuis la fermeture de la buvette, et il ne m'a pas fait part de ses… projets.

— D'après votre frère, votre père n'apprécie pas beaucoup M. Sutton, lança Westfield avec une franchise que Glory jugea embarrassante.

Cependant, au lieu de sursauter, Mlle Longley sourit.

— Oh ! il a des préventions ridicules, mais il s'y fera, dit-elle.

Décidément, les enfants du révérend ne le prenaient pas très au sérieux, pensa Glory.

— Vous a-t-il interdit de voir M. Sutton ? insista le duc.

— Non, et j'espère que la buvette va bientôt rouvrir, expliqua Mlle Longley en implorant Glory du regard. Les bals sont rares dans la région, alors mes amis et moi avons énormément apprécié de pouvoir nous réunir là-bas.

— Y avait-il d'autres jeunes gens appartenant à votre cercle qui n'auraient pas apprécié M. Sutton ? demanda Westfield.

Glory lui jeta un regard surpris : elle imaginait mal Thad victime d'un soupirant jaloux. D'ailleurs Mlle Longley secoua la tête.

Mais le duc insista.

— Un jour, M. Sutton est pourtant rentré avec un bleu sur la joue. Une bagarre avec un villageois, peut-être ?

— Je ne me souviens de rien de tel, répondit Mlle Longley, l'air étonné. Attendez… Je me souviens d'un jour où il a eu l'air mécontent de voir un homme à la buvette. Je ne l'avais jamais vu auparavant, mais

M. Sutton semblait le connaître et ils sont partis ensemble.

— Pourriez-vous me décrire cet étranger ? s'enquit Westfield.

Une fois de plus, la jeune fille secoua la tête.

— Je regardais surtout M. Sutton, je n'ai fait qu'apercevoir son compagnon.

Mlle Longley ayant fourni toutes les informations en sa possession, le duc et Glory la remercièrent pour son aide et prirent congé.

Essayant d'analyser tout ce qu'ils venaient d'apprendre, Glory suivit Westfield en silence, jusqu'à un coin d'ombre où il s'arrêta et lui fit face.

— A quelle sorte d'ennuis votre frère a-t-il été mêlé à Londres ? demanda Westfield. Est-il possible que ses problèmes l'aient suivi ici ?

Glory pâlit. Elle n'avait jamais envisagé cette possibilité. Non, c'était impensable !

Bien qu'elle n'ait jamais parlé à personne de cette période difficile pour leur famille, elle en expliqua à Westfield tous les détails, du mieux qu'elle put.

— Comme beaucoup d'autres jeunes gens avant lui, Thad s'est acoquiné avec de mauvais compagnons, qui l'ont entraîné dans leurs turpitudes. Principalement la boisson et le jeu. Vous savez comme moi combien ces vices, somme toute assez répandus, peuvent mener à la ruine s'ils sont pratiqués avec excès et sans restriction… dans certains quartiers de la capitale. Ses amis fréquentaient ce genre d'endroits, donc je doute qu'ils aient quitté Londres, surtout pour un lieu aussi reculé que Philtwell. C'est un pénible voyage et une destination exempte de distractions.

Westfield prit un air soucieux, mais avant qu'il puisse faire un commentaire un homme se dirigea vers eux d'un pas pressé. Arrivé devant le duc, l'homme ôta son chapeau et s'inclina.

Glory retint son souffle.

— On l'a trouvé, monseigneur.

Chapitre 14

A voir l'expression sinistre de Ned Bartlett, Oberon comprit que Thad n'allait pas être beau à voir. Mais le garçon était en vie, et c'était l'essentiel. En voyant le soulagement de Mlle Sutton à l'annonce de cette nouvelle, il en fut d'autant plus reconnaissant.

S'ils n'avaient pas été en public, il l'aurait prise dans ses bras. En attendant, il faisait tout son possible pour l'empêcher de rentrer en courant à Sutton House.

Lorsqu'ils arrivèrent sur place, Oberon fut soulagé de voir que Pearson s'était occupé de tout : Thad avait été lavé et mis au lit.

— Le jeune homme est assez mal en point, Votre Grâce. Il semble avoir été copieusement battu, lui chuchota discrètement son valet devant la porte du rescapé.

Oberon ne put, cependant, empêcher Mlle Sutton d'accourir à son chevet.

A sa décharge, elle réussit à ne pas s'évanouir ou grimacer devant le visage boursoufflé et l'œil tuméfié de son frère, mais l'embrassa au contraire avec sa vivacité habituelle.

— Je suis désolé, sœurette, marmonna Thad.

— Non, c'est moi qui te dois des excuses. Je t'ai mis, je vous ai *tous* mis en danger.

Mais son frère secoua la tête.

— Tu n'es pas fautive, dit-il tout bas tout en regardant Oberon. J'ai rendu presque autant de coups que j'en ai reçu, mais ils étaient deux.

— Vous sentez-vous suffisamment fort pour raconter ce qui s'est passé ? demanda Oberon. J'aimerais pouvoir corriger ces deux-là, dit-il, lui-même surpris du désir de vengeance qui l'animait.

— Ce n'est pas votre problème, répondit Thad.

Mais, avec la même délicatesse que plus tôt, Oberon parvint à faire parler le garçon. Comme il le suspectait, cela avait un rapport avec ses ennuis de Londres.

Le problème avait commencé avec deux frères, individus peu recommandables, qui l'avaient poussé à dépenser son argent de poche plus vite que de coutume.

Bientôt, il s'était retrouvé à fréquenter des tavernes où un jeune homme naïf et argenté représentait une proie facile à dépouiller.

Son comportement avait continué, jusqu'à ce fameux matin, où il était rentré titubant et avait trouvé sa sœur qui l'attendait.

Comme d'habitude, pensa Oberon en entendant le récit de Thad, Mlle Sutton s'était montrée remarquable. Au lieu de perdre du temps à pester contre le jeune homme, elle avait pris immédiatement des mesures pour le soustraire à l'influence des frères Juste — les si mal nommés.

— Je doute que ce soit leur vrai nom, dit Westfield.

Thad fut encore suffisamment naïf pour s'étonner de sa remarque.

Il s'était néanmoins montré prudent, et avait scrupuleusement acquitté ses dettes de jeu.

Sans la vigilance de sa sœur, il aurait sans doute tout perdu, comme cela s'était produit pour de jeunes hommes moins chanceux.

Cependant, à l'époque, Thad s'était senti insulté par l'intervention de Glory, bien que cette dernière leur ait sans doute épargné la ruine.

Aussi, sitôt arrivé à Philtwell, il s'était empressé d'écrire à ses anciens amis. Etonnamment — du moins le pensa-t-il — Thad n'avait eu aucune réponse, jusqu'à ce qu'il mentionne le cadeau de la reine.

Il avait alors reçu un courrier lui demandant de confirmer la véracité de son récit, et la possible localisation dudit trésor.

Au moment où était arrivée la missive des frères Juste, Thad avait presque oublié ses anciens amis, son intérêt étant occupé ailleurs.

— Le charme de la fille du vicaire, sans doute ? ironisa Oberon.

Thad parut surpris mais, soulagé de savoir son secret découvert, il opina.

— Un jour, elle est entrée dans la buvette et mon cœur s'est arrêté de battre, avoua le jeune homme en rougissant.

Le duc ne put s'empêcher d'envier la franchise de cet aveu. Le garçon n'avait ni démons ni obligations contre lesquels lutter.

Et puis Mlle Longley s'était comportée avec Thad d'une manière bien différente de celle qu'avait adoptée Mlle Sutton à son égard.

Quoi qu'il en soit, entre gagner l'approbation de Mlle Longley et celle de ses amis londoniens peu recommandables, le jeune homme avait vite choisi. Il pensait être débarrassé d'eux, lorsque, consterné, il avait vu arriver à Philtwell le plus jeune des frères Juste.

Devant la réticence de Thad, une bagarre avait éclaté.

— Ces deux-là ont senti qu'ils pouvaient faire du profit à Philtwell et sont venus vérifier par eux-mêmes, conclut Oberon. C'est typiquement le genre de chose qui attire ces gredins : un héritage princier facile à dérober. Le voyage demande une très faible mise de départ et le gain potentiel est énorme comparé à ce que peuvent rapporter des jeux de cartes truqués. Et c'était encore mieux si vous pouviez trouver le cadeau pour eux.

Thad baissa les yeux, honteux.

— J'ai peut-être exagéré la possibilité de trouver le cadeau de la reine, pour qu'ils ne me croient pas perdu au milieu de nulle part, sans possibilité d'en réchapper. Mais, lorsque j'ai vu Billy, je lui ai dit qu'il s'agissait d'une vieille rumeur ; et même si je me suis fait rosser j'ai cru qu'il partirait. Que pouvait-il faire d'autre ?

En exposant ainsi les faits, l'erreur de jugement qu'il avait commise apparut à Thad dans toute sa clarté.

— Un jour où j'étais sorti me promener, j'ai cru l'apercevoir, mais je me suis convaincu que je m'étais trompé, et qu'il était parti depuis longtemps. Je n'ai pas compris qu'ils étaient là tous les deux, et je n'ai jamais envisagé qu'ils aient un lien avec les incidents à la station thermale.

Malgré tout l'amour qu'elle lui portait, Mlle Sutton avait conscience des défauts de son frère. Elle lui jeta donc un regard sévère.

— C'est donc pour ces gredins que tu cherchais le cadeau de la reine ? demanda-t-elle.

— Non ! s'exclama Thad, scandalisé. Je voulais le trouver pour nous… euh… pour moi… pour impressionner quelqu'un.

— Le révérend Longley ? s'enquit Oberon.

Thad hésita puis acquiesça.

— Je sais qu'il n'apprécie pas beaucoup les Eaux de la Reine, même si Mlle Longley dit qu'il changera d'avis. Je me suis dit qu'une pareille découverte… cela l'impressionnerait… c'est historique et tout ça…

Sa voix s'étrangla.

— Et puis, si le cadeau avait vraiment de la valeur, alors je pourrais me marier, conclut-il avec une mine honteuse.

Oberon observa la réaction de Mlle Sutton. Pourvu qu'elle n'essaie pas de décourager le jeune homme ! Le garçon était jeune et amoureux, toute désapprobation ne ferait que renforcer sa détermination.

Mais Oberon aurait dû se douter que Mlle Sutton saurait faire preuve de sagesse.

— Mais Thad, dit-elle en prenant la main de son frère, tu peux te marier quand tu le souhaites. La moitié de la fortune familiale t'appartient. J'ai juste gardé le contrôle de nos finances pour te protéger ; afin que tu ne sois pas victime d'individus sans scrupule, comme ces Juste, avant de gagner en maturité.

Thad rougit à ses paroles.

— D'ailleurs si tu souhaites rester ici, reprit Glory, je te donne la station thermale. Elle t'appartient autant qu'à moi.

Cette offre, formulée sans la moindre hésitation, stupéfia Oberon. N'avait-elle pas déclaré aimer la station thermale par-dessus tout ?

Il se retourna vers elle, essayant d'évaluer son état d'esprit… Visiblement, elle était prête à abandonner le projet de sa vie, l'objet de ses soins attentifs, au premier mot de son frère.

— Mais avant toute chose nous devons nous occuper des Juste, déclara-t-elle.

Et, regardant Oberon, elle lui demanda :

— Qu'en pensez-vous ?

Qu'en pensait-il, en effet ? Pour l'instant, il se remettait de sa stupéfaction.

Mais, les Sutton attendant une réponse, il leur dit ce qu'ils souhaitaient entendre :

— Je crois que nous tenons nos vandales, déclara-t-il.

Pearson insista pour qu'Oberon change de tenue en cas d'échauffourée. Il dénicha un vieux manteau passé de mode — donc superflu — et il lui imposa un pantalon qui avait connu des jours meilleurs.

— Je ne compte pas me rouler dans la poussière, protesta Oberon.

— Moi non plus, mais on ne sait jamais avec ce genre de minables. Ils ne se battent pas selon les règles.

Il se tourna et aida Oberon à enfiler le manteau, la mine faussement désolée.

— J'ai presque pitié d'eux, dit-il. Ils ne savent pas à qui ils ont affaire.

— Et pourquoi le sauraient-ils ? dit Oberon. Comme tous les criminels londoniens, ils se croient plus malins que les campagnards, d'autant plus dans un village aussi petit et reculé que celui-ci.

Pearson étouffa un ricanement.

— Et pourtant il y a plus d'hommes en faction ici qu'au commissariat central de Londres.

— Pas tout à fait, répondit le duc.

Il devait pourtant le reconnaître : il avait un peu outrepassé ses prérogatives de magistrat. Il avait recruté de nombreux villageois, des jeunes garçons aux grands-pères, des hommes qui pouvaient surveiller les alentours sans se faire remarquer. Un dispositif sans doute excessif pour de simples coquins comme les frères Juste.

— Pourquoi ne laissez-vous pas vos hommes, que vous payez grassement, s'occuper de ce menu fretin ? demanda Pearson. Ces deux-là ne méritent même pas votre attention.

Oberon entrait, c'est vrai, rarement en contact avec ce type de petits criminels, mais cela ne voulait pas dire qu'il ne savait pas s'en occuper.

— Je souhaite les interroger personnellement.

— Avoir un intérêt personnel dans une affaire conduit souvent à commettre des erreurs, insista Pearson.

Il avait raison, pensa Oberon, mais il était certain de pouvoir manœuvrer deux petits voleurs, même s'ils se révélaient être de véritables crapules.

— Je ne fais confiance à personne d'autre qu'à moi pour obtenir la vérité sur ces deux-là, répliqua-t-il en faisant jouer ses menottes.

Derrière lui, la voix de Pearson se fit mordante.

— Et moi qui croyais que vous vouliez juste leur donner une correction ?

— Oui, ça aussi.

Oberon fit face à son valet.

— J'aurais d'ailleurs aimé que Thad puisse m'accompagner.

— Je ne comprends toujours pas pourquoi ils l'ont battu aussi violemment, avoua Pearson.

— Au départ, ils voulaient juste le secouer un peu, mais les nouveaux talents de Thad à la boxe ont, semble-t-il, envenimé les choses.

Pearson examina une dernière fois la tenue de son maître.

— Monseigneur, avez-vous votre pistolet ? Vos couteaux ?

— Oui, et toi ?

Pearson hocha la tête avec flegme, mais Oberon pouvait deviner son excitation. Décidément, Pearson n'était pas fait pour être valet.

— Jones et Thomas sont en position au cas où nous aurions besoin de leur aide, expliqua Oberon. Ils sont à la taverne Boar's Head, en train de surveiller nos cibles. Dès que j'aurai eu ma petite discussion avec eux, ils se tiendront prêts à les appréhender.

— Oui, et vos sentiments pour la famille Sutton n'affecteront en rien la nature de cette conversation, c'est bien cela ? ironisa Pearson.

— Tout à fait. Comme tu le sais, je suis un professionnel et je récuse toute violence inutile.

Pearson le regarda sans sourciller.

— Eh bien, espérons que leur comportement rende utile l'usage de la force.

Une fois ses visites matinales terminées, Laetitia retourna à Sutton House pour trouver la maison déserte. La bibliothèque n'était plus occupée que par Randolph seul, confortablement installé dans un fauteuil, en train de lire.

— Où sont-ils tous passés ? demanda-t-elle.

Randolph sursauta ; son livre lui échappa des mains, tombant à terre avec un bruit sourd.

— Je vois que vous travaillez dur, fit Laetitia en se penchant pour ramasser l'ouvrage.

— Je reposais mes yeux, voilà tout, répliqua Randolph, l'air vexé.

Laetitia lut à voix haute le titre du volume qu'elle tenait en main :

— *Histoire complète de la cour, au temps de la reine*

Elisabeth, et dans une version originale de surcroît ! Seigneur, je comprends que vous vous soyez endormi, ironisa-t-elle.

— C'est assez ennuyeux, il est vrai, mais je fais mon devoir pour la cause.

— Et de quelle cause s'agit-il ? demanda Laetitia, l'air perplexe. Parce qu'il semblerait que vous ayez abandonné la mienne…

— Jamais, Votre Grâce, jamais, protesta Randolph en s'inclinant profondément.

— Cessez donc vos flagorneries, elles ne trompent personne. Où sont-ils tous passés ?

— Ah ! Bien que je ne sois pas au courant de tout, je peux vous dire où sont passés certains et deviner où sont allés les autres, répondit-il avec un sourire malicieux.

— Que s'est-il passé ? Qu'ai-je raté ?

Laetitia foudroya son ami du regard. Ses airs mystérieux commençaient à l'exaspérer. Visiblement ravi de son effet, ce dernier se renfonça dans son fauteuil, savourant déjà les nouvelles qu'il avait à rapporter.

Pourvu qu'Oberon ait compromis Mlle Sutton ! songea Laetitia. Elle aurait dû avoir honte de souhaiter une chose pareille, mais à la guerre comme à la guerre, et si cela pouvait précipiter un peu les choses…

— Nous sommes seuls au petit déjeuner parce que votre fils et Mlle Sutton sont partis à la recherche de M. Sutton, qui a disparu.

— Pardon ? Mais pourquoi n'avons-nous pas été informés ?

Randolph haussa les épaules.

— Ils voulaient sans doute rester discrets, ou alors ils étaient trop pressés. Quoi qu'il en soit, Thad a été retrouvé. Il est maintenant couché dans son lit, un peu commotionné, après une altercation avec des ruffians.

Laetitia faillit s'étrangler.

— Mais qui à Philtwell oserait faire une chose pareille ? s'exclama-t-elle.

— Deux coquins venus de Londres. Thad leur a parlé du cadeau de la reine et ils ont débarqué, espérant mettre la main sur le trésor les premiers. Puisque votre fils et son valet sont introuvables, j'en déduis qu'en ce moment même ils sont en route pour appréhender les coupables.

— Oberon ? Mais pourquoi diable irait-il leur courir après ? Et avec son valet ?

— Il est le magistrat en exercice, n'est-ce pas ? Et d'ailleurs je l'en remercie car je crois qu'après cette affaire je vais démissionner, conclut Randolph.

— Et s'il était blessé ? demanda Laetitia avec inquiétude.

Certes, comme la plupart des gentilshommes, Oberon avait quelques notions d'escrime et de boxe, mais pas suffisamment pour se frotter à des criminels endurcis.

— Il n'est pas obligé d'intervenir en personne. Il peut envoyer des hommes, qui sauront mieux que lui arrêter ces bandits ! ajouta-t-elle.

— Cela, je n'en suis pas si sûr, répondit Randolph.

Depuis quelque temps, son ami avait pris l'habitude de ce genre de remarques, pleines de sous-entendus, et cela devenait de plus en plus exaspérant. Elle lui aurait d'ailleurs fait part de son agacement si elle n'avait été soudain frappée par une idée.

— Si ces hommes sont responsables de tous les récents incidents, alors Oberon n'a plus aucune raison de rester à Philtwell.

Les mains de Laetitia se crispèrent sur les accoudoirs

de son fauteuil, comme si la force de sa poigne pouvait suffire à empêcher les événements de lui échapper.

— Et nos espoirs de mariage ? Et mes petits-enfants ? gémit-elle.

— Vos *futurs* petits-enfants, vous voulez dire, répliqua Randolph.

— Ne vous moquez pas de moi, s'exclama Laetitia. J'ai tout misé sur cette rencontre, et je n'ai plus d'atouts dans ma manche. Croyez-vous que j'ai une chance de jamais revoir Oberon, une fois qu'il sera retourné à Londres ?

Lors de ses conversations ou de sa correspondance avec Randolph, elle avait adopté un ton léger, le persuadant de jouer avec elle les marieurs. Jamais elle ne lui avait laissé voir, avant maintenant, combien cette histoire avait d'importance à ses yeux. Elle avait également gardé sous silence son fol espoir de voir un mariage lui rendre son fils. Ce fils qui autrefois l'accueillait avec chaleur, et non avec simple politesse, qui lui rendait visite par plaisir et non par devoir.

— Calmez-vous, Letty, lui dit Randolph en lui tapotant le bras. Rien n'est encore perdu.

— Et comment le savez-vous ?

Randolph la regarda avec une assurance pleine de sérénité.

— Parce que les dates ne coïncident pas.

— Je ne comprends pas ce que vous dites ?

— La station a été vandalisée une première fois AVANT que Thad ne s'intéresse au cadeau de la reine. Ces deux coquins — certes coupables d'avoir agressé M. Sutton — ne peuvent être tenus pour responsables de tout ce qui est arrivé aux Eaux de la Reine et à leurs propriétaires.

Laetitia se sentit soudain plus détendue, tout en demeurant cependant sceptique.

— Pourquoi Oberon ne s'en est-il pas rendu compte ?

— Sa perspicacité habituelle est sans soute amoindrie par… son intérêt dans l'affaire, suggéra Randolph. Mais, encore une fois, votre fils joue un jeu très serré, alors peut-être est-il parfaitement conscient de la succession des événements. D'ailleurs, si j'étais joueur…

— Ce que vous êtes, rétorqua Laetitia.

— Ce que je suis, en effet…

— Mon fils jouerait « un jeu très serré » ? Mon ami, vous racontez n'importe quoi, le coupa-t-elle.

Randolph ignora son interruption.

— Donc, comme je suis un joueur, je parie que votre fils sait exactement ce qu'il fait.

L'après-midi touchait à sa fin lorsque Oberon et Pearson atteignirent la taverne Boar's Head, sur la route de Londres.

Pendant que Pearson se postait de manière à pouvoir observer l'entrée principale, Oberon fit le tour du bâtiment, et se glissa dans une allée où un homme l'attendait.

— Par ici, monsieur, dit Jones.

— Bon travail, lui lança Oberon. Combien y a-t-il d'entrées ?

— Juste celle-ci et celle de devant. Vos amis vont donc être poussés dehors soit par cette sortie-ci, soit par l'autre.

— Vous leur avez offert à boire ?

— Oui, et ils se disputent. Apparemment, ils ne savent pas trop quoi faire maintenant qu'ils ont plumé leur pigeon.

— En effet, le garçon ne leur est plus d'une grande utilité maintenant qu'il ne peut plus bouger..., dit Oberon.

Jones acquiesça.

— Celui qui s'appelle Tommy voudrait arrêter les frais et rentrer à Londres, mais Billy voudrait retourner au village pour tenter de nouveau le coup.

Oberon réfléchit un instant.

— Voyez si vous pouvez les attirer à l'arrière.

Jones hocha la tête et s'introduisit dans la taverne.

Oberon siffla doucement pour appeler son valet. Ils se postèrent tous deux de part et d'autre de la porte arrière. Ils n'eurent pas longtemps à attendre : très vite, deux silhouettes titubantes jaillirent de la taverne.

Les deux hommes protestèrent vigoureusement contre leur expulsion et menacèrent d'exercer toutes les mesures de rétorsion nécessaires pour se venger.

— Pas un geste, si vous ne voulez pas être tués, lança Oberon, ce qui attira instantanément leur attention.

— Quoi ? Vous nous détroussez ? demanda le plus petit avec un grognement d'ivrogne. Eh bien, on ne vous donnera rien.

— Je ne veux pas d'argent, je veux des informations, indiqua Oberon.

— Et qu'est-ce qu'on y gagne, hein ? demanda le plus grand d'un air mauvais.

— Vous verrez bien.

Le plus petit eut l'air de vouloir décamper, mais Pearson sortit de l'obscurité, un pistolet pointé vers eux.

Les frères Juste changèrent alors d'attitude. Ils étaient soudain particulièrement coopératifs, même s'il était évident qu'ils ne renonçaient pas à la possibilité de s'échapper.

Lorsque Oberon les interrogea sur les Eaux de la Reine, ils clamèrent d'abord leur innocence. Cependant, après avoir été un peu menacés, ils reconnurent avoir eu quelques mots avec le propriétaire de la source.

— Mais c'est nos affaires, ça, dit le plus grand, bravache.

— Il se trouve que je suis un client de l'établissement, dit Oberon. Je suis donc très intéressé par ce qui s'y passe : vandalisme, destruction de propriété privée, entrée par effraction…

Le duc regarda Pearson.

— Je n'oublie rien ?

— Si, vous oubliez la tentative de meurtre dans la montagne, monseigneur.

— « Tentative de meurtre » ? s'écria l'un des frères Juste en bafouillant.

— « Monseigneur » ? s'exclama l'autre. Mais qui êtes-vous ?

— Disons que je suis assez puissant pour vous faire jeter dans une prison très déplaisante, et pour très longtemps.

Soudainement, les Juste se montrèrent plus bavards. Oui, ils s'étaient violemment disputés avec M. Thadeus Sutton, mais seulement parce qu'il les avait attaqués. Aucune menace ne put les persuader de reconnaître un autre forfait.

D'ailleurs, ils prétendirent ignorer tout des autres attaques et nièrent avoir recherché eux-mêmes le cadeau de la reine.

— Mais on ne sait rien de ce machin, expliqua l'un d'eux. Comment voulez-vous qu'on le cherche ?

— Normalement, c'était le travail de Thad, expliqua l'autre, en marmonnant quelque chose sur la nullité de ce dernier.

Bien que décevants, leurs aveux n'étaient guère surprenants.

Oberon suspectait déjà les Juste d'être arrivés trop tard à Philtwell pour être responsables de tous les incidents.

Il avait tout de même espéré que les événements mystérieux survenus au village trouveraient ainsi une explication… et des coupables. Mais ce n'était visiblement pas le cas.

— Eh bien, cet entretien est donc terminé, dit Oberon.

Il siffla pour appeler Jones et Thomas, mais les frères Juste, qui pensaient être relâchés, ne se laissèrent pas faire.

L'un plongea vers les pieds de Pearson tandis que l'autre se jeta sur Oberon.

Pour être honnête, Oberon fut plus que ravi de faire goûter ses poings à cet individu. Il tenait là une occasion de venger le frère de Mlle Sutton, et surtout la possibilité de libérer enfin toute sa frustration, accumulée depuis des semaines passées à étouffer ses émotions et à taire ses sentiments.

Il envoya une droite puissante, puis un revers sans pitié qui coupa le souffle de son adversaire et le fit tituber.

Mais ce dernier luttait pour sa liberté et, même étourdi, il repartit à l'assaut. Poussé par le désespoir, il parvint à placer quelques coups, dont l'un atterrit sur la lèvre du duc. Il était cependant trop soûl pour bouger avec une rapidité suffisante, et il finit par tomber face contre terre.

Son ultime gémissement résonna dans le silence car son frère était depuis longtemps immobilisé. Oberon avait voulu affronter seul son adversaire, sans aucune intervention extérieure.

Les hommes qui l'avaient accompagné dans cette arrestation nocturne restèrent donc à l'écart, pantelants après la bagarre. Ils ne s'interposèrent pas lorsque Oberon se pencha au-dessus de Billy Juste qui était allongé par terre, et lui dit avec un rictus de satisfaction :

— Ça, c'était pour Thad.

Glory faisait les cent pas dans la chambre. Toutes les minutes, elle s'arrêtait et jetait un regard vers le lit pour s'assurer que Thad était toujours endormi, puis reprenait son va-et-vient.

Le plateau-repas apporté par la femme de chambre l'attendait sur la table, mais elle n'y avait pas touché. Glory avait renoncé depuis longtemps à regarder par la fenêtre, car la nuit noire empêchait de distinguer quoi que ce soit.

La duchesse et M. Pettit l'avaient suppliée de les rejoindre pour le dîner, mais elle avait décliné leur invitation pour rester au chevet de Thad. De toute façon, elle ne se voyait pas deviser aimablement de choses et d'autres alors que Westfield était Dieu savait où, mêlé à Dieu savait quel danger. Il ne l'avait pas averti de ses plans, mais Glory avait deviné que le duc et son domestique entendaient trouver les frères Juste.

Certes, il était le magistrat, mais Glory avait été surprise de le voir se lancer, en personne, à la poursuite de ces criminels. Et, à voir l'état de son frère, ses craintes pour la sécurité de Westfield étaient pleinement justifiées.

La seule pensée réconfortante tenait dans les exceptionnels talents de Westfield, qui n'avait décidément rien du gentilhomme ordinaire. D'ailleurs… qui était-il vraiment ?

Plus elle réfléchissait, plus une certitude s'imposait : le duc n'était pas seulement un aristocrate accompli.

Aussi impensable que cela puisse être, une seule chose pouvait expliquer ses compétences inhabituelles et la contradiction évidente entre sa réputation et sa vraie personnalité. Sans parler de ces « obligations » au sujet desquelles il restait extrêmement évasif.

Oui, le duc était un homme dangereux : il était engagé dans un travail sans doute clandestin, peut-être même à l'instar du fameux Dr Dee, âme damnée de la reine Elisabeth, était-il engagé au service de son pays ?

Glory s'arrêta net. C'était une idée incroyable mais… Westfield ne serait-il pas un… espion ?

Un bruit de pas étouffés dans le couloir l'alerta et elle s'immobilisa, le corps tendu, retenant sa respiration. On frappa soudain à la porte.

— C'est Westfield. Puis-je entrer ?

Avec un soupir de soulagement, elle ouvrit la porte. Elle contempla amoureusement la haute silhouette qui se découpait dans l'embrasure. Puis elle remarqua sa bouche.

— Mais vous êtes blessé !

— Ah bon ?

Le duc entra dans la chambre et se planta devant le miroir pour inspecter son visage. Il sortit un mouchoir de sa poche et essuya le sang qui lui maculait les lèvres.

— Oh ! ce n'est rien, dit-il.

— Laissez-moi faire.

Glory était soulagée de voir que la blessure était mineure ; lui prenant le mouchoir des mains, elle le poussa dans un fauteuil et lui tendit un verre d'eau.

— Je croyais que le travail de Pearson consistait à vous rendre présentable, dit-elle.

— Il faisait noir et nous étions à cheval, on peut donc difficilement accuser mon valet de m'avoir négligé.

La mine sévère, elle, versa de l'eau sur le mouchoir.

— Etait-il vraiment nécessaire de vous battre ? dit-elle en lui tamponnant la lèvre. Pourquoi ne pas simplement leur tirer dessus ?

— Quelle femme sanguinaire vous faites ! dit Westfield. Mais je m'en doutais. Je l'ai su à la minute où vous avez pointé votre pistolet sur moi.

Elle vit son regard se voiler lorsque son pouce effleura par mégarde sa lèvre blessée.

Il l'attira à lui jusqu'à ce qu'elle se tienne debout entre ses jambes.

A cet instant précis, quelque chose changea entre eux. Lorsque les lèvres de Westfield prirent les siennes, ce fut comme si tout ce qui s'était passé avant n'avait été qu'une répétition de ce moment. Toutes ces rondes faisaient partie d'une danse qui les avait menés ici, dans les bras l'un de l'autre.

Elle se pencha contre lui et enfouit ses doigts dans son épaisse chevelure. Son cœur l'avait su avant elle : elle appartenait à cet homme. En se lovant contre lui, elle eut l'impression que tout avait été dit…

Même si c'était loin d'être le cas.

Leur baiser, long et profond, résonna dans tout son corps.

Oui, toute discussion, toute protestation était inutile, pensa-t-elle. Seules comptaient ces lèvres contre les siennes.

Ils ne parlèrent pas, leurs souffles haletants remplissant le silence, jusqu'à ce qu'une voix retentisse dans leur dos.

— Ai-je raté quelque chose ? demanda Thad.

Chapitre 15

Le lendemain, Glory se leva plus tard qu'à son habitude, après une nuit agitée.

Sa conscience lui dictait de se rendre au chevet de Thad, mais elle n'avait guère envie de parler à son frère.

Au fond d'elle-même, elle espérait encore que le laudanum prescrit par le médecin ferait oublier à Thad la scène dont il avait été témoin.

Elle n'avait aucune envie de justifier son baiser avec Westfield devant son frère.

Le duc s'était d'ailleurs très rapidement ressaisi. Il s'était levé et avait calmement raconté à Thad l'arrestation des frères Juste, se comportant comme s'il ne s'était rien passé.

Quant à elle ? Eh bien, elle s'était enfuie dans sa chambre…

Plus tard, lorsqu'elle avait pris le temps d'analyser les faits, elle était parvenue à se convaincre que l'excitation du moment avait eu raison d'elle et de ses émotions.

La douce lueur des bougies, l'intimité de la chambre et les baisers de Westfield avaient émoussé son jugement, lui laissant croire, l'espace d'un instant, que la situation avait changé.

Mais rien n'avait changé. Westfield était toujours un duc et elle, une roturière.

Ce baiser était probablement le dernier et scellait la fin de leur histoire.

C'était un baiser d'adieu : Westfield avait en effet rempli son devoir et plus rien ne le retenait à Philtwell.

En descendant l'escalier pour prendre son petit déjeuner, Glory sentit les larmes lui monter aux yeux et pria pour que la salle à manger soit vide. Elle était triste et elle n'avait envie de voir personne, surtout pas le duc.

De toute façon, il devait déjà avoir quitté Sutton House.

Cette pensée lui serra le cœur et elle s'immobilisa au milieu des marches, pour se ressaisir.

Elle faillit remonter dans sa chambre, mais des bruits sourds attirèrent son attention. Elle avança en silence et découvrit une femme de chambre qui luttait pour ouvrir une lourde porte.

— Pourriez-vous m'aider, mademoiselle ? demanda la jeune fille avant de baisser timidement les yeux.

Pour peu qu'il y ait eu un témoin, la domestique aurait été vivement réprimandée pour oser s'adresser ainsi à l'une de ses supérieures, mais Glory n'étant pas très à cheval sur les convenances elle s'empressa d'aider la jeune fille.

A deux, elles parvinrent à ouvrir la lourde porte de chêne, au bois noirci par l'âge.

— Merci, mademoiselle, dit la domestique. Je dois rapporter une bouteille de vin à M. Pettit mais c'est la première fois que je descends à la cave.

La pauvre était visiblement inquiète à l'idée de s'aventurer au sous-sol et Glory ne pouvait pas l'en blâmer.

Par gentillesse, et aussi par curiosité — elle n'avait

jamais visité les soubassements de Sutton House —, elle encouragea la jeune fille d'un signe de tête.

— Je vous suis, dit Glory. Moi non plus, je ne suis jamais descendue dans les caves.

A n'en pas douter, Thad avait dû explorer chaque centimètre de la maison dans sa quête du trésor, mais Glory ne l'avait jamais accompagné.

Elle s'engagea donc dans le vieil escalier de pierre à la suite de la femme de chambre.

Contrairement à la cave humide du cottage, avec son sol en terre battue et son odeur de moisi, les murs du cellier de Sutton House étaient en pierre. Le plafond était voûté, le sol carrelé et la pièce était parfaitement ordonnée.

Par chance, deux petites lucarnes laissaient filtrer la lumière de l'extérieur.

— Et maintenant à nous deux.

Surprise par le changement de ton de la femme de chambre, Glory se retourna pour se trouver nez à nez avec le canon d'un pistolet.

Pendant quelques secondes, elle fixa l'arme, sidérée.

Quelle idiote elle avait été !

Elle résidait à Sutton House depuis longtemps et connaissait tous les domestiques ; elle aurait dû savoir qu'aucun d'entre eux n'aurait demandé l'aide d'un invité ! Elle s'était laissé berner avec une facilité exaspérante. Elle avait une excuse cependant… elle était distraite. Non par les Eaux de la Reine, mais par un sujet devenu bien plus important à ses yeux : Westfield.

N'avait-il pas déjà arrêté les hommes responsables des attaques contre la station ? Glory ne comprenait plus rien. Les Juste auraient-ils eu une femme pour complice ? Pourtant, le seul complice que l'on n'avait pas encore retrouvé était le jeune homme qui…

Soudain, Glory étudia la jeune femme, debout en face d'elle. Oui, avec les habits appropriés, elle était assez jeune pour passer pour un garçon. Et soudain elle comprit.

— Mademoiselle… Thorpe ? demanda-t-elle.

— Bravo ! Tu ne la ramènes plus hein, Sutton, maintenant que je suis de retour pour reprendre ce qui est à moi ?

— A vous ?

Elle ignorait ce que Mlle Thorpe sous-entendait mais la situation n'annonçait rien de bon sur la nature de ses intentions… Et Glory n'avait pas son sac.

Son seul espoir était de distraire son adversaire pour pouvoir s'échapper.

— Oui, ce qui est à moi ! répéta la jeune femme. Les Sutton ont volé ce qui nous appartenait de droit et ont fui Philtwell.

— Vous racontez n'importe quoi, s'exclama Glory, tellement scandalisée qu'elle en oublia sa peur. Tout ce que nous devions à votre famille vous a entièrement été remboursé grâce à la vente du manoir. Une demeure qui était pourtant dans notre famille depuis des siècles !

— Le prix du sang ! siffla la jeune femme. Nous avions droit aux Eaux de la Reine et aussi au cadeau de la reine. Pas à cette misérable obole.

— Une misérable obole ?

Cette femme ignorait-elle la chance qu'avait eue sa famille ? Lorsqu'une entreprise périclitait, il était courant que les fonds investis soient perdus. Les Thorpe, eux, avaient pu récupérer leur argent au moins…

— Votre famille devrait être reconnaissante d'avoir récupéré sa mise de départ après l'incendie qui a détruit la station et tué mon grand-père ! ajouta-t-elle, la rage au ventre.

Mlle Thorpe fit un pas en avant.

— Reconnaissante ? répéta-t-elle. Mon père n'était pas de votre avis. Pendant des années, je l'ai écouté se plaindre amèrement de ce qui lui avait été enlevé, de ce qu'il aurait pu avoir. Il se lamentait parce que les Eaux s'étaient retournées contre lui : il s'était retrouvé marié à une femme dépensière qui lui avait donné trop de filles. Et vous, les Sutton, vous l'avez privé de toutes ses chances d'assurer un avenir à sa famille. Vous l'avez détruit !

Thorpe semblait avoir été l'artisan de son propre malheur, mais Glory n'allait pas expliquer cela à sa fille, alors que cette dernière la tenait en joue.

Pour se calmer, elle prit donc une profonde inspiration, déterminée à apaiser la situation… et à gagner du temps. On allait sûrement remarquer sa disparition et la chercher.

— Vous êtes sans doute trop jeune pour avoir visité les Eaux de la Reine, je me trompe ? demanda Glory, sur un ton conciliant.

— Je suis la plus jeune. Et j'ai dû m'occuper de lui lorsqu'il est tombé dans le désespoir qui a fini par le tuer. Un désespoir provoqué par votre trahison. Il n'a jamais eu la force de revenir et de réclamer son dû, lança Mlle Thorpe avec colère. Et maintenant qu'il a disparu je suis venue le réclamer à sa place.

Glory secoua la tête. Quoi qu'elle fasse, Mlle Thorpe ne pourrait jamais devenir propriétaire des Eaux de la Reine.

— Vous n'avez aucun droit sur la station thermale.

— Mais je me moque éperdument de ce trou boueux et des pourceaux qui payent pour s'y abreuver, s'exclama la jeune femme d'une voix cassante. Je suis venue réclamer le cadeau de la reine.

Quel soulagement ! Ainsi donc, l'héritage familial ne serait pas l'objet d'une dispute, légale ou pas, d'ailleurs. Cette Mlle Thorpe était décidément bien sotte si elle croyait avoir droit à quoi que ce soit, y compris au cadeau de la reine — à supposer qu'il existe.

Cependant, Glory décida de ne pas informer la jeune Thorpe de la futilité de sa demande. Cette dernière apprendrait sûrement avec déplaisir que le fameux cadeau n'existait probablement pas, comme l'avaient découvert, avant elle, les frères Juste.

— Vous n'espérez tout de même pas trouver un objet perdu depuis des siècles, et partir avec ?

— Oh ! mais c'est exactement ce que je compte faire, dit Mlle Thorpe. Une fois qu'il sera en ma possession je pourrai aller où bon me semble et mener la vie que je veux.

Mlle Thorpe savait-elle quelque chose que tous ignoraient ou prenait-elle simplement ses désirs pour des réalités ?

En tout cas, elle croyait le cadeau assez coûteux pour assurer à la fois sa fuite et son avenir.

Glory pensa soudain à la scène représentée sur la fresque de la salle à manger.

— Vous croyez que le cadeau de la reine est une couronne, n'est-ce pas ?

Mlle Thorpe éclata de rire.

— Le cadeau de la reine surpasse en valeur n'importe quel colifichet royal. Ce qui m'intéresse, c'est le pouvoir ; et grâce au cadeau je l'obtiendrai.

— Le pouvoir ? Je ne comprends pas, répondit Glory.

Cette femme pensait-elle faire chanter la famille royale ou obtenir un titre ? Si c'était le cas, elle finirait sûrement dans un cul de basse-fosse et l'on n'entendrait plus jamais parler d'elle.

— Oui, un pouvoir auquel peu de gens ont eu accès, répondit Mlle Thorpe.

— Et qui va vous offrir ce pouvoir ?

— Pas quelqu'un, *quelque chose*. Le pouvoir réside dans le cadeau lui-même, pour celui qui en connaît la vraie valeur. Oui, j'ai découvert le secret depuis longtemps oublié. Je suis la seule héritière du grand magicien, du maître des arts occultes. Il l'a dissimulé aux yeux des ignorants à la recherche de pouvoirs supérieurs à leur misérable entendement.

— Qui est cet homme ? Le Dr Dee ? demanda Glory qui essayait de comprendre le délire de Mlle Thorpe.

— Que sais-tu de lui ? rétorqua cette dernière en s'avançant, menaçante.

Glory dut rassembler son courage pour ne pas reculer devant le regard brûlant de haine de la femme.

— On dit qu'il a visité la station thermale avec la reine Elisabeth et qu'il était son conseiller. La légende l'associe parfois au cadeau que la reine aurait fait à la source.

Cette réponse n'eut pas l'air de calmer Mlle Thorpe.

— Dès que j'ai appris votre arrivée, j'ai compris que vous aviez découvert quelque chose, dit-elle avec hargne. Sinon pourquoi revenir à Philtwell pour relancer une entreprise fermée depuis si longtemps ?

— Nous sommes revenus restaurer l'héritage familial.

Glory s'exprimait avec calme, espérant que cela apaiserait la jeune femme dont le regain d'agressivité était alarmant.

Quoi qu'il en soit, elle ne comptait pas se laisser tirer dessus sans rien faire, aussi se mit-elle à chercher du regard un objet susceptible d'être utilisé contre son adversaire.

— Tu l'as trouvé ? As-tu le globe ? demanda Mlle Thorpe.

— De quel globe parlez-vous ? demanda Glory, sincèrement étonnée à présent.

— Le globe, idiote ! C'est l'objet le plus précieux qu'ait possédé Dee. Son miroir a été acheté par l'écrivain Horace Walpole, mais ce dernier ignorait la valeur de son acquisition, et savait encore moins s'en servir. Personne n'a jamais retrouvé le globe de cristal, la véritable source de son pouvoir.

La femme devait faire allusion à ce que Westfield avait qualifié « d'absurdités mystiques de Dee ». Glory avait été d'accord avec lui, d'ailleurs. Comment pouvait-on croire aux pouvoirs magiques d'un objet ?

Comment Mlle Thorpe en était-elle arrivée à de telles conclusions, pour le moins invraisemblables ?

Glory observa la jeune femme. En plus d'être clairement déséquilibrée, elle semblait être d'une incroyable crédulité.

— Pourquoi le Dr Dee se serait-il séparé d'un objet de si grande valeur, surtout si, comme vous le prétendez, personne ne pouvait l'utiliser à part lui ?

Mlle Thorpe soupira.

— Bon sang ! tu ne connais vraiment rien ! Cela fait des siècles que sa magie opère, mais bientôt le globe va prodiguer un autre genre de magie. La magie que je vais ordonner. Depuis trop longtemps déjà le pouvoir du cristal est bêtement dirigé vers cette source, au service des désirs de vos stupides clients.

Glory cligna des yeux.

— Quoi ? Vous croyez que le globe est à l'origine des vieilles légendes sur le pouvoir des eaux ?

— Je ne le crois pas, je le sais. Dee a offert un cadeau aux propriétaires des eaux : tous ceux qui boivent l'eau de la source éprouveront la même euphorie amoureuse que la reine.

— La reine Elisabeth ? répéta Glory, incrédule.

Nulle part dans les grimoires qu'elle avait lus, il n'était fait mention de la reine Elisabeth — connue pour sa virginité — tombant amoureuse à la source de Philtwell.

— Mais oui, imbécile ! dit Mlle Thorpe avec un sourire méprisant.

— Mais la légende est antérieure à la visite d'Elisabeth, fit remarquer Glory. Les Romains connaissaient déjà la source et l'avaient nommée Aquae Philtri, la source du philtre, et plus précisément du philtre d'amour.

— Tu mens ! s'écria Mlle Thorpe.

Glory comprit instantanément son erreur. Jamais elle n'aurait dû évoquer ce fait devant la jeune femme.

Par folie, par désespoir, ou à cause d'une imagination galopante, Mlle Thorpe avait construit son château de cartes sur un postulat erroné et ne pardonnerait pas à sa prisonnière de le faire s'effondrer.

L'espace d'un instant, Glory vit sa dernière heure arriver et crut que la jeune femme allait tirer. Au lieu de cela, Mlle Thorpe annonça, l'air déterminé :

— De toute façon, nous allons bientôt connaître la vérité car c'est toi qui vas trouver le globe pour moi.

— Comment ça ? demanda Glory.

— Puisque ta famille a volé tant de choses à la mienne, il me paraît normal que tu rétablisses la justice.

— Maintenant ? Vous voulez que je le cherche tout de suite ?

Thad avait fouillé le manoir de fond en comble et n'avait rien trouvé ; tout comme Mlle Thorpe.

Cette dernière souriait et son visage n'en devint que plus effrayant.

— J'ai su à la minute où j'ai vu la fresque que le cadeau s'était toujours trouvé ici, dit-elle avec un éclair de folie dans le regard.

— Mais la fresque montre la reine debout à *l'extérieur* de la maison.

— C'est un symbole, rétorqua Mlle Thorpe. Si j'avais vu cette fresque plus tôt, nous aurions pu éviter tous ces désagréments à votre précieuse buvette.

La jeune femme commença à marcher de long en large, en marmonnant.

Glory s'écarta discrètement mais Mlle Thorpe se rapprocha de nouveau d'elle.

— J'aurais pu venir ici depuis longtemps et emporter le trésor sans que personne en sache jamais rien, ajouta la jeune femme. Mais ce n'est qu'en lisant l'histoire du puits de Buxton Hall et comment, au fil des siècles, d'autres puits sont venus remplacer le site original que j'ai deviné la vérité.

— Quelle vérité ? demanda Glory.

Mlle Thorpe la regarda, les yeux brillants d'excitation.

— Le puits d'origine se trouve sous la maison, qui a été construite autour de lui, dit-elle. C'est dans cette demeure que résida la reine Elisabeth lors de sa visite. D'ailleurs, tous les invités étaient logés ici avant qu'on ne construise les auberges et les buvettes.

Glory inspecta la cave, et comprit soudain la fonction qui avait dû être la sienne à l'époque de la reine Elisabeth. Elle n'aurait jamais dû faire ses recherches dans les livres, il aurait été plus intelligent d'enquêter sur le terrain.

Si cette histoire d'ancien puits paraissait assez probable, le trouver et découvrir « le trésor » étaient deux choses bien différentes. Il y avait fort à parier que Mlle Thorpe serait déçue. Et dans ce cas quelle serait sa réaction ?

Glory préféra ne pas l'imaginer.

— Là ! s'exclama soudain la jeune femme.

Elle se tenait debout à côté d'une sorte de cloison qui avait été érigée dans la partie la plus sombre du cellier.

Glory frissonna. Auparavant, Sutton House ne l'avait jamais inquiétée mais, en cet instant, elle éprouva la sensation étrange qu'elle avait déjà ressentie depuis son arrivée à Philtwell : l'impression d'être épiée par une présence malveillante…

Cette présence, ce n'était pas le Dr Tibold, ou Westfield, ou les frères Juste… Non, c'était… Mlle Thorpe, et depuis le début ! Glory se retourna le cœur battant pour découvrir posé sur elle le regard haineux de la jeune femme.

— Ouvre-la, ordonna-t-elle.

— Pardon ?

Mlle Thorpe lui attrapa le visage et le tourna violemment vers la cloison.

Etait-ce vraiment une cloison ou plutôt une très haute caisse, dont le sommet se perdait dans l'obscurité du plafond ?

En s'approchant, Glory constata qu'il s'agissait bien d'un muret de bois, dont les lattes très légèrement écartées laissaient apercevoir une obscurité totale. Ces interstices sombres donnaient à l'ensemble l'allure d'une cage.

Glory se sentit glacée par la pensée d'y être enfermée. Qui pourrait la retrouver si cette forcenée décidait de l'y abandonner ? Son cœur s'affola. Elle prit la résolution, à cet instant précis, de faire n'importe quoi, de tout risquer, pour ne pas entrer dans cette pièce obscure.

Elle prit une profonde inspiration et se retourna

vers Mlle Thorpe, en s'efforçant de ne rien laisser paraître de sa peur.

— Comment voulez-vous que je l'ouvre ? demanda Glory. Il me faudrait un marteau ou un pied-de-biche.

Et elle regarda autour d'elle, à la recherche d'ustensiles qu'elle pourrait utiliser contre son adversaire.

— Utilise donc tes mains, répondit cette dernière avec un ricanement. Je croyais les Sutton très malins et pleins de ressources.

Malgré la faible lumière, Glory s'attacha à examiner le bois de la cloison. Le travail de menuiserie était assez médiocre, comme s'il avait été fait dans l'urgence.

Elle se mit à chercher une latte branlante sur laquelle elle pourrait tirer. Si elle parvenait à la détacher en s'arrangeant pour faire le plus de bruit possible, quelqu'un descendrait peut-être voir ce qu'il se passait.

Elle découvrit enfin un clou mal enfoncé et, en cherchant à ôter la planche de bois, s'arrangea pour taper dessus avec force.

Elle se souvint alors de la lourde porte en chêne qu'elle avait poussée avec la fausse domestique. Quand l'avait-on ouverte pour la dernière fois ? Sutton House était une vaste demeure et Glory n'était même pas certaine que l'on utilise encore son cellier.

Mais c'était sa seule chance de s'en sortir. Elle continua donc à taper et à tirer sur la vieille latte de bois. Au-dessus de sa tête, la vie de la maisonnée devait continuer comme si de rien n'était : les domestiques vaquaient certainement à leurs tâches, ignorant son sort.

Westfield était sans doute déjà parti pour Londres. Il ne restait donc plus que Thad, allongé dans son lit, et un vieil homme en pleine convalescence.

Voilà qui ne laissait rien augurer de bon… Non, rien de bon.

*
* *

Oberon fronça les sourcils en contemplant son assiette. Il attendait depuis si longtemps que ses œufs au plat s'étaient figés en gelée peu ragoûtante. Sa mère et M. Pettit étaient entrés puis ressortis. Et toujours aucun signe de Mlle Sutton.

Il finit par demander à une domestique d'aller se renseigner. Mais la fille revint, annonçant que Mlle Sutton n'était pas dans sa chambre.

Oberon eut un mauvais pressentiment mais s'empressa de l'ignorer. Mlle Sutton avait sans doute sauté le petit déjeuner pour passer la matinée au chevet de son frère.

Il se leva et se dirigea vers la chambre de Thad. Le jeune homme était assis près de la fenêtre, en robe de chambre, occupé à dévorer son petit déjeuner disposé sur un plateau. Mais il était seul.

— Savez-vous où est votre sœur ? demanda Oberon.

Thad lui jeta un regard narquois.

— Je devrais peut-être vous interroger quant à la nature de vos intentions ?

Oberon n'était pas d'humeur à évoquer sa situation personnelle avec qui que ce soit, et encore moins avec un gamin. Mais, après tout, il était le premier à avoir conseillé à Mlle Sutton de traiter son frère comme un homme.

— Mes intentions sont honorables, répondit-il.

Thad sourit.

— Tant mieux ! Je n'aurais pas aimé avoir à vous corriger… Bien que je me sente beaucoup mieux.

L'humour du jeune homme détendit un peu Oberon.

— L'avez-vous vue ce matin ? insista-t-il. Je ne la trouve pas.

Cette nouvelle n'eut pas l'air d'inquiéter Thad.

— Glory va vous donner du fil à retordre, vous savez. Ma sœur est très indépendante et elle accepte difficilement de recevoir des ordres. Or, inutile de le nier, vous avez l'habitude de donner des ordres. Attention, je ne dis pas que vous êtes arrogant. Non, je vous fais juste remarquer que vous devez laisser du lest à Glory, vous comprenez ? Bref, vous devez faire des compromis.

Oberon eut beaucoup de mal à ne pas rire.

— Vous souvenez-vous de la discussion que nous avons eue la nuit dernière ? demanda-t-il au jeune homme.

Thad eut l'air un peu gêné.

— Pour être honnête, j'étais dans le brouillard, sans doute à cause de la potion que m'avait fait boire le docteur. Lorsque je vous ai vu avec Glory, j'ai cru avoir rêvé.

Oberon regretta instantanément de s'être laissé entraîner sur ce terrain glissant et, ignorant la dernière phrase de Thad, il essaya de ramener la conversation vers un sujet tout aussi important mais beaucoup moins intime.

— La nuit dernière, je vous ai expliqué que les frères Juste n'étaient pas responsables des destructions et de la tentative de meurtre dans les montagnes.

Thad le fixa longuement et la vérité, soudain, s'imposa à lui.

— Donc la disparition de Glory peut vouloir dire…

Il se tut, la gorge nouée par l'inquiétude.

— Que votre sœur est en danger, conclut Oberon.

Glory avait espéré endormir la méfiance de Mlle Thorpe, mais la jeune femme était bien trop agitée pour baisser sa garde. Elle commençait même à se méfier de tout le bruit que faisait sa prisonnière. Elle intima à Glory l'ordre de cesser son raffut et d'obtenir des résultats.

A un moment, Glory envisagea de courir se cacher derrière une caisse et de profiter de la pénombre pour se faufiler vers les escaliers. Mais était-ce prudent ? Tout mouvement brusque entraînerait un tir dans sa direction. Elle n'avait pas envie d'être tuée ou blessée.

Et, en imaginant qu'elle échappe aux balles, où pourrait-elle se cacher ? Jamais elle n'aurait cru regretter un jour le désordre qui régnait dans la cave du cottage. Ici, il n'y avait pas de cachettes et une seule voie de sortie.

Elle jeta un coup d'œil en direction du large escalier. A moins de désarmer Mlle Thorpe, jamais elle ne l'atteindrait saine et sauve. Malheureusement, il n'y avait rien dans le cellier de Sutton House qui puisse lui servir d'arme.

L'esprit en ébullition à force de chercher des solutions, Glory se rendit compte au dernier moment que la latte sur laquelle elle s'escrimait depuis de longues minutes s'était détachée. Emportée par son élan, elle faillit s'ouvrir la main sur le clou rouillé qui était encore planté dans la planche.

Voilà ! Elle tenait son arme ! Ce bout de bois et ce clou allaient œuvrer en sa faveur.

Discrètement, elle abaissa la planche, cachant la partie cloutée dans les plis de sa jupe. Elle glissa ensuite la tête dans le trou qu'elle avait créé en arrachant la planche.

— Je ne vois rien, dit-elle.

— Pousse-toi que je regarde, indiqua Mlle Thorpe en faisant signe à Glory de s'écarter.

Mlle Thorpe s'avança et passa à son tour la tête dans l'ouverture. Aussitôt, Glory passa à l'attaque. Levant bien haut sa planche, elle l'assena de toutes ses forces sur Mlle Thorpe et la toucha à l'arrière des genoux.

Malgré l'épaisseur des jupes, le coup fut sans doute douloureux car la forcenée se retourna violemment en hurlant et tira.

La balle passa en sifflant tout près de l'oreille de Glory. Vite, il ne fallait surtout pas laisser son adversaire recharger son arme. Mais ce n'était pas l'intention de Mlle Thorpe. Sa rage et sa folie la dotaient d'une force incroyable. Dans un hurlement hystérique, elle frappa la main de Glory avec son pistolet, lui faisant lâcher sa planche de bois.

Grimaçant de douleur, Glory comprit qu'elle n'était pas de taille face à une pareille folle. L'attaque surprise était la seule stratégie possible. Au lieu de se pencher pour ramasser son arme improvisée, elle bondit en avant et, balançant son bras avec toute la force qui lui restait, elle envoya un uppercut qui toucha Mlle Thorpe juste sous le menton avec un craquement assez répugnant. Elle pouvait remercier Thad pour ses cours de boxe !

Couvrant les battements de son cœur, Glory crut entendre un bruit de course en provenance de l'escalier. Un courant d'air s'engouffra dans la cave et elle entendit résonner la voix de Thad :

— Bon sang ! Glory a mis une domestique K.O.

Chapitre 16

Lorsque Glory aperçut son frère et Westfield en haut des marches, son soulagement fut si intense qu'elle en eut les jambes coupées.

Le cadeau de la reine, la folie de Mlle Thorpe, tout cela disparut à la vue de l'homme qu'elle croyait sorti de sa vie à jamais.

En quelques enjambées, il arriva jusqu'à elle et la prit dans ses bras sans se soucier des convenances ou de la présence de son frère. Lorsqu'il la serra contre lui, Glory eut envie de pleurer.

— Vous allez bien ? demanda-t-il.

Elle acquiesça, le visage toujours enfoui dans son manteau.

Thad n'eut pas l'air surpris par cet étalage d'affection et se rapprocha pour examiner la cloison.

— Qu'est-ce que c'est que ça ?

— Le puits originel est censé se trouver derrière cette cloison, tout comme le cadeau de la reine, répondit Glory.

Thad n'eut besoin d'aucun encouragement pour s'attaquer à la cloison avec une ardeur étonnante pour un garçon à peine remis de ses blessures.

Glory ouvrit la bouche pour fustiger ce comportement imprudent pour un convalescent, mais Westfield l'arrêta.

— Il est jeune et résistant, dit le duc qui semblait lire dans ses pensées.

Pouvait-il aussi lire dans son cœur ?

— Regardez !

L'enthousiasme de Thad donnait clairement raison à Westfield, et Glory se réjouit que sa récente échauffourée ne lui ait pas laissé de séquelles.

— Il faut une lanterne pour éclairer cet endroit, s'exclama son frère.

Très vite, on lui apporta ce qu'il demandait. Aussitôt, il entreprit de démanteler la cloison et de dégager l'entrée du puits.

Plus élégant que fonctionnel, le puits avait l'allure d'une fontaine. Ses larges pierres noircies par les siècles donnaient à l'ensemble un aspect peu engageant.

— Mais où est le cadeau de la reine ? demanda Thad, visiblement très déçu.

Avant que Glory ait le temps de tempérer son enthousiasme, Westfield prit la parole :

— Je doute que les Sutton l'aient laissé exposé aux yeux de tous, pendant toutes ces années. Même lorsque le puits a été déplacé, les membres de la famille et le personnel du manoir continuaient à avoir accès au cellier.

Le duc fit le tour du puits, tapant sur les vieilles pierres et regardant dans toutes les crevasses. Ensuite, il posa la lanterne par terre, examina la base du puits, puis le carrelage. Il indiqua un carreau que Glory ne trouvait pas différent des autres.

— Vous voyez cela ?

— Voir quoi ? demanda Thad, le nez collé au carrelage.

— Son contour est abîmé, dit Oberon. C'est peut-être

arrivé lors de la confection ou de la mise en place du carreau… mais cela peut également s'être produit plus tard.

Il n'en fallut pas plus pour que Thad se mette à la recherche d'un outil pour soulever le fameux carreau.

— Tu devrais peut-être demander la permission du propriétaire de Sutton House avant d'arracher les sols de sa maison ? fit Glory.

— Il est d'accord, déclara Westfield.

Westfield et Pettit s'étaient donc déjà entendus sur le sujet ? Il est vrai que le duc avait les moyens de financer les éventuelles réparations qui s'ensuivraient.

Glory se sentit néanmoins plus rassurée lorsque Westfield prit la direction des travaux d'excavation. Il était plus délicat que Thad et ferait certainement moins de dégâts. Ses longs doigts dégagèrent le carreau avec douceur et réussirent très vite à le soulever. Sous le carrelage, il y avait une sorte de parquet que le duc commença à inspecter.

Bientôt, il trouva une planche, moins bien posée que les autres. Elle recouvrait un trou. Thad se retint pour ne pas sauter de joie.

— Y a-t-il un objet à l'intérieur ? Que voyez-vous ? demanda-t-il, en approchant la lanterne.

Mais Westfield ne voulait pas se précipiter et il inspecta l'ouverture, soucieux de ne pas tomber dans un éventuel piège.

Finalement, il glissa sa main à l'intérieur du trou et en sortit une lourde boîte ouvragée. L'objet était ancien, et il était même probable qu'il date de l'époque de la reine Elisabeth.

Glory, qui avait pourtant toujours douté de l'existence de ce trésor, sentit monter son excitation lorsque le duc posa l'objet par terre.

Après leur avoir fait signe de s'éloigner, Westfield se montra tout aussi prudent en ouvrant la boîte qu'il l'avait été en la récupérant.

— Qu'est-ce que c'est ? Discernez-vous l'objet ? C'est une couronne ? demanda son frère.

— Mlle Thorpe prétend qu'il s'agit d'un globe ayant appartenu au Dr Dee, dit Glory en essayant de ne pas rire devant la mine déçue de Thad.

Lorsque enfin le couvercle fut totalement ouvert, il n'y eut aucun éclat d'or ou de cristal. Glory crut même la boîte vide, le trésor qu'elle avait pu contenir ayant été depuis longtemps pillé et vendu.

Le duc plongea alors la main dans la boîte, tandis que Thad trépignait d'impatience.

Retenant son souffle, Glory s'attendait presque à voir le couvercle se refermer et écraser les doigts du duc.

Mais il ne se passa rien. Westfield remonta d'abord un paquet de lettres qu'il mit soigneusement de côté, puis des parchemins entourés des restes d'un ruban qui menaçait de tomber en poussière.

— Peut-être tenons-nous là les actes de propriété de la source et des terres attenantes ? suggéra Glory.

Une opinion que Thad ne partageait pas.

— S'ils ont été enterrés par le Dr Dee, il s'agit certainement d'un traité de mathématiques, s'exclama-t-il avec dépit.

— Du papier ? Il n'y a que du papier !

Ces mots, hurlés à travers la pièce, firent sursauter Glory.

Elle se retourna et vit que Mlle Thorpe s'était relevée.

Titubante, encore étourdie, la jeune femme se précipita vers la boîte et en aurait certainement éparpillé le contenu si Westfield n'avait pas eu la prudence de lui lier les mains.

Le duc parvint à maîtriser la forcenée et la confia à son valet, qui l'entraîna plus loin. Elle continuait néanmoins à hurler sa rage devant l'absence de globe et à maudire les Sutton.

Une fois passé les premiers instants de déception, Thad manifesta de la curiosité pour ces étranges papiers. Il examina les pages trouvées par Westfield et secoua la tête.

— J'ignore ce que c'est, mais ce n'est pas écrit en anglais.

Westfield regarda par-dessus l'épaule de Thad.

— Ce n'est pas une langue étrangère, c'est une sorte de code.

— Vous voulez dire que le texte utilise un de ces codes qui ont fait la renommée du Dr Dee ? demanda Glory, que la nouvelle stupéfiait.

Westfield, concentré sur le déchiffrage, acquiesça d'un air distrait.

Quelqu'un, peut-être Dee lui-même, avait pris ses précautions pour protéger des regards indiscrets ces documents et les secrets qu'ils contenaient.

— Nous ne saurons probablement jamais ce qui méritait d'être ainsi caché pendant des siècles dans le puits des Eaux de la Reine, dit Glory avec fatalisme. Nous devrions ranger ces papiers.

— Laissez-moi essayer une dernière fois de les déchiffrer, suggéra Westfield.

Pendant que Thad inspectait la boîte et le trou d'où elle provenait, le duc examina les documents avec un soin particulier.

— Seriez-vous capable de lire ce genre de choses, lui demanda Glory en le regardant avec curiosité.

Westfield haussa les épaules.

— Ce n'est pas si compliqué.

— Un de vos passe-temps, j'imagine ?

Comme elle s'y attendait, le duc ne répondit pas à sa dernière remarque, confirmant ainsi les soupçons qu'elle nourrissait à son sujet.

Son habileté à décrypter des messages codés était déjà inhabituelle en soi mais, associée aux autres talents révélateurs de Westfield, elle pointait dans une seule direction : cet homme était un espion.

Oberon avait rarement l'occasion de déchiffrer de mystérieux documents mais il était assez confiant en sa capacité à réussir.

Il étala d'abord les papiers sur la table apportée dans sa chambre par Pearson. Il chercha d'abord les indices d'un code, comme par exemple des mots ou des phrases écrits dans un ordre particulier. Les documents datant de l'époque élisabéthaine, le code utilisé était sans doute alphanumérique, un outil fort prisé par Dee ou par les contemporains de sir Francis Walsingham, fondateur des premiers services secrets britanniques.

Différents nombres ou lettres étaient utilisés à la place des habituelles lettres de l'alphabet. Pour découvrir le code, il fallait analyser la fréquence avec laquelle telles lettres ou tels chiffres apparaissaient. Ensuite, Oberon connaissant les lettres et les groupes de lettres les plus usités dans la langue anglaise, il lui suffisait de les substituer aux symboles identifiés sur le document.

Il aurait été beaucoup plus simple d'adresser ces feuilles à un spécialiste, mais ces derniers avaient des choses plus importantes à faire, même si Napoléon était désormais prisonnier. Et puis Oberon avait curieusement envie de protéger ces documents. Après tout, ils étaient certainement liés aux Eaux de la Reine et auraient donc une signification particulière pour Mlle Sutton.

Jamais il n'avait imaginé se sentir affecté le moins du monde par toute cette histoire, pourtant, à mesure que la vérité se dessinait sous ses yeux, il se découvrait une étrange familiarité avec les secrets dévoilés dans ces pages.

Un mois plus tôt, il ne se serait jamais identifié à ce jeune homme d'un autre siècle, désespérément amoureux d'une femme que les circonstances l'empêchaient d'épouser.

Maintenant, cloîtré avec ces lettres, ne sortant de sa chambre que très rarement, et ne partageant ses découvertes avec personne, Oberon se sentait de plus en plus proche de ces amants qui avaient tant sacrifié.

Plus il découvrait leur histoire et plus une évidence s'imposait à lui : jamais il ne suivrait leur exemple.

Bien que Mlle Thorpe ne soit plus une menace pour la famille Sutton, M. Pettit avait insisté pour que Glory s'installe définitivement à Sutton House. Comme elle voulait rester près de Westfield, cette dernière ne fut pas difficile à convaincre. En outre, Thad envisageait de s'installer au cottage avec sa future femme et elle préférait leur laisser un peu d'intimité. En effet, la fille du vicaire n'avait aucune envie de quitter sa famille et ses amis pour vivre à Londres.

Pour le moment, l'avenir paraissait bien incertain à Glory et elle préférait ne pas faire de projets.

Au lieu de rouvrir la station thermale, elle était retournée étudier dans la bibliothèque, plus par plaisir que par nécessité, à la recherche d'informations sur les Eaux de la Reine. Elle aurait tant aimé que Westfield se joigne à elle, mais il restait enfermé dans sa chambre, occupé à étudier les documents trouvés près du puits.

La vie s'écoulait à Sutton House, faite de petits plaisirs à savourer : un après-midi ensoleillé dans le jardin, une promenade en compagnie de Thad, une partie de cartes avec la duchesse et M. Pettit…

Glory ne voulait pas prendre de décision concernant la station thermale avant que le duc ne lui ait fourni le résultat de ses analyses.

Elle avait hâte d'apprendre ce que cachaient les mystérieux parchemins, même si elle redoutait malgré elle cet instant : dès que Westfield aurait terminé son travail, il disparaîtrait de sa vie.

Aussi sentit-elle son cœur se serrer lorsque Westfield demanda à toute la maisonnée de se réunir dans la salle à manger. Elle s'efforça cependant de ne rien laisser paraître de son désespoir et prit place en face de Thad.

L'intérêt que ce dernier portait au cadeau de la reine s'était considérablement émoussé et il semblait impatient de retourner à sa nouvelle vie. A moins que le document ne révèle l'existence de quelque trésor enfoui, seul élément qui pourrait raviver sa curiosité.

Malgré tout, Thad se montrait enthousiaste et plein de vie, visiblement épanoui à l'idée de fonder une nouvelle famille et de s'occuper de la station thermale. Son frère avait grandi, et Glory en était ravie.

Le duc fit alors son entrée et Glory ne put s'empêcher d'admirer sa silhouette imposante. Ses larges épaules, parfaitement mises en valeur par sa veste ajustée, ses cheveux bruns et son visage qu'il ne figeait plus en un masque d'impassibilité…

— Je vous ai tous fait appeler à cause de la fresque, déclara-t-il.

Glory, comme les autres, tourna la tête vers le mur.

Les lourds rideaux de la pièce avaient été tirés et un rayon de soleil venait illuminer le vieux tableau.

Glory l'observa avec attention mais ne remarqua aucun élément nouveau.

— Une chose est évidente : cette fresque fut commandée au peintre par les propriétaires de la source, peu après la visite de la reine Elisabeth. Ils souhaitaient que l'Histoire n'oublie pas la visite de la souveraine à Sutton House.

Westfield s'interrompit comme pour reprendre son souffle.

— La déduction de Mlle Sutton était presque exacte, dit-il.

Glory le regarda avec surprise.

— … lorsqu'elle remarqua les mains vides de la reine d'où jaillissait une lumière, qu'elle identifia fort justement comme un symbole de son approbation et de son soutien. Cependant, la symbolique est bien plus forte que cela : elle représente la monarchie elle-même ; la succession, si vous préférez.

— Mais Elisabeth est morte vierge et sans choisir d'héritier, dit M. Pettit.

— C'est inexact. Elle eut un héritier, un fils, issu de sa chair et dont la naissance fut gardée secrète. Seuls les témoins de cette naissance étaient au courant.

Glory écarquilla les yeux. Au cours de ses lectures, elle avait parfois lu des allusions aux liaisons qu'aurait pu entretenir la reine avec tel ou tel favori. Mais cela restait des calomnies, puisqu'il n'y eut jamais aucune preuve de la réalité de telles aventures.

— Avez-vous des preuves de ce que vous avancez ? demanda-t-elle.

Westfield posa la boîte sur la table, les papiers et les lettres empilés à côté.

— J'ai ici les faits tels qu'ils furent consignés par le Dr Dee. Il espérait ainsi garantir la succession au trône en cas de disparition soudaine de la reine.

— Il semble avoir trop bien caché les faits, répliqua M. Pettit.

— Peut-être, mais il est également possible qu'au décès de la reine son fils l'ait précédée dans la tombe ou n'ait pas été en état de régner, suggéra Westfield. Ou, autre hypothèse, ceux qui connaissaient la vérité ont peut-être souhaité épargner au prince une vie d'obligations.

Ces dernières paroles stupéfièrent Glory. En effet, en tant qu'aristocrate, le duc ne pouvait ignorer les obligations liées à son statut et à sa naissance. Pourtant, sur son visage, on pouvait lire de la sympathie pour cet enfant que l'on avait préservé d'un destin royal.

— Parlez-nous de l'homme qui gagna le cœur de la reine, demanda M. Pettit.

— C'était un courtisan mineur qui garda les lettres d'amour de la reine, toutes non signées, bien entendu, répondit Westfield en indiquant le paquet de lettres. Mais, selon ses dires et ceux du Dr Dee, il ne s'agissait pas d'une simple amourette.

— Ce qui expliquerait le bonheur que manifesta la reine lors de son séjour à Sutton House, indiqua Glory.

— Cela explique aussi la réputation de philtre d'amour acquise par les eaux, dit M. Pettit.

— Et cela justifie également que cette réputation se soit si rapidement répandue, ajouta Glory.

Westfield reprit le cours de son récit.

— La venue d'un enfant mit un terme à cette histoire d'amour. Avant cette grossesse, ils s'étaient rencontrés clandestinement, lui, l'homme de peu, et elle, la grande souveraine, mais après la naissance l'amant de la reine se mit à craindre pour sa propre vie. Dans l'une de ses lettres, il lui fit part de son projet de partir pour le continent, afin de fuir les familiers du trône qui voulaient l'assassiner.

Quelle séparation amère, pensa Glory.

— Et l'enfant ? demanda-t-elle.

— Votre ancêtre, annonça Westfield.

— Pardon ? s'écria Thad, avant que Glory n'ait eu le temps d'exprimer sa stupéfaction.

— L'enfant fut confié aux propriétaires de la source, la famille Sutton, pour qu'ils l'élèvent comme leur fils, expliqua Westfield.

M. Pettit et la duchesse se mirent à parler tous deux en même temps, à la fois amusés et stupéfiés par l'ascendance royale de Glory et de son frère.

Si la nouvelle semblait emplir Thad de fierté, Glory garda le silence, le visage toujours tourné vers la fresque.

— Imaginez l'excitation que cela va provoquer chez les historiens ! dit M. Pettit.

— Sans parler des retombées pour les Eaux de la Reine, ajouta la duchesse. Il semble, mademoiselle Sutton, que le succès de votre entreprise soit assuré !

— Il ne faut en parler à personne, répondit Glory sur un ton alarmé.

— Pourquoi ? s'exclama M. Pettit, l'air stupéfait.

La duchesse se contenta de sourire.

— Il s'agit de leur secret, pas du nôtre, répondit Glory. Nous devrions remettre ces documents où nous les avons trouvés.

Elle s'attendait aux protestations du duc mais il hocha la tête en signe d'approbation. Oui, elle avait pris la bonne décision même si elle avait fait un choix difficile.

Dans le silence qui suivit ses déclarations, elle tourna

de nouveau ses regards vers la fresque, où une reine sans enfant tendait ses mains vides.

Perdue dans ses pensées, elle remarqua à peine le départ des autres. Seul demeura Westfield, lui aussi silencieux.

Il vint la rejoindre devant la fresque et le bruit de ses pas arracha Glory à sa rêverie.

— Quelle histoire vous nous avez racontée là ! murmura-t-elle.

— C'est vrai, répondit Westfield. Elle fait réfléchir, n'est-ce pas ? On se met à questionner ses choix et on comprend qu'il faut vivre sa vie avant qu'il ne soit trop tard.

Glory lui jeta un regard perplexe.

Il baissa la tête, comme à court de mots, puis reprit :

— Je comprends maintenant qu'en m'isolant ainsi j'ai été injuste envers ma famille, mes amis et envers moi-même. Certes, je me suis épargné les chagrins et les déceptions mais je me suis privé des bonheurs, petits et grands, qui donnent de la valeur à une vie.

Glory était suspendue à ses lèvres, car Westfield évoquait rarement des sujets personnels — ou reconnaissait rarement s'être trompé.

Oberon se planta face à elle, le visage résolu. Les yeux plongés dans les siens, il demanda :

— Mademoiselle Sutton, voulez-vous m'épouser ?

Combien de fois avait-elle imaginé ces mots ? Des paroles qu'elle s'inventait pour apaiser son cœur blessé. Entendre le duc les prononcer était vraiment…

— Qu'avez-vous dit ? demanda-t-elle, la voix tremblante.

Westfield croisa les mains dans son dos, comme pour ne pas céder à l'envie de la prendre dans ses bras — et par là même influencer sa réponse.

— Voulez-vous m'épouser ? répéta-t-il dans un murmure.

Comment ne pas céder à cette voix suave ?

Glory lui tourna le dos pour aller se poster face aux grandes fenêtres qui donnaient sur le jardin. Elle avait rêvé de ce moment et pourtant... Elle ferma les yeux tandis qu'un rayon de soleil venait lui caresser le visage. Leur relation serait éclatante comme ce soleil ou ne serait pas. Aucune ombre ne viendrait se mettre entre eux, décida-t-elle soudain avant de se tourner vers lui.

— Et votre travail... au ministère de la Guerre ?

Elle avait lancé cette question sur un ton faussement désinvolte, mais son cœur se serra à l'idée qu'il lui mente.

— Je ne travaille pas pour le ministère de la Guerre.

— Alors au ministère de l'Intérieur ?

— En fait, je travaille pour les Affaires étrangères, répondit Westfield.

Glory put enfin respirer, soulagée. Enfin, il se montrait honnête avec elle.

— J'ai été recruté à la mort de mon père, et depuis je...

— Vous espionnez ?

Westfield secoua la tête.

— J'écoute. Je pose des questions sur le ton de la conversation ; j'organise des soirées où mes cibles se retrouvent dans un cadre convivial et détendu où elles peuvent laisser échapper des informations ; je mets en relations de véritables espions, etc. Mais, depuis quelque temps, j'envisage de cesser mes activités.

Le cœur de Glory fit un bond dans sa poitrine.

— Et vous, qu'en est-il de votre travail aux Eaux de la Reine ? demanda Westfield.

Glory sourit.

— J'envisage de confier à Thad la gérance de la station thermale.

Et tout à coup, comme par magie, elle se retrouva dans ses bras avec, cette fois-ci, aucune perspective de départ pour gâcher sa joie.

Lorsqu'il l'embrassa, rien ne les séparait plus. Les mots qu'ils n'avaient jamais osé prononcer auparavant jaillirent de leurs lèvres, murmures d'amour que seul le risque d'être surpris par un tiers interrompit.

— Nous pouvons rester quelque temps ici, si tu le souhaites. Je suis désormais le propriétaire de Sutton House. Une sorte de cadeau de mariage anticipé que m'aurait fait ma chère mère, expliqua-t-il avec un sourire en coin.

Puis, devant le regard étonné de Glory, il secoua la tête avec un air faussement contrit.

— Ne cherche pas à comprendre.

Glory étouffa un rire avant de répliquer :

— Nous pouvons également habiter à Londres.

— En effet. Mais j'aimerais beaucoup te montrer le château familial, Westfield.

Randolph regarda Glory serrer son frère dans ses bras et fut heureux de voir le jeune homme répondre avec la même chaleur. Ses démêlés avec la pègre appartenaient maintenant au passé. A présent, Thad semblait beaucoup apprécier Philtwell et son héritage familial, les Eaux de la Reine.

D'ailleurs, à voir la mine satisfaite avec laquelle il contemplait sa sœur et Westfield, il était clair qu'il appréciait également son futur beau-frère.

— Lors de votre première rencontre, qui aurait pu imaginer cette fin ? lança Thad.

Tous les trois échangèrent des regards amusés dont Randolph ne comprit pas le sens. Sans doute un souvenir commun…

La duchesse, qui ne voulait pas être en reste, ajouta :

— Une fois de plus, la source a démontré son utilité. Je sais que vous doutez mais, croyez-moi, la magie des eaux a fonctionné, mademoiselle Sutton.

— Je vous en prie, appelez-moi Glory, demanda Mlle Sutton avec une touchante simplicité.

— Son prénom exact est Gloriana, fit Thad, plein de malice.

— Oberon et Gloriana, tout comme le roi et la reine dans le conte *La Reine des fées*, dit Laetitia avec émerveillement. Voilà bien la preuve que les Eaux ne se trompent jamais.

— Oui, ou le signe que Mlle Sutton peut s'enorgueillir d'un ancien et très noble héritage, dit Westfield.

La jeune femme jeta à son fiancé un doux regard, puis se tourna vers Sutton House, comme dans un geste de muette reconnaissance à sa royale ancêtre.

Mlle Sutton avait raison : la présence bienveillante de la reine hantait encore les lieux malgré les siècles et les changements survenus.

Randolph avait fini par s'attacher au vieux manoir et la perspective de continuer à s'en occuper pour la famille Sutton le rendait heureux.

Pour l'heure, la duchesse l'attendait dans la calèche qui les emmenait à Westfield pour les préparatifs du mariage. Laetitia avait insisté : Randolph occuperait la place d'honneur au cours des festivités. Après tout, n'était-il pas à l'origine de ce mariage ?

Il était à peine installé dans la calèche que Laetitia lui attrapa la main avec fougue.

— Elle est de naissance royale, le rôle de duchesse lui ira comme un gant ! affirma-t-elle, radieuse.

— En effet, si le sang d'Elisabeth coule dans ses veines, il n'est pas de défi qu'elle ne puisse relever, répondit Randolph.

« A commencer par vous », ajouta-t-il *in petto.*

D'ailleurs, pour aider les tourtereaux, Randolph emportaient avec lui un remède utile. Si, par hasard, Letty se laissait emporter par sa joie et commençait à se mêler un peu trop de la vie de son fils et de sa bru, il avait de quoi la distraire… Et il n'hésiterait pas à utiliser ce remède sur Letty et le premier gentilhomme convenable qui croiserait la route de cette dernière.

Avec un sourire malicieux, Randolph tapota la poche de son manteau où se trouvait la fiasque contenant un peu d'eau de la reine.

Après tout, on avait toujours besoin d'un bon philtre d'amour, non ?

Retrouvez en février,
dans votre collection

LES HISTORIQUES

Un lord très convoité, de Bronwyn Scott - N°736

QUATRE ANGLAIS SUR LE CONTINENT - TOME 4

Grèce, 1836

Dès que Brennan a posé ses yeux sur la belle Patra, il a compris qu'elle était celle qu'il lui fallait... pour que ses nombreuses prétendantes arrêtent de le harceler. Il aurait dû se méfier lorsque, à son arrivée dans ce chaleureux village grec, plusieurs mois plus tôt, les habitants l'ont accueilli à bras ouverts. En fait, le village manquait cruellement d'hommes à cause de la dernière guerre, et la présence d'un lord anglais comme lui était une aubaine pour les familles en quête de gendre. Sauf que Brennan n'a aucune intention de se marier. Alors s'il parvient à convaincre Patra, jeune veuve elle-même assaillie par les demandes de prétendants grisonnants, de s'allier à lui, ils pourront convenir d'un pacte : il lui fera une cour assidue aussi longtemps que nécessaire, pour tenir à distance les convoitises...

La prisonnière du Highlander, de Nicole Locke - N°737

Ecosse, XIIIe siècle

Si elle veut éviter à sa famille d'être exclue de son clan, Mairead n'a pas le choix : elle doit retrouver le voleur qui a lâchement assassiné son frère, et récupérer la précieuse dague qu'il lui a volée pour payer leurs dettes aux autorités anglaises. Armée de tout son courage, elle s'introduit la nuit dans l'auberge de l'assassin, le cœur battant à tout rompre. Mais rien ne se passe comme prévu... C'est un inconnu qui, sous ses yeux, met le voleur en fuite et récupère la dague. D'abord soulagée, Mairead comprend bientôt qu'elle n'est pas plus avancée, car cet homme aussi puissant qu'intimidant s'avère être un Highlander d'un clan ennemi, farouchement opposé aux siens. Loin de l'aider, il refuse catégoriquement de lui remettre la dague... et de la laisser repartir.

La fille cachée du roi, de Juliet Landon - N°738

Londres, XVIe siècle

Fille illégitime du roi Henri VIII, Etta n'a qu'un souhait : faire son entrée à la cour de Londres pour y rencontrer Elizabeth, sa demi-sœur couronnée reine. Peut-être celle-ci l'aidera-t-elle enfin à lever le voile sur le mystère qui entoure sa naissance ? Mais ses parents adoptifs ont pour elle d'autres ambitions et la contraignent à épouser Somerville, un marchand aussi riche que séduisant, qui dénigre la vie des courtisans et ses aspirations. Au fond, peu importe à Etta que ce nouveau mari la comprenne si mal, tant que ce mariage lui ouvre les portes de la Cour ! Seulement, elle n'imaginait pas un instant que la reine, bien loin de s'intéresser à elle, n'aurait d'yeux que pour Somerville. Son désir de reconnaissance laisse alors place à un sentiment bien plus intense et possessif...

LES HISTORIQUES

L'enfant du Viking, de Harper St George - N°739

LES GUERRIERS DU NORD - TOME 2

Danemark, IXe siècle

Kadlin est sous le choc quand elle reconnaît l'homme qu'on lui envoie en convalescence. Gunnar, son amour d'enfance, ce grand et fort guerrier, revient blessé du combat... Et déjà, elle le sent, ses yeux d'ambre font remonter en elle les émotions les plus vives. Mais, aujourd'hui veuve, Kadlin n'aspire qu'à une vie tranquille et n'a aucune intention de souffrir à nouveau. Car comment faire confiance à un homme qui a disparu pendant deux ans, après avoir partagé une nuit intense avec elle ? Non, son cœur ne cédera plus à la passion, mais Kadlin craint en revanche que Gunnar n'en vienne à percer son secret. Logé chez elle, il risque en effet de comprendre que son fils n'a pas le nom qu'il devrait porter...

La rose de l'Opéra, de Diane Gaston - N°740

Londres, 1817

De toutes les missions que le marquis de Tannerton lui a confiées depuis que Jameson est son secrétaire particulier, celle-ci est de loin la plus délicate : il va devoir convaincre la chanteuse Rose O'Keefe de devenir la maîtresse du marquis. Mais lorsqu'il l'aperçoit sur scène, sublime et magistrale, il comprend qu'il n'aura jamais la force de mener sa mission à bien. Surtout quand il rencontre Rose dans sa loge, et qu'une complicité instantanée se noue entre eux. Bien sûr, Jameson sait que seul le marquis peut lui assurer une protection et des moyens à la mesure de son talent, alors que lui n'a rien à lui offrir. Mais ses sentiments refusent de plier devant la raison...

La châtelaine insoumise, d'Anne O'Brien - N°741

1158, Angleterre et pays de Galles

Pour échapper au mariage que son cruel demi-frère veut lui imposer, Rosamund est prête à tout, y compris à braver le danger en se réfugiant près de la turbulente frontière galloise, dans un domaine mal situé mais bien à elle. Hélas ! à peine a-t-elle pris les rênes de son château que le farouche Gervais de Fitz Osbern s'en empare, arguant qu'il en est le seigneur légitime depuis toujours. Prise au piège, Rosamund refuse pourtant de céder devant le barbare et décide de saborder son autorité. Un jeu dangereux, de provocation et de séduction, dont elle ignore encore les conséquences...

HARLEQUIN

Réveillez la lady
qui est en vous !